四方雲集

臺港中新 的繪本漫畫文圖學

衣若芬 | 主編

中大出版中心 | 遠流

National Central University Press

目次 ✎

導言╱衣若芬 ⋯⋯⋯⋯⋯⋯⋯⋯⋯⋯⋯ 4

|第一卷| **通論**

1 文圖學，學什麼？
╱衣若芬 ⋯⋯⋯⋯⋯⋯⋯⋯⋯⋯⋯⋯⋯ 16

2 繪本・漫畫：文學圖像化
╱衣若芬 ⋯⋯⋯⋯⋯⋯⋯⋯⋯⋯⋯⋯⋯ 38

3 臺灣原創漫畫與繪本的發展與現狀
╱莫忠明 ⋯⋯⋯⋯⋯⋯⋯⋯⋯⋯⋯⋯ 53

4 中國大陸原創繪本與漫畫的發展與展望
╱孔令俐 ⋯⋯⋯⋯⋯⋯⋯⋯⋯⋯⋯ 79

5 港漫講故：20世紀的香港漫畫
╱朱維理 ⋯⋯⋯⋯⋯⋯⋯⋯⋯⋯⋯⋯ 99

6 教育・政治・新加坡繪本與漫畫的前世今生
╱羅樂然 ⋯⋯⋯⋯⋯⋯⋯⋯⋯⋯ 145

|第二卷| 示 例

1 華人時事漫畫的初祖：《時局全圖》
／衣若芬 188

2 糖衣古籍 × 視覺膠囊
—— 蔡志忠《老了說》的漫畫、動畫和彈幕視頻
／衣若芬 209

3 文圖協奏曲
——臺灣繪本作家賴馬繪本中的文圖結合模式論析
／莫忠明 242

4 港漫的全球在地化
——甘小文漫畫文圖構築的香港文化
／羅樂然 290

5 寵物、權力、消費：文圖學視角下寵物漫畫的隱喻
——以漫畫《霸道總裁喵》為例
／孔令俐 317

|附錄|

臺灣・香港・中國大陸・新加坡繪本漫畫大事記
／洪可均、衣若芬 334

附圖目錄 346

文圖學研究推薦網路資源 348

參考書目 350

導 言

衣若芬

1 文圖學怎麼創發的？

這是史上第一本用「文圖學」（Text and Image Studies）的方法論視角研究繪本和漫畫的論文集。書名為《四方雲集》，因為這也是第一本梳理綜觀臺灣、香港、大陸，以及新加坡的繪本和漫畫發展概況的書。[1]能夠聯合執筆寫作，緣於本書的作者群正是來自四地：羅樂然（香港）、朱維理（香港）、孔令俐（中國大陸）、莫忠明（新加坡）和衣若芬（臺灣）。

「文圖學」指經由視覺／圖像／影像／想像來表達、溝通和記錄我們的情感思想。在我的書《春光秋波：看見文圖學》[2]裡，我談到了創發「文圖學」的緣起，大要如下：

2014年我提出「文圖學」一詞[3]，撰寫關於「文圖學」的文章；在新加坡南洋理工大學開設課程；主辦國際學術論壇；並應邀在中國大陸、新加坡、日本、韓國、香港、馬來西亞、臺灣等地演

---

1 1965年新加坡獨立建國之前，與馬來西亞同屬一國。本書書名雖然沒有標註馬來西亞，但是部分內容已經包括其概況。

2 衣若芬：《春光秋波：看見文圖學》（南京：南京大學出版社，2020）。

3 衣若芬：〈"文圖學"的建構之路〉，衣若芬主編：《學術金針度與人》（新加坡：八方文化創作室，2015），頁139-140。

講，鼓勵學者共同研究。為了和更多公眾分享文圖學的成果，用美感滋潤社會，我在2017年發起成立「文圖學會」（Text and Image Studies Society），經新加坡政府核准。文圖學會舉行藝術講座、博物館導覽、工作坊等活動，經由facebook和微信公眾號、專屬網站[4]等渠道傳布相關資訊。

　　2018年，我對文圖學有了較完整相寬闊的想法。先是4月起在美國史丹佛大學和艾朗諾（Ronald Egan）教授合開一學期文圖學的研究生課程，不單是將中文翻譯成英語，我的思維從自己二十多年來一直感興趣的文學和圖像關係，擴充到考慮漢字、書寫和視覺化等等，在21世紀全球化語境下的意義。[5]7月在東京大學，8月在首爾大學，我的演講都獲得了積極的回應。一位首爾大學的教授說他羨慕我，我不明所以，他解釋道：「發明名字的是上帝。」他研究古籍小說插圖，始終覺得方向很「偏」，找不到「立足點」，聽我談到文圖學在古典文學研究的位置，他的眼中發出了亮光！

　　我豈敢說自己有如上帝，發明了「文圖學」，「文圖學」只是沒有具體的名字，在「詩畫關係」的「關係」狀態、在「文學與美術」的「與」字之間，沒有被「看見」；沒有可以被稱呼的聲音。

　　一旦有了正式的名稱，便宣告了存在。2017年12月，我籌組了「文圖學・文化交流：臺灣與東亞的多元對話國際學術論壇」與臺灣大學、韓國外國語大學合辦。會議論文選刊集結為《東張西

4　http://tiss.info/
5　衣若芬：〈做中學：在史丹佛大學教文圖學〉，（馬來西亞）《依大中文與教育學刊》，第2期（2020年12月），頁77-88。

望：文圖學與亞洲視界》[6] 一書，讓學者的研究成果經由書籍流傳分享。

　　2019年的二十場演講，推動了文圖學的能見度。其中在中國人民大學，連續五天五場的學術前沿講座，除了北京當地和周邊的同好，還有來自安徽和南京特地參與的學友。從彼此問答交流集思廣益，我能夠感受到大家對於開拓新領域、新議題的熱切與焦慮。

　　「革故鼎新」的思維已經遍及社會各行各業，創新思維需要新材料、新技術和新方法，落實為行動實踐。殷墟甲骨文、居延漢簡、敦煌藏經洞文書、故宮明清檔案被稱為20世紀初中國學術界四大發現，這「四大發現」提供了新材料，需要像王國維這樣的學者利用二重證據法，將考古文物和現有的歷史文獻對照辨察，以獲知新的見解。我認為：21世紀的學術研究，受惠於電腦網路和圖像處理科技，視覺材料可以說是巨大的資源。舉凡博物館和美術館的藏品、展覽畫冊、專書論著、影像檔案、圖繪文件，很多都能在網上一鍵可得，免費，甚至有些已經屬於公共領域，任人下載利用。再者，我們每天使用手機自由拍攝和輸出文字及圖像於社交媒體，更是製造了海量的數據，加速人工智能的進展。

　　這些古往今來的海量數據，和上個世紀一樣，需要方法掘發意義，彰顯價值，文圖學便是其中一種可操作的方式。在本書第一卷第一章和第一卷第二章有詳細闡述。作為本書的導言，我想請讀者理解「文圖學」命名的科學根據。

6　衣若芬主編：《東張西望：文圖學與亞洲視界》（新加坡：八方文化創作室，2019）。

2 「文圖學」為什麼不能叫「圖文學」？ 或是「文學與圖像」？

因為文圖學的「文」是指「文本」（text），而非僅限於「文學」（literature）。「圖文學」的名字，容易由於「文學」的專用性，而被認為是指「有圖畫的文學作品」，結果還是囿於文學的範圍，圖像只是文學的解讀參考或輔助，有「圖像從屬於文學」的感覺。

「文學與圖像」的稱呼，看似平衡了二者，但是「與」字加在二者之間，就不能處理沒有文字卻飽含文學意象的作品，比如攝影；也不能處理文字稱不上具有文藝內涵的圖像物件，比如廣告及宣傳海報。「文圖學」打破了對於文學性和藝術性的先決判斷，也不因「實用」、「設計」、「商品化」而貶損研究的對象。

所以，我必須強調，「文圖學」是以「文本」為核心，「圖像」是文本的表現形式，故而圖像本身也是一種文本。當代的大數據提供了豐富且多樣的文圖學研究資源，值得我們妥善掌握及運用。

例如用Google Books Ngram Viewer的統計，我輸入文圖學常用的單字text（文本），image（圖像），picture（圖畫），literature（文學），poems（詩），painting（繪畫），查詢1800年到2019年在書籍裡出現的頻率（圖1），發現1988年是一個關鍵節點。從1988年起，text和image比其他語詞還經常被使用，而且text比image使用還頻繁。在1945年以前，使用text少於使用picture。可茲證明，text的概念和指涉範圍逐漸增廣，當我們要研究和稱說帶有圖像的

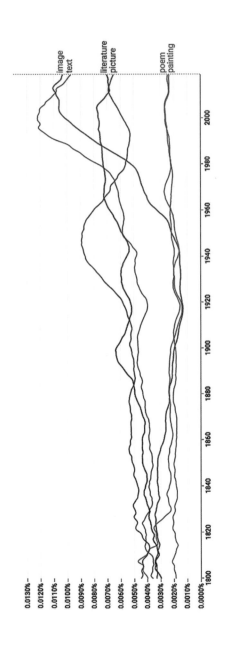

圖1　Google Books Ngram Viewer 呈現的單字使用情形

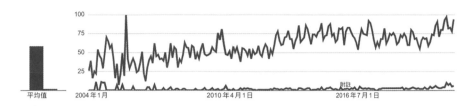

圖2　谷歌趨勢顯示的「文圖」和「詩畫」使用情形

文本，「文圖學」（Text and Image Studies）是最為合理的。

　　我再觀察Google trends「文圖」（text and image）及「詩畫」（poem and painting）兩組詞近十六年（2004年至2020年）的使用趨勢，可以更明顯看出前者的蓬勃發展。（圖2）

　　還有學者問我：用漢語的話，「文圖學」是一個詞，容易採納；用英語時，好像不夠簡明？何不也創一個新詞？我想到W. J. T. Mitchell教授談text和image，一直是image在前，用了幾種組合方式："image / text"、"imagetext"、"image-text"、"image X text"，這幾種組合方式的意涵略有出入（詳見本書第一卷第一章），和我以文本為主的想法也不盡全同。我期待，在文圖學的研究繼續完善和強化之後，或可再提出概括力更強的英語名稱。

3 用文圖學研究繪本和漫畫

　　本書共十一篇文章，分為二卷，第一卷為「理論和概觀」，論

述文圖學的建構；宏觀臺灣、香港、中國大陸和新加坡的繪本及漫畫的發展。第二卷為「理論應用示例」，選取四地具有代表意義的傑出作品，進行深入探析。

個別研究繪本和漫畫的學者及專書屢見不鮮，並沒有一本把二者合觀討論的書。前文談了創發文圖學的時代需求和定勢突破，繪本和漫畫也是左右於文學和藝術的文化作品，如果只用文學性和藝術性來要求繪本和漫畫，有時難免削足適履，抑或誇大其辭。本書合觀繪本和漫畫的理由，可以簡述為以下三點：

（一）從繪本和漫畫的創製歷史，理解二者同源關係。破解繪本和漫畫的生產完全受外來（日本、歐美）影響的舊說。

（二）還原繪本和漫畫創製的設計初心，不因作品形態筆法較為簡約、作者身份未必文化精英而先入為主，輕忽作品的重要性。

（三）釐清觀看繪本和漫畫的讀者年齡限制。一般的刻板印象，把「看圖畫書」當成未能識字之前的暫時教育，認為文字的文化地位高於圖像，所謂「讀圖」，有貶低閱讀行為的意味。

本書是初步的研究成果，即使合觀繪本和漫畫，也不強加鉤連二者，在本書第二卷可窺其端倪，更歡迎有興趣的讀者開發適合的「繪本文圖學」和「漫畫文圖學」。

4 圖像的公共展示性

分述四地的繪本和漫畫發展概況之外，本書還實踐文圖學以圖示說明的特色，用時間軸排列並置四地的繪本和漫畫大事記，作為

全書的歸納總結。感謝洪可均先生設計製作圖表，使讀者便於清晰掌握。

我想用「圖像的公共展示性」觀點，補充討論研究繪本和漫畫的當代價值。

在本書第一卷第二章，我談到文學圖像化是繪本和漫畫的動力──無論把繪本定義為有圖畫的書，比如7世紀的《繪因果經》、西元868年的《金剛般若波羅蜜經》；還是給兒童看的圖畫書，比如14世紀郭居敬編纂的《全相二十四孝詩選》，東方都早於西方。從繪畫技法定義「漫畫」，可見於18世紀的日本浮世繪和風俗繪本、動植物畫譜，中國也有類似的畫法，比如梁楷、牧谿、顏輝等的水墨簡筆白描畫，不過沒有直接使用「漫畫」一詞。以「漫畫」為書名，最著名的是葛飾北齋（1760-1849）的《北齋漫畫》。

從繪本和漫畫的生成過程看來，由於結合了文字與圖像，和出版印刷技術的進步息息相關。也可以說，繪本和漫畫的編輯設計本質，就是往大眾化傳播靠攏，試圖解除單一的文字視覺體驗，讓圖像穿插，帶動讀者較為直觀的訊息輸入模式。有了「畫給你看」的圖，制約了一部分讀者天馬行空的想像；也節約了不著邊際的認知成本。讀者是先看圖？還是先看字？取決於排版和讀者個人的習慣、興趣。

19世紀末的畫報和新聞插畫，使用比雕版更便捷的石印印刷術，能夠更快速傳遞資訊，將圖像的視覺公開性推向更趨普羅大眾。前此「畫給你看」的圖，功能是「幫助你想」；此際，圖的言說作用往往大於展示景致，成為「看畫知事」，所知之事，乃公共

事務，或是私事化公的消息。

　　拿被認為是中國最早的時事漫畫《時局全圖》為例，我在本書第二卷第一章梳理了《時局全圖》的創製文化脈絡，分析《時局全圖》的簡化版《瓜分中國圖》和增筆版《時局圖》。彩色海報形式的《時局全圖》，召喚的是公共展示和集體觀看，強化圖像的言說功能，對於不識字的觀者，具有一定的直接明指作用。後來的新聞漫畫、故事漫畫和幽默諷刺漫畫，與其說繼承《時局全圖》的創作旨趣，重視教化和宣導，更鮮明的是讓圖像擔負敘事和抒情的雙重任務。

　　早期繪本的發展偏向於幼兒讀物，是為識字前的圖畫書，或是由家長帶領的教育讀物，共同讀繪本的情形，也造成繪本圖像的多元關注。

　　如果我們把文字和圖像都視為一種「圖」，通過視覺進入大腦，大腦處理「圖」的數據需要辨識和判斷、理解的過程，依賴我們已經有的記憶儲備，有現實情景為基礎的圖像比人為製造的文字容易被接受，於是人們傾向於從圖像獲取信息，形成前述認為「讀字」高於「看圖」的想法。19世紀發明的攝影照相技術結合印刷，可以大量複製和傳播圖像，眾多觀者從公共展示的圖像獲取世界的資訊，形塑價值觀，反向更促進漫畫和繪本之類比文字書籍更廣泛的市場需求。

　　綜觀臺灣、香港、中國大陸和新加坡，從19世紀末到21世紀初的漫畫繪本發展，便是循著圖像的公共展示特點和市場經濟趨勢而開枝散葉，花團錦簇。比如報章的商業漫畫廣告[7]、木刻漫畫藝

術[8]、出版連載和單行本、獨具風格的作者……。由於四地的社會環境有別,概括而言,臺灣偏向打造文化創意產業;香港重視和流行影視借力合力;中國大陸強調教化功能和民族風味;新加坡則用心於構設主體意識和政治反思。

5 未來已經來了

科幻作家威廉・吉布森（William Gibson, 1948- ）,在還沒有互聯網的1984年,就發表了小說《神經漫遊者》（*Neuromancer*,又譯《神經喚術士》）。書中設想的世界,人際溝通經由虛擬圖像的網絡連結,駭客透過神經攻擊電腦,故事影響了電影《駭客任務》（《黑客帝國》）和漫畫《攻殼機動隊》等作品。

1999年,威廉・吉布森在接受媒體訪問時,淡化了他「神預言」的本領,表示:"The future is already here – it's just not very evenly distributed." 是的,「未來已經到來,只是尚未普及。」[9]

從漫畫和繪本的圖像公共展示延伸到動畫、互聯網和電子遊戲,本書稍有觸及,有待同好參與共研。

感謝國立中央大學出版中心王怡靜高級專員邀稿,本書兩位匿名審查教授的支持與肯定,全書根據審查教授意見修訂增補,更為

7　衣若芬:《南洋風華:藝文・廣告、跨界新加坡》（新加坡:八方文化創作室,2016）。

8　姚夢桐:《新加坡美術史論集（1886-1945）》（杭州:浙江人民美術出版社,2019）。

9　衣若芬:〈未來已經來了〉,2020年5月23日,新加坡《聯合早報》「上善若水」專欄。

完善。同時感謝授權本書圖像的藝術家們（他們的大名見於本書相應篇章），沒有藝術家們的創作，便沒有呈現在讀書面前的這本研究專書。

驀然回首，一個看圖書畫（繪本）長大的女生，在高中時編輯校刊，努力說服師長「漫畫」不是次等（不入流）的創作形式，讓我得以製作漫畫主題專刊。我去中華電視台採訪趙寧先生（1943-2008），受到這位留美博士漫畫家鼓勵，知道漫畫的存在意義。

從事學術研究工作之後，繪本和漫畫長在心中，但我始終找不到一個突破社會學、文化研究、兒童教育之外的學術窗口，能夠彰顯繪本和漫畫的價值。直到創發了文圖學，運用文圖學講述繪本和漫畫。

如果您也和我一樣，曾經飽食繪本和漫畫的精神食糧，本書的若干片段，或許有您的成長記憶。如果您是陪同子女閱讀的家長，本書可以提供多角度的觀看方式。如果您是教育者、學者、讀者，歡迎加入文圖學研究的社群。如果您是畫家／作者，請繼續創製更多更優質的作品，期待您的作品豐富我們的人生，現在，未來。

衣若芬 序於新加坡

2020 年 8 月 18 日

2020 年 11 月 20 增書

第一卷

通 論

1 文圖學，學什麼？

衣若芬

什麼是文圖學？我們為什麼要學習文圖學？能在哪些方面派上用場？本文闡述文圖學的原理、內涵、研究步驟和適用範圍、當代意義。

1 文圖學就是看世界

文圖學（Text and Image Studies）是我近年創發的語詞和研究框架，希望融會整合文學、美學、藝術史、文化史、圖像學、文獻學、符號學[1]、視覺心理學等等，分析文本（text）和圖像（image），對內覺察個人的思維和價值觀，對外呈現觀看理解世界之道。

過去我們談「文本」，偏重於文字或文學，有時也稱「作品」；文圖學談的「文本」，著重的是「被賦予意義」的開放狀態，是動

1　Sean Hall, *This Means This, This Means That: A User's Guide to Semiotics*. London: Laurence King Publishing. Ltd., 2007. 尚恩・霍爾著，呂奕欣譯：《這就是符號學！探索日常用品、圖像、文本，76個人人都能讀懂的符號學概念》（臺北：積木文化，2015）。

態，而且可能因時、因地、因人變異。文圖學的「圖」，強調的是視覺性，指文本經由感官或想像被看見、被意識。

「文本」和「圖像」？好像很複雜。其實生活在21世紀的大多數人，每天過的就是充滿「文本」和「圖像」的生活。

早晨醒來，你會先看手機吧？看一下時間，時間夠的話，快刷一下朋友圈，瞄兩條重點新聞，手機屏幕上的文字、圖像、影像都是「文本」，它們以「圖」的形態呈現。即使是一則新聞攝影，你並不是親臨現場，你看到的，是實景的複製，也可以說，是實境的再現，這就是文圖學涉及的內容。

你觀看鏡裡的自己。你，一個大活人，你的人生就是文本。你的外在形象／內心情境／腦中思緒，都是以圖／畫面的形態呈現。你的眼睛看不見自己，唯有借助外界的折射／反射，河水的倒影如鏡，那都是「鏡像」。凡是「文本」，就有脈絡關係，無論是否合乎邏輯規律，都可以被解讀、被詮釋；而所有被解讀詮釋出的意涵，也都是你或他人投射／反映的鏡像。所謂「有一千個讀者，就有一千個哈姆雷特。」不讀莎士比亞的劇作，不曉得哈姆雷特是誰也沒關係，你瞧，有一千個人說你，可能就有一千個你，你是文本，是他者／他物顯示的鏡像／圖像。

今天穿哪件衣服出門呢？你喜愛的衣物包含了設計師的觀點、立場、審美判斷，是設計師看世界的態度和結果。衣物也是文本，有布料的材質、有剪裁的線條、有顏色、有圖案，那圖案還可能是商標或文字。是的，你已經想到了，這裡面有文圖學。

出門上街，觸目所及，有各種指示的符號和圖標，它們的意思

全球一致。比如交通號誌燈的三種顏色；箭頭引導方向；一個紅色的圓圈畫上一條斜線代表禁止；三角形提醒小心。為什麼市售瓶裝水的瓶身大部分是透明的？為什麼醫生在開刀房裡穿綠色或藍色的手術服？為什麼婚禮布置玫瑰花而不是白菊花？這些視覺語言、色彩心理、物質象徵，都能從文圖學得到答案。

2 文圖學的原理

「您怎麼看最新研發出來的換臉app呢？」友人問我。

傳輸照片到這款手機應用程式，如果搭配電影視頻，運用人工智能，可以讓你變成影片中想扮演的明星。然而，如果使用者散布了修改過人物面容的視頻，沒有附加說明，也就等同於發了假視頻，有沒有問題呢？

我還沒回答，注意到友人問我「怎麼看」，其實問的是我「怎麼想」。

視覺關聯思維。我們的「五感」，味覺和嗅覺處理對口腔和空氣裡物質的化學反應；聽覺處理接收聲波震動傳導；觸覺處理皮膚與物的碰觸；視覺處理電滋波的信息。眼睛可觀測到的電磁波將物象投影於視網膜上，形成影像，通過視神經傳到大腦視覺中樞，讓我們得以感知物象。我們常說「眼見為信」，因為我們認識世界的資訊大部分來自視覺，要靠大腦三分之一的神經元來處理。

大腦佔人體重量約2%，分為左右兩半球體，中間是胼胝體溝通連結。左腦擅於處理語言、文字和符號等邏輯信息；右腦擅於

處理圖像、聲音、節奏等直接信息，左右腦統合完成對外界的接受和回應。[2]人類不是對所有的信息都能出於本能一目了然，信息（information）需要解讀、分析、判斷，促使行動，從這個層面而言，視覺接收的信息就是文本。

文圖學的原理便是基於視覺與認知的關係，也就是從「看世界」到「理解世界」。「看法」就是「想法」，視覺決定了我們大部分的思維，構成認知，決定判斷，趨使行動。

3 文圖學，學什麼？

文圖學談的「文本」，依其生發的途徑形式，可以分為三種類型。（圖1）[3]

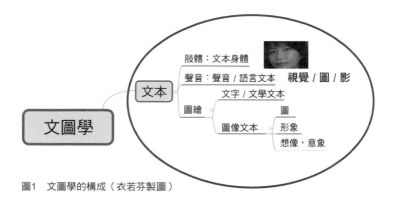

圖1　文圖學的構成（衣若芬製圖）

2　Stanislas Dehaene, *Reading in the Brain: The New Science of How We Read*. New York: Penguin Viking Press, 2009. 斯坦尼斯拉斯・迪昂著，周加仙等譯：《腦與閱讀：破解人類閱讀之謎》（杭州：浙江教育出版社，2018）。

3　衣若芬：〈文圖學：學術升級新視界〉，《當代文壇》，2018年第4期，頁118-124。

1. **肢體**：文本身體（textual body）

姿態、眼神、表情、手勢、動作、服裝儀容、舞蹈等等。

2. **聲音**：聲音／語言文本 （sound / voice / language text）

無意或刻意發出的聲音，比如興奮時歡呼吶喊，跌倒時驚慌唉叫，嬰兒的啼哭，戰士的怒吼……乃至於音樂歌唱和語言。

3. **圖繪**：文字／文學文本 （word / literary text）和圖像文本（image text）

文字尚未被發明之前，人類便懂得繪畫和創造符號。結繩記事、甲骨占卜、拼音文字或是像漢字一樣的語素文字（logo-gram），都是線條構成的符號，呈現為圖串或圖塊。文字被有意識地排列組合為句子，聯織句子為篇章，即近乎文學。

文圖學談的「圖像」，是一種文本形態，也可以分成三種類型。

1. **圖**：所有具可視性（visible）的視覺形式，例如符號、圖示、商標、繪畫、圖畫、圖案、圖形、標誌、照相、攝影、影像、線條、地圖、色彩、印刷物等視覺語言。

2. **形象**：審美主體對客體的整體觀察、歸納、總結、凝煉而成的認知和觀念、評價。

3. **想像、意象**：抽象的心靈圖景。「意象」近於「形象」，為具有互文關係的各階段文本累進疊加所展現的審美結果。

「文圖學」不稱「圖文學」。文圖學強調的是文本的開放性、多元性和歧義性，圖像是文本的外觀，由於「文學」一詞在中文語境裡已經有專指，所以叫「文圖學」比「圖文學」明確。

　　「文圖學」也不叫「文本學」。「文本學」容易被理解為「文學」，或是偏向文字表現，欠缺觀看的視覺意涵。

　　文圖學的文本概念包括肢體、聲音、圖繪／書寫，這些都是人類的行為，源於《詩大序》說的「情動於中」。「情」之所生，乃《文心雕龍》所謂的「應物斯感」，文學藝術創作即為「感物吟志」的結果。「物」可以指所有人為和大然的物件／物象，以山水為例，南朝劉宋畫家宗炳（375-443）《畫山水序》說：「聖人含道暎物，賢者澄懷味像。至於山水，質有而趣靈。」山水天然的形質是聖人賢者觀想的對象，山水的靈性與趣味，有賴於體察品味。換言之，山水是需要被詮釋、被賦予意義的文本，這就擴大了文圖學預設的文本指涉，朝向容納肢體、聲音、圖繪／書寫的空間發展。

　　世界的運轉需要動能，存在於世界的物件／物象都是「文本」，人既是文本，也生活於文本中。個人的肢體、聲音、圖繪／書寫文本會和他人產生的文本形成互動，如果是藝文創作，我們會說那互動的力量互為文本，簡稱「互文性」。

4 從史前考古到當代製造

　　「文本」的三種類型彼此疊加、會合的組建關係，顯示了文圖學研究的廣闊範圍（圖2）。可以說，從史前考古到當代製造都值得探析。過去學者用「文學／語詞與圖像」、「詩畫關係」、「圖文比較」等詞彙談類似的研究範圍，文圖學是對以往研究成果的迭代和升級。尤其對於不被歸類於純粹藝術作品的廣告設計、漫畫、動

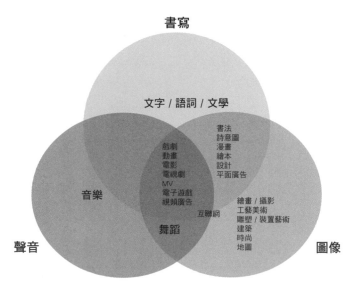

圖2　文圖學的範圍（衣若芬製圖）

畫等文化生產，以及第四次工業革命以後新興的電子、互聯網物件提出觀點，大大補充現有研究之不足。

5 上手四步驟

　　文圖學以「觀看」為出發點，因觀看而認知、感知；繼而有所判斷、辨識；終而付諸行動——例如消費、賞鑑、收藏、批評、研究等等。在研究方面，可分為外緣和內在兩部分，先說外緣，關注文本周邊脈絡，例如生產機制、使用情形、社會網絡、流通過程等現象。

　　再說內在，探討文本自身，提出闡述。方法依序為（一）視其外觀，（二）察其類型，（三）解其形構，（四）論其意涵。（圖3）

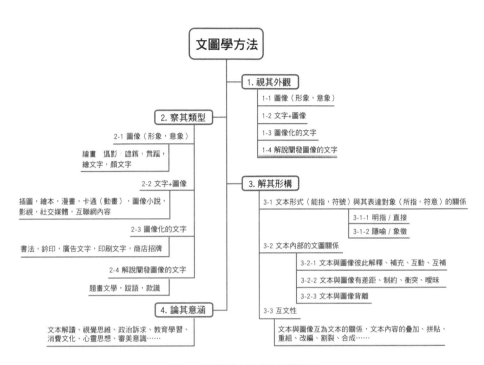

圖3　文圖學的方法（衣若芬製圖）

〔一〕視其外觀

直觀文本的展示樣態，大致有四種：

1. 圖像（形象，意象）

2. 文字＋圖像

3. 圖像化的文字

4. 解說闡發圖像的文字

〔二〕察其類型

不同物質、物理條件、構成元素所創造的文本各有形式，形式或有重疊。例如：

1. **圖像（形象，意象）**：繪畫，攝影，建築，舞蹈，繪文字，顏文字

2. **文字＋圖像**：插圖，繪本，漫畫，卡通（動畫），圖像小說，影視，社交媒體，互聯網內容

3. **圖像化的文字**：書法，廣告文字，印刷文字，商店招牌

4. **解說闡發圖像的文字**：題畫文學，跋語，款識

〔三〕解其形構

部分文本已經為既成的專門學科，例如藝術史、建築學、傳播學等等，文圖學研究吸收個別專業的學術語彙、方法、規範，並加以延展深化。

1. 文本形式（能指，符號）與其表達對象（所指，符意）的關係。

①明指／直接，直觀或約定俗成，較無歧義。例如表達天文自然的漢字「日」「月」「山」「水」；表達人體器官的「目」「手」「口」「心」乃摹擬物形。

②隱喻／象徵，需要想像力、知識背景、文化素養。比如「人」和「木」合成「休」字，就是人靠在樹旁休息的會意字。「木」字下面加一橫，是表示根源的指事字「本」。

「木」右邊加一個「支」字，取「支」的發音，就是形聲字「枝」。

2. 文本內部的文圖關係。

①文本與圖像彼此解釋、補充、互動、互補。

②文本與圖像有差距、制約、衝突、曖昧。

③文本與圖像背離。

3. 互文性。文本與圖像互為文本的關係，文本內容的疊加、拼貼、重組、改編、割裂、合成……。

〔四〕論其意涵

包括文本解讀、視覺思維、政治訴求、教育學習、消費文化、心靈思想，審美意識等等。通過文圖學的研究概念和方法，開啟更廣闊的闡釋空間。

6 學術研究的文圖學轉向

在本書導言裡，我利用 Google Books Ngram Viewer 統計文圖學相關的六個單字從 1800 年到 2019 年在書籍裡出現的頻率，這六個單字是：text（文本），image（圖像），picture（圖畫），literature（文學），poems（詩），painting（繪畫）。結果發現 1988 年開始，text 和 image 的使用頻率一直高於其他四個單字。這是否顯示文圖學大約在 1988 年萌芽呢？

讓我們回顧 20 世紀人文學科的研究趨向。

前美國史丹佛大學教授Richard Rorty（1931-2007）在1967年指出了分析哲學、符號學朝語言哲學發展的「語言轉向」（Linguistic Turn）趨勢。[4]接續「語言轉向」的觀點，芝加哥大學W. J. T. Mitchell教授在1994年提出了20世紀從過渡到圖像學、視覺文化「圖像轉向」（Pictorial Turn）的情形[5]。沿著W. J. T. Mitchell的理路，我想21世紀的「文圖學轉向」十分明顯。

W. J. T. Mitchell的思慮縝密，對於詞義相近或重疊的字善於反覆論證推敲，關於picture, image, icon的探討已經臻於哲學思想層次。對於不一定熟悉西方文化歷史的中文讀者而言，理解費力。再者，他的觀念有所調整，翻譯他的著作為中文的順序卻不是依照其論著的出版順序，更增添了梳理前後關係和遵循的難度。

概括地說，「圖像轉向」（Pictorial Turn）提示了文本和圖像的三種可能性，即：

1. image / text，用斜線（/）表達文本和圖像之間存在的問題間隙。

2. imagetext，文本和圖像的合成。

3. image-text，視覺（visual）和語言（verbal）的關係。

繼討論圖像和文本的斷裂（rupture）、合成（synthesis）、關係（relation）之後，W. J. T. Mitchell再提出了第四種表述："image X

4　Richard Rorty ed., T*he Linguistic Turn: Recent Essays in Philosophical Method*. Chicago: The University of Chicago Press, 1967.

5　W. J. T. Mitchell, *Picture Theory: Essays on Verbal and Visual Representation*. Chicago: University of Chicago Press, 1994.

text"[6]。"X" 符號有六重含義：

1. 未知，可變的

2. 乘法的符號

3. 修辭上的交錯比喻

4. 相遇、交會

5. ／及＼的組合，雙方朝相反的方向延伸

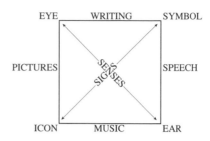

圖4　image/text關係（W. J. T. Mitchell 繪製）

6. eXcess, eXtra 裡 "X" 的音素，表示無可預期和超越

利用 "X" 介於 image 和 text 之間的歧義，他畫出 image／text 的矩陣，並展示其內容[7]。（圖4）

雖然 W. J. T. Mitchell 指的文本（text）一直是語言文字，談論較多視覺的層面，在這個矩陣裡，他列出的符號和感官內容已經包括聽覺。

文圖學的提法受到 W. J. T. Mitchell 的啟發而更進一步，除了一樣會討論圖像和文本的斷裂、合成、關係，以及文本和圖像交互的多種可能性，不同的是：

1. 文圖學談的文本範圍較廣，不限於語言文字。

2. 文圖學強調文本，圖像是文本表現的一種型態，文本在前；W. J. T. Mitchell 談的是 image 在前，重點在 image。所以文圖學不

6　Ofra Amihay, Lauren Walsh eds., *The Future of Text and Image: Collected Essays on Literary and Visual Conjunctures*. Newcastle upon Tyne: Cambridge Scholars Publishing, 2012, pp. 1-11.

7　W. J. T. Mitchell, *Image Science: Iconology, Visual Culture and Media Aesthetics*. Chicago: University of Chicago Press, 2015, p. 41.

是「圖文學」，並且避免和中文的「文學」意思重複和混淆。

3. W. J. T. Mitchell較從學理概念上析論image text，文圖學除了談理論，還落實於具體的文本生產場域、機制、過程、傳播等動態情況，以及個別文本的細緻探討，掘發意涵。因此，文圖學沒有在連結符號上刻意梳理text和image的對應關係，而是用簡單的"and"來表述。

回到「文圖學轉向」的時代意義。1980至1990年代，是個人電腦圖形化使用者介面（GUI, graphical user interface）迅速發展的時期，如1995年8月24日，微軟（Microsoft）繼Windows 3.x系列產品之後，發布了新的電腦操作系統Windows 95，結合了物件化的操作方式。例如，用畫面圖示（icon）指引操作。圖示下方有文字說明，文字的字體較小，不如圖示直觀；而且圖示全球統一，不因語言文字受阻礙，並可以對圖示與檔案等物件進行拖曳搬移或複製等動作。（圖5）

圖5　Windows 95畫面

早在1983年，蘋果電腦公司推出的Apple Lisa個人電腦，就已經結合圖形化使用者介面。Windows 95的特殊之處，是後來的版本直接附帶了Internet Explorer 3和網路瀏覽器連結，人們在操作電腦時用鼠標點擊畫面上的圖示，便能夠進入系統，並且經由網路鏈接到主電腦以外的虛擬世界。

結合前述1988年人們使用text和image的頻率高於literature和picture，可以說，較為概念式和指涉寬泛的單字漸漸由於其包容性強而凌駕具體的單字，也就是對「虛化」的接受。電腦介面就是運用虛擬的圖像（包括文字、數字、符號等等）來操作，從1983年的Apple Lisa到Windows 95，正好就是1988年開始強化／固化text和image的平行發展，在1995年達到人際溝通能夠憑藉圖像連結。因此，如果把1988年視為具有現當代意義的文圖學萌芽階段，1995年標誌著文圖學的落實，學術研究乃至於文明的轉向。

7 文圖學與文明進展

隨著電腦網路的開發和普及，產生了各種圖像形式的數位文本，比如大約在1997年出現的新字「繪文字」（Emoji， 文字えもじ）。「繪文字」是日語「絵」（え）加上

圖6　2015年英國牛津字典選出的年度文字

「文字」（もんじ）而成，表情符號繪文字在移動通訊設備上被大量使用，2015年英國牛津字典選出的年度文字，正是一個帶淚的笑臉（Face with Tears of Joy）表情（圖6），等於認可了繪文字的「文字」性質——表達、溝通、記錄。

文圖學面對第四次工業革命的挑戰，思考新興科技對我們的影響。每天瀏覽、製造、複製、傳輸文本和圖像，成為我們的生活方式，如果把這些數據視為推進時代的能源，這能源容易取得，且動力強大，讓我們感到世界變化的速度加快，人與人的世代隔閡時間

差段也縮短了。

　　過去我們依人們的出生年代區分，1965年到1980年出生的人群稱為「X世代」；1981年到1996年出生的人群稱為「Y世代」或千禧世代（Millennials）；1997年到2000年出生的人群稱為「Z世代」或「90後」。世代的差異大約是十到十五年為一區段。[8]聖地牙哥大學心理學系教授Jean M. Twenge研究1995年至2012年之間出生的一代，稱之為「i世代」（iGen），i世代的時段差異只有八年，她將i世代從1995年開始計算，和我談到「文圖學轉向」萌生於Windows 95的看法不謀而合。Jean M. Twenge對5000名美國青少年進行調查，發現其中四分之三都有iPhone。i世代與前一世代的差別之一，是如何度過時間。[9]另一項皮尤調研中心（Pew Research Center）2015年的報告顯示，有92%的美國青少年每天都上網，24%的人「幾乎從來不下線」。無論是使用電腦還是手機，都在瀏覽、製造、複製、傳輸文本和圖像，形成自己看待世界的價值觀。

8 文圖學與相近學科

　　個別學科的建設有其關注面向和解決問題的要點，文圖學關注

8　這種世代的時段劃分並非絕對數值，參考皮尤調研中心（Pew Research Center）的資料：https://www.pewresearch.org/fact-tank/2019/01/17/where-millennials-end-and-generation-z-begins/。

9　Jean M. Twenge, *iGen: Why Today's Super-Connected Kids Are Growing Up Less Rebellious, More Tolerant, Less Happy–and Completely Unprepared for Adulthood–and What That Means for the Rest of Us*. New York: Atria Books, 2017.

觀看和想像，希望從文本細讀分析的方式，歸納文本的構成、功能、使用、傳播和再生產，研究的對象部分和藝術史材料相同，也借鑑圖像學的觀點。假如要區分文圖學與現有學科的異同，拿拙著《書藝東坡》為例，可以發現《書藝東坡》採用的文圖學取徑和書法史研究同中有異。我曾經談過：

> 「書法史」重視的是作品之間的繼承與創新，也就是分析作品的結體、線條、筆法、風格傳承等方面，加入書家，為作品和書家找到歷史的時間座標和藝術定位。而「文圖學」則是探究文本與圖像的關係，不僅研究作品的意義，還研究其脈絡的建立和它的文化體系。[10]

同樣的，文圖學也吸收了圖像學的理論方法，我接受《典藏》雜誌專訪時談過：

> 圖像學研究比較偏向美術方面，它主要講icon（圖示），我用文圖學進行研究時借鑑了圖像學方法論。[……]文圖學除了研究icon外，涉及內容更廣，例如：從何時起柳樹和菊花變成了陶淵明的icon？從何時起陶淵明的隱逸形象變成了文人內心想要去追尋和模仿的對象？[11]

10　衣若芬：〈用文圖學方法打開《書藝東坡》〉，《中華文物學會》，2019年刊（2019年7月），頁272-278。衣若芬：《書藝東坡》（上海：上海古籍出版社，2019）。
11　王芷岩：〈從"題畫文學"到"文圖學"的研究之路──訪新加坡南洋理工大學教授衣若芬〉，《典藏古美術》（中國版），2019年6月期，頁150-157。

　　在《遊目騁懷：文學與美術的互文與再生》一書中，我用「視覺文化」（Visual Culture）的理論推想傳宮素然的《明妃出塞圖》及其題詩的意義[12]。視覺文化研究是文化研究的一環，強調觀看圖像的批判反思立場[13]，支持圖像的多義性，這些都是我創發文圖學的養分。不過視覺文化不能含括自然和非具象的文本，像後文舉的打噴嚏、「白熊效應」的例子。因此，對相關學科的「疊加」，以及為了更全面觀照當代的文化、知識、消費生產而「升級」，我仍然開拓文圖學的天地。

9 文圖學有什麼用？

（一）生活文圖學

　　你也是喜歡在用餐前讓「手機先吃」的嗎？大家紛紛拍攝眼前的食物，上傳到社交網路媒體分享，圖像附加文字，生成文圖學的數據。所以，文圖學已經是我們的生活方式，用來記錄生活和交流資訊。服裝和身體語言作為文本，讓溝通的雙方傳達心意。

　　聲音也是文本，聲音如何「被看見」？聲音雖然屬於聽覺，有時我們可以看到聲音的來源，比如你聽見有人打噴嚏，打噴嚏是信息，你看到打噴嚏的人，打噴嚏的人的動作和聲音便是文本。信息

12　衣若芬：〈宮素然「明妃出塞圖」及其題詩——視覺文化角度的推想〉，《遊目騁懷：文學與美術的互文與再生》（臺北：里仁書局，2011），頁343-386。

13　Irit Rogoff, "Studying Visual Culture", in Nicholas Mirzoeff ed., *The Visual Culture Reader*. London; New York: Routledge, 2002.

本身沒有意涵，當我們設想打噴嚏的理由（因）和現象（果），試圖理解並做出反應，即是將信息「文本化」。信息被「文本化」，便存在意涵的歧見。打噴嚏的「因」不同——溫度不適？空氣汙染？異物入鼻？體質過敏？打噴嚏的動作不同——有沒有及時掩住口鼻？用什麼（手，紙巾，手帕……）掩住口鼻？打噴嚏的「果」不同——流鼻水？感冒？無其他症狀？

打噴嚏還有文化差異，你打噴嚏，是預示有人在想念你嗎？你掩了口鼻，會說 "Excuse me" 嗎？周圍的人會說 "(God) bless you." 嗎？這「上帝保祐你」的意思，表示他是個教徒嗎？不一定。

生活中處處有文圖學應用的場景，經由觀察和體會，讓我們知己知彼，豐富我們的人生。

〔二〕消費文圖學

《注意力商人》[14] 指出，注意力是當今珍貴且稀缺的資源，因為太多訊息分散了我們的注意力，割裂了我們的時間。廣告文案結合文本和圖像，目的便在於吸引消費者。做一個理性又能滿足物質需求的消費者，文圖學破解廣告設計的祕密，例如前文提到：為什麼市售瓶裝水的瓶身大部分是透明的？因為具有穿透性，讓消費者一眼看出水質的清澈，產生純淨的安全感。

14　Tim Wu, *The Attention Merchants: The Epic Scramble to Get Inside Our Heads*. New York, NY: Alfred A. Knopf, 2016. 吳修銘著，黃庭敏譯：《注意力商人：他們如何操弄人心？揭密媒體、廣告、群眾的角力戰》（臺北：天下雜誌，2018）。

（三）工作文圖學

我在香港的一家餐廳廚房門口看到這片「顏色視覺管理」的告示板（圖7），指導工作人員正確使用手套和毛巾。為什麼用白色手套處理食物？黑色手套處理垃圾？紅色毛巾處理生肉？藍色毛巾處理熟肉？因為符合我們對於顏色的感覺，白色清潔，處理食物時易於發現不正常的品質。黑色暗沉，處理垃圾時耐髒好用。

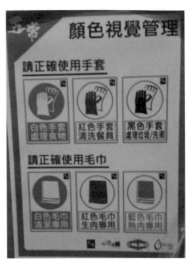

圖7　顏色視覺管理（衣若芬攝於香港）

為什麼醫生在開刀房裡穿綠色或藍色的手術服？因為開刀時長時間看著血紅色的器官，大腦會形成視覺暫留，容易降低辨析紅色中細節的敏銳度。醫生把視線轉換到自己和周圍工作人員身上，可以緩解視覺疲勞，恢復對紅色的專注力。

（四）學科整合

社會心理學家魏格納（Daniel Merton Wegner, 1948-2013）做過實驗，請受試者們在五分鐘之內盡量不要去想一隻白熊，結果越是壓抑克制想白熊，越是更頻繁地想到。這個「白熊效應」（White Bear Phenomenon）也被其他心理學家用「不要想藍色大象」、「不要想粉紅色大象」等類似的實驗證實，大腦被暗示的侵入式思維所

控制的「矛盾處理理論」（Ironic Process Theory）[15]。

心理學家用「矛盾處理理論」分析人們在群體環境中的盲從行為，以及刻意遺忘、阻止思想的困難。用文圖學的角度來看，「白熊效應」是把想像視覺化、內化和具現化。世界上真有白熊，我們可能根據各自的印象在腦海中浮顯白熊。然而藍色和粉紅色的大象並不存在，被要求不去想，反而激發了想像力；熊或大象的顏色賦予想像的依憑，使得虛擬的動物彷彿栩栩如生。

以文圖學解釋「白熊效應」的原理為例，文圖學分析的視覺思維有助於學科跨界會通。

（五）學術貢獻

文圖學因應研究過去學者較不關注，當代大量製造和使用的媒體及材料而創發名詞，建構方法。從史前考古，到時下互聯網，文圖學廣闊的研究範圍值得我們一同開拓耕耘。學術研究的成果還能夠落實於生活、消費、工作等應用場景，感悟自我，悉知他人，看世界，理解世界。

我們研究的結果還能夠反饋給業者，再讓更多人受惠。例如2019年臺北故宮博物院舉行雅集圖特展，我用文圖學方法研究一幅原訂名為《清法式善畫李東陽像羅聘補竹圖》，發現畫家並非題

15　Daniel Merton Wegner, *The Illusion of Conscious Will*. Massachusetts: MIT Press, 2002. Ironic Process Theory 或譯為「矛盾反彈理論」、「矛盾歷程理論」。關於此理論，可參看張松年：〈抑制與指示遺忘：線索時間與工作記憶的影響〉，《人文及管理學報》（宜蘭大學人文及管理學院），第4期（2007年11月），頁91-134。

目指出的法式善（1753-1813），而是王穆峰，這件掛軸曾經被展示於紀念李東陽（1447-1516）生日和紀念蘇軾（1037-1101）生日的聚會，整理出從清代到進入故宮博物院的傳藏過程，將論文初稿提供給策展人，及時在製作展品解說文字和出版展覽圖錄之前更正舊說，使得歷史的真相大白。[16]

10 「文圖學」何以成「學」？

近年許多研究者喜將地名、人名、時代名、書名等等後面加一個「學」字，「學」何以成立？本文最後，反思我提出「文圖學」的合理性。

學術研究有三個要點：材料、問題、方法。我認為一個獨立學科的成立，也必須兼顧這三個層面。先說「材料」。「某某學」如果只是由於材料的豐富程度，畫出一個範圍，這裡的「學」，是研究（study）的意思。本章圖2展現了文圖學研究材料的多樣性，文圖學的英語稱為 "text and image studies" 便是基於如此的思考。

我在韓國談文圖學，一位研究藝術史的學者非常激賞，她說她的研究興趣正是文圖學，除了喜聞有了「文圖學」的名稱，她也對 "text and image studies" 的提法表達意見，覺得不能完全含括我的觀點。後來我明白了，她的意思是：文圖學的「學」不僅是 "study"，

16　衣若芬：〈《清翁方綱題李東陽像羅聘補竹圖》考〉，《中國國家博物館館刊》，2021年第1期，頁150-160。

不僅有材料，還有問題和方法，所以是 "discipline"（學科）。

　　「材料」的研究價值和意義需要靠「問題」彰顯。本文在談「文圖學有什麼用」時，便是試圖從功能方面呈現研究的問題意識。有了材料和問題意識，還要有研究的「方法」。本章提出了文圖學研究的方法步驟，匯聚整合藝術史、圖像學、視覺文化研究等既有的成果，並加以分殊，建構一個以「觀看」為導向，以「認知、判斷、行動」為進行程式的知識框架。因此，「文圖學」的「學」，既是材料的研究，也是前沿的學科，有待更多志同道合者參與，共同切磋開發。

2 繪本・漫畫：文學圖像化

衣若芬

什麼是「繪本」？「繪本」和「插圖本」一樣嗎？東方的「漫畫」和西方的comics一樣嗎？讓我們從文學圖像化的發展和出版歷程，發掘繪本和漫畫的本質。

1 文學圖像化

文圖學關心「文本」的「圖像」展現。「文本」包括「肢體」、「聲音」和「圖／文字」，觀看這些文本，形成我們日常感官世界的主要內涵。

我們可以借用知識管理的金字塔模型（knowledge management cognitive pyramid, 又稱DIKW Hierarchy）[1]，對應到文圖學的概念，如圖1。

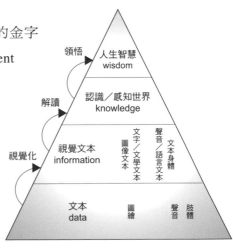

圖1　知識管理的金字塔模型
（衣若芬製圖）

　　在知識管理的金字塔模型結構裡，認為我們接收／收集的數據
／資料必須經過解釋、分析和判斷，轉化成信息／資訊，本書第一
卷第一章談到文圖學原理時，也將這個概念用來說明視覺功能對認
識世界的作用。結合文圖學構成的圖示，可以說，肢體、聲音和圖
繪等文本就是數據，經過視覺化，成為文本身體、聲音／語言文
本、文字／文學文本、圖像文本等視覺文本，視覺文本即信息／資
訊。

　　本章探討的是視覺文本中的繪本和漫畫，牽涉「文學圖像化」
的問題。為敘述簡明，本文把文學、歷史、宗教、神話、口傳故事
等等，全部統稱為「文學」。文學圖像化一般有三種選材範圍：描
繪全篇、摘取部分文本為圖，以及不明指文本來源、不拘於文本字
義，出入於言意內外的圖像。

　　從圖像的表現形式來看，有三種類型：

1. 書法

　　書法是用筆墨線條呈現的文字，觀看時有圖繪的效果。尤其是
字跡內容不易辨識的作品，比如草書、日文假名、韓文諺文、可蘭
經的書法等等，對沒有學習過的觀者便如圖像。

2. 插畫（illustration）

　　插畫依附於文字文本，為便於讀者理解文本、補充說明文本而

1　知識管理的金字塔模型建構由數據（data）、信息（information）、知識（knowledge），上升到智慧
　（wisdom）的體系，在1980年代提出，代表人物有Harlan Cleveland（1918-2008）、段義孚（YiFu Tuan,
　1930-）、Daniel Bell（1919-2011）等學者。包括教育、科技、經濟等學科都使用這個模型，並加以批
　評或改良。參看Jay H. Bernstein, "The Data-Information-Knowledge-Wisdom Hierarchy and its Antithesis",
　NASKO. 2 (2009), pp. 68-75.

生，通常採單一景致的構圖形式。文與圖相輔相成，沒有文字說明的話，插畫不容易單獨存在。

3. **詩意圖**（poetry painting, poetic ideas painting）

詩意圖包括描繪詩歌、歷史故事、民間傳說等等的圖像，和插畫相比，詩意圖的畫家有較寬闊的發揮空間。詩意圖上可以沒有文字，單憑畫題和畫面，由觀者聯想或想像畫家欲表現的文本主旨。詩意圖的「意」，依畫作性質可以有三層解釋：意涵（meaning）、意念（ideas）、意象（image）。[2]

文字文本和圖像的相互關係方面，插畫和詩意圖的創製都是後於文字文本，也就是先有文字文本，再將之圖像化。但是對觀者而言，除了畫上沒有文字的詩意圖，欣賞時是以圖佐文，或是以文配圖，有時難分軒輊。大致情形是插圖的比例少於文字；詩意圖則圖像重於文字。

插畫及詩意圖是繪本的主要源頭，漫畫則較屬於詩意圖。漫畫的形式及發展較少爭議，本文先談繪本。

2 繪本是什麼？

「繪本」就是圖畫書，取用日文漢字「絵本（えほん）」，絵（え）指繪畫，本（ほん）則是書本。有的人以為繪本是英語

2　衣若芬：〈圖像・形象・意象：當中國古典文學研究遇到文圖學〉，
　　（香港）《文學論衡》，第36期（2020年6月），頁79-91。

picture book的翻譯，說繪本起源於17世紀的歐洲。有的人說繪本既然語詞來自日本，起源就在日本，是8世紀的佛教圖卷。見解的分歧在於如何定義繪本。

說繪本最早出現於歐洲，是把繪本定位為「有圖畫的兒童讀物」。1658年，捷克哲學家兼教育家夸美紐斯（John Amos Comenius, 1592-1670）出版拉丁文和德文的《世界圖繪》（*Orbis Pictus, Visible World in Pictures*），第二年英國教育家Charles Hoole（1610-1667）將此書翻譯成英文版。《世界圖繪》是插圖本的兒童教科書，用圖畫教授字母和知識。

德國心理學家海因里希‧霍夫曼（Heinrich Hoffmann, 1809-1894）於1845年為自己三歲的兒子編寫和圖繪的《披頭散髮的彼得》（*Der Struwwelpeter*），被認為比《世界圖繪》還接近現在兒童繪本的概念。《披頭散髮的彼得》用幽默的筆觸教導兒童保持個人良好的衛生習慣和注意行為舉止。

說繪本最早見於日本，是把繪本定位為「有圖畫的書」，舉的是日本摹本《繪因果經》的例子。《繪因果經》是將5世紀中劉宋求那跋陀羅翻譯的《過去現在因果經》繪成上圖下文的圖卷，內容講述釋迦牟尼佛出生到成道的故事。根據《正倉院文書》，《繪因果經》製作於8世紀中期的天平勝寶年間，其原件來自中國，時代約7世紀初。目前在日本有數件《繪因果經》，以奈良國立博物館藏的藏本為例，圖卷設色鮮麗，人物造型質樸，帶有初唐的風格。這種構圖視點移動，文圖相配的形式，是日本繪卷的先驅。目前所見較早的《源氏物語繪卷》繪製於12世紀，文圖相配，以圖

像連結敘事。後來有插圖的繡像小說也繼承了《繪因果經》上圖下文的結構，例如日本內閣文庫藏，元代至治年間（1321-1323）建安虞氏刊本《至治新刊全相平話三國志》（圖2）。

圖2　《至治新刊全相平話三國志》（日本內閣文庫藏）

繪本是「有圖畫的書」，還是「有圖畫的兒童讀物」呢？從日本使用「繪本」一詞的情形觀察，在20世紀中葉，繪本才指為兒童出版的圖畫書，在那之前，繪本可以指圖畫書和畫稿、畫冊等等[3]。圖畫書形態的繪本，內容包羅萬象，有的是插圖本故事書；有的是百姓生活的日常圖誌；有的是名所風景；有的是美女風俗畫，有如浮世繪的線描本。

以《西遊記》例，19世紀到20世紀初的《西遊記繪本》，在故事裡穿插了圖畫，而到了1949年講談社出版的《孫悟空》，明顯畫風和敘事都轉向兒童讀者。1950年出版的上中下三冊《繪本西遊記》的圖像比例大於文字，也是朝兒童讀物的方向發展。

日本在19世紀便有專設「兒童學」的教學及研究，出版適合幼年到青少年的讀物，而「繪本」一詞從大眾圖畫書轉向偏於兒童

3　仲田勝之助：《繪本の研究》（東京：美術出版社，1950）。

讀物，則大約在20世紀中葉。1939年，日本兒童繪本出版協會於東京神田學士會館主辦了第一次關於漫畫繪本的座談會，從座談會記錄得知，優良的「兒童繪本」和漫畫被期許為教育的閱讀書籍。1940年，兒童心理學家関寬之（1890-1962）在《玩具‧絵本及読物》[4]書裡談的「繪本」，就完全指兒童讀物。或許就在如此的思潮之中，日本出版品「繪本」專指為兒童創作的圖畫書。

至此，我們可以說，繪本有廣義和狹義兩種界說，廣義的繪本是有圖畫的書；狹義的繪本是為兒童創製的圖畫書。那麼，採取廣義的解釋的話，《繪因果經》會是最早的繪本嗎？

3 繪本不是舶來品

回到前文提到的「文學圖像化」情形，讓我們從以下圖3觀察。

湖南長沙出土的戰國楚帛書文字敘述伏羲、女媧和日月星辰及十二個月的神靈，周圍彩繪樹木及神像，是距今二千三百年前的文圖結合文物。東漢桓帝建和年間（147-149）山東嘉祥武梁祠石刻畫，畫荊軻刺秦王和專諸刺吳王圖等，在人物旁邊題註姓名，使觀者明瞭畫意。河南安陽的畫像石許阿瞿墓誌銘，記錄卒於170年，五歲就夭折的許阿瞿短暫的人生和父母的哀傷，旁邊刻畫了他和鳩車等玩具，是現今所見最早的文圖結合墓誌銘。

4　関寬之：《玩具‧絵本及読物》（東京：厚生閣，1940）。

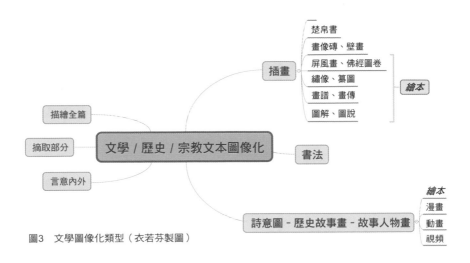

圖3　文學圖像化類型（衣若芬製圖）

　　史料記載東漢桓帝（146-168在位）時，劉褒取《詩經》〈大雅・雲漢〉和〈邶風・北風〉畫《雲漢圖》及《北風圖》。[5]晉明帝司馬紹（299-325）曾繪曹植（192-232）〈洛神賦〉[6]。至今存世的《洛神賦圖》有九個版本，分別收藏於遼寧省博物館、北京故宮博物院、臺北故宮博物院、美國Freer Gallery等。這幾本《洛神賦圖》傳為晉朝顧愷之（346-407）所繪的宋代摹本，有的文圖相隨；有的只有圖像。[7]另一件傳為顧愷之的《女史箴圖》（大英博物館藏），描繪張華（232-300）勸戒宮中婦女注意德行的〈女史箴〉，12段場景今存9段，文圖參照，文字有如圖解，繪畫則如同

5　〔唐〕張彥遠：《歷代名畫記》（臺北：臺灣商務印書館，1983年《文淵閣四庫全書》本），卷4，頁2b-3a，總頁315。

6　〔唐〕張彥遠：《歷代名畫記》，卷5，頁1b，總頁317。

7　陳葆真：《洛神賦圖與中國古代故事畫》（臺北：石頭出版社，2011）。

插圖。學者對這本《女史箴圖》的創作年代見解不一，判斷最早為唐代摹本。[8]

　　帶有女誡性質的文圖結合[9]例子還有山西大同北魏司馬金龍墓（葬於484年）中，根據劉向（B.C. 77-6）《列女傳》所繪的木板漆畫，其中較完整的五塊木板共保存了18幅畫面，每幅有文字題記和榜題，如《漢成帝班婕妤圖》，旁書班婕妤的生平事蹟。再如敦煌和新疆的石窟壁畫也有墨書榜題。這些材質和形態不一的文字與圖像互為文本的例子，都顯示「文學圖像化」在中國的悠遠歷史傳統，值得個別細細探討。

　　以上和《繪因果經》一樣，是非印刷品文圖結合的早期例子。現存大英圖書館的敦煌《金剛般若波羅蜜經》（圖4），起首刻畫釋迦牟尼說法，後綴經文，卷尾有「咸通九年四月十五日王玠為　二親敬造普施」文字。唐懿宗咸通九年為西元868年。這件紀年明確的《金剛般若波羅蜜經》是存世最早，文圖結合的木雕板佛經，原來應該是經折裝，就是「有圖畫的書」。

　　隨著印刷術進步和版畫製作成熟，一些題為「纂圖」、「圖說」、「圖譜」的書籍在宋代興起，用圖像輔助解釋文字意涵和作為示例。例如學習《詩經》並與《左傳》和《禮記》等典籍相參照的《纂圖互註毛詩二十卷附舉要圖一卷》[10]；脈學重要著作《脈經十

8　陳葆真：《圖畫如歷史》（臺北：石頭出版社，2015）。王耀庭：《書畫管見集》（臺北：石頭出版社，2017）。

9　李征宇：〈語圖關係視野下的《列女傳》文本及其圖像〉，《貴州文史叢刊》，第1期（2012年），頁71-78。

10　〔漢〕毛亨傳，〔漢〕鄭玄箋，〔唐〕陸德明音義，有南宋紹熙間建陽書坊刊本。

圖4　敦煌《金剛般若
　　　波羅蜜經》（大
　　　英圖書館藏）

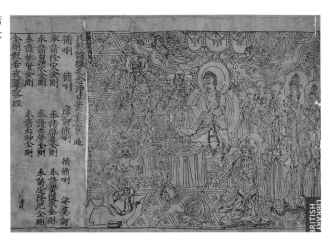

卷附人元脈影歸指圖說》[11]；南宋淳熙年間龍大淵奉敕編的《古玉
圖譜五十卷》[12]等。

　　明代的《養正圖解》是焦竑（1540-1620）任皇子朱常洛（後即
位為明光宗，1582-1620）講官時編的圖文書籍。「養正」源於《易
經》蒙卦「蒙以養正」，意謂啟蒙之學以培養正道為先。此書選輯
周文王至宋朝的60則教化故事，強調孝順修德，勤政愛民，每則
先圖後文，共60幅圖。《養正圖解》有數個刊刻本，其中萬曆二十
二年（1594）吳懷讓刊本的畫家為丁雲鵬（1547-1628），刻工為黃
奇，具有徽州版畫風格。[13]

11　〔晉〕王叔和撰，〔宋〕林億等編，有明末沈際飛刊本。
12　有清乾隆己亥（四十四年）康山草堂刊本。
13　林麗江：〈明代版畫《養正圖解》之研究〉，《國立臺灣大學美術史研究集
　　刊》，第33期（2012年9月），頁163-224+345。莊慧敏，《《帝鑑圖說》與
　　《養正圖解》之研究》（臺北：臺北市立師範學院碩士論文，2004）。

　　《養正圖解》不是第一部為教育皇太子而編選的圖文並茂教材，在此之前，張居正（1525-1582）為輔導時年10歲的萬曆皇帝，於隆慶六年（1572）編纂自堯舜到唐宋117則帝王故事，每則故事附圖的書《帝鑑圖說》[14]。和《養正圖解》不同的是，《帝鑑圖說》本來是手抄手繪，進呈皇帝之後，才進行刊刻[15]。而《養正圖解》由於不受萬曆皇帝重視，在敬呈之前的三年先於坊間刊刻，也就是能夠流傳於宮廷之外。

　　如果我們採取狹義的繪本定義，專指以兒童為讀者的圖文書籍，《帝鑑圖說》和《養正圖解》的出版都早於1658年夸美紐斯的《世界圖繪》。更何況帶有童蒙書性質的二十四孝圖文書，比如元末郭居敬編纂的《全相二十四孝詩選》，現存最古版本為北京圖書館藏的明初洪武刊本。[16]

　　以上的材料證明「繪本」無論從廣義還是狹義的解釋，都絕非舶來品，也不是有些繪本研究者和創作者以為的，古代中國不重視兒童的圖文書籍，受海外影響才有了本國的繪本。

　　此外，有的研究者區分插圖本和繪本，指出前者只是文字的解說，不能稱為繪本。從前述文學圖像化的發展歷史看來，插畫和

14　另一個此前圖文並茂的皇子讀物是元代王惲（1227-1304）於至元18年（1281）所著《承華事略》，《承華事略》本來沒有插圖，到清代光緒22年（1896）才有徐鄘、李文田等奉敕重編補圖。

15　林麗江：〈晚明規諫版畫《帝鑑圖說》之研究〉，《故宮學術季刊》，第33卷第2期（2015年12月），頁83-142。

16　北京圖書館編：《北京圖書館古籍善本書目》（北京：北京書目文獻出版社，1987），集部，元別集類，頁2301。日本也有不少抄本，最有名的是龍谷大學所藏《新刊全相二十四孝詩選》抄本（據嘉靖二十五年刊本抄）。

詩意圖固然各有側重，插畫必須依賴文字，作為文字的「第二文本」；但是閱讀體驗過程中，可能插畫對一些讀者，尤其是尚未識字的讀者而言，才是「第一文本」。近年有插畫家主張：插畫雖然依賴文字而設計，在圖文書籍的篇幅空間比例不一定小於文字，脫離了文字，插畫或許難以被辨識所傳達的文字意義，還是能夠作為藝術呈現。總之，我的想法是：繪本可以沒有文字敘述，全憑圖像呈現旨意；插圖本則一定有文字，否則不能稱插圖。如果圖文兼備，插圖本和繪本的界線模糊，都能統稱繪本。

花了很多的工夫談繪本的定義和身份，我的目的絕非強調「中國第一」，而是希望梳理史料，看文學圖像化的歷程，中外文明孰先孰後不重要，重要的是印刷術進步帶動知識普及，為普及知識，圖像佔有一席之地。文明的資產是全人類共享，中國的文學經典是全人類的寶藏。

4 漫画（まんが manga）・漫畫・comics

和「繪本」一樣，「漫畫」也是從日語「漫画」（まんが，manga）直接取用的漢字。中文的「漫畫」在古籍裡也寫成「謾畫」，指的是鳥將長喙滑動水面準備捕食水裡的生物，這種鳥類比如鵜鶘和琵鷺等。

18世紀興起的日本浮世繪，一種隨筆的白描畫法，就是「漫画」，當時漫畫的內容和風俗繪本、動植物畫譜差不多，例如英一蝶（1652-1724）畫的《群蝶畫英》，鈴木鄰松（1732-1803）的摹

本有東江源鱗（1732-1796）在明和6年（1769）的序文，現存的版本，例如早稻田大學圖書館藏本，出版於1833年，書的封面題籤寫著「漫畫圖考」。

山東京傳（1761-1816）在《四時交加》序文（1798年）提到：「偶漫畫夫貴賤士女老少等」。觀《四時交加》的內容，即十二個月的市井生活，每個月分上下兩欄繪製，以跨頁的形式刊印。

以「漫畫」為書名，最著名的是葛飾北齋（1760-1849）的《北齋漫畫》。《北齋漫畫》第1編出版於1814年，共15編，第15編為北齋去世以後後人輯結，完成於1878年。15編的內容大部分都是個別的人物和風景，彼此不一定有關聯。[17]偶爾在第6編出現圖解防身術的畫面[18]，全頁共五格，第一格佔三分之一，下面從右至左依序畫人物的動作，這種組合已經是後來連環式漫畫的方式。（圖5）

圖5 《北齋漫畫》第6編[20]

Scott McCloud用圖畫的形式解說如何理解comics[19]，我們雖然為了敘述方便，把comics翻譯成「漫

17　山口縣立萩美術館，浦上記念館的網頁稱《北齋漫畫》為繪本。
　　http://www.hum.pref.yamaguchi.jp/sk2/book/index.htm，瀏覽日期：2020年3月28日。
18　http://www.hum.pref.yamaguchi.jp/sk2/book/index.htm，瀏覽日期：2020年3月28日。
19　Scott McCloud, *Understanding Comics: the Invisible Art*. New York: Harper Perennial, 1994.
20　http://www.hum.pref.yamaguchi.jp/sk2/book/index.htm，瀏覽日期：2020年3月28日。

圖6　comics・漫畫比較（圖像由作者提供）

畫」，但是東西方的漫畫在閱覽和出版等方面仍有差異。並置Scott McCloud的書和蔡志忠的《老子說》（圖6），可以看出二者不同。

　　再參考其他的漫畫書籍，我們把東西方漫畫概略比較如下：

形式	comics	漫畫
文字	水平	垂直
閱讀	畫格由左往右	畫格由右往左
線繪	較複雜	較簡單
對話	較多	較少

色彩	較多彩色印刷	較多黑白印刷
故事	較短	較長
出版	較少漫畫雜誌	大多連載於漫畫雜誌，多期

5 繪本和漫畫的研究前景

繪本和漫畫的研究，隨近年開始注重圖像傳播而方興未艾。大體看來，研究偏向於兒童教育、社會學、文化研究等層面，文圖學的視角可以提供更接近作品本身的探討，也就是文意內涵和繪畫表現二者的相互關聯，簡稱「文」「圖」關係。

文圖關係能夠帶領讀者探源作者／畫家的創製初衷，梳理作品中的多元／互文性，進而深入作品，闡述閱讀方式，表達豐富意義。對於繪本和畫家的創製者，文圖學的解析能夠幫助形成設計思維，見賢思齊。對於閱讀愛好者，能夠提供引導和延伸，讓閱讀的過程具有挑戰觀察的樂趣。對於專業研究者，則擴充既有的研究框架，尋繹文學圖像化在人類文明傳衍的重要推進力量。

繪本和漫畫在臺灣、香港、中國大陸和新加坡的發展概況，詳見本書第一卷。文圖學用於研究繪本和漫畫的示例和成果，詳見本書第二卷。

此外，如本書前文所述，文本包括聲音。許多繪本是由家長或老師讀給小孩聽，於是聽覺也參與繪本的體驗中；將音樂作為背景旋律同樣能達到增進閱讀趣味的效果。比如唐亞明寫、于虹呈

圖7　撮土結拜，《梁山伯與祝英台》插畫（中國少年兒童新聞出版總社出版授權使用）

（1989-）繪的《梁山伯與祝英台》（北京：中信出版集團，2015
年）。書附二維碼，掃描後能聽到何占豪和陳鋼創作的梁祝小提琴
協奏曲。于虹呈用水墨淡繪，畫出民族風情的皮影戲效果，刻意誇
張，加上無關劇情的裝飾性花樣和怪獸，色彩鮮明，設計感十足。
（圖7）

　　讓我們回到本章最初的知識管理金字塔模型。數據視覺化而成
圖像文本，繪本和漫畫是圖像文本的兩種形式，它們需要被解讀，
構築知識體系。即使是走輕鬆搞笑幽默路線，或是面向幼兒的繪本
和漫畫，經由文圖學的解讀和梳理，也得以生成某種人生觀和世界
觀。也就是說，我們不會重圖輕文，不會重文輕圖，而是把圖像文
本視為同一整體，再進行個別相等對待。

　　解讀和構築知識體系之後，更上一階，我們期望從中領悟出人
生的智慧，體認作為一個人的存在價值。我們相信，文圖學不僅是
一把解剖圖像文本的手術刀，而是一盞照亮前路的探照燈。

3 臺灣原創漫畫與繪本的發展與現狀

莫忠明

> 漫畫在臺灣落地生根，要更早於圖畫書[1]在臺灣的發展，而且是作為一種休閒產品存在於日治時期的臺灣社會。反之，圖畫書最先是引自歐美兒童文學界的兒童文學體裁，經由臺灣專家學者撰文介紹，再由出版社引用作為圖畫書系列名稱，才普遍為人所知。本文參考諸位學界前賢的論著，簡述臺灣漫畫與圖畫書的發展歷程與現狀，並例舉每一時期重要的創作者與作品，帶領讀者從臺灣政治、社會與文藝發展的脈絡中，尋找可進一步探究的素材與視角。

1 臺灣原創漫畫的發展與現狀

本文以漫畫的重要發展趨勢作為分期標準，從五個階段縱觀臺灣從日治時期迄今的漫畫發展趨勢：

1　Picturebook的概念源於西方，臺灣一般以圖畫書或繪本稱之。根據學者陳玉金的統計，2008年以後，學界首次出現以「繪本」為題目的碩士論文，之前的論文皆是以「圖畫書」為名。當代而言，繪本一詞的使用更為普羅大眾所熟悉。本文根據各別時期的發展脈絡，混用「繪本」與「圖畫書」兩種說法，但均指涉Picturebook這一體裁，特此提出以免讀者混淆。詳參陳玉金：《臺灣兒童圖畫書發展史論（1945-2013）》（臺東：國立臺東大學兒童文學研究所博士論文，2014）。

1. 1895-1944年：日治時期
2. 1945-1970年：從開創到審查
3. 1970-1990年：臺漫的沒落與新生機
4. 1990-2000年：臺版漫畫市場的興盛時期
5. 2000年迄今：從線下到線上的認同經濟世代

〔一〕1895-1944年：日治時期

1895年，日本政權展開對於臺灣的統治，本土印刷活動幾乎完全停滯，市面上所售賣的漫畫作品主要進口自日本社會。1903年，臺灣兩大書店巨擘新高堂及博文堂就曾經售賣日本出版的《少年世界》、《少女世界》、《少年》等兒童刊物，內容以插畫及漫畫為主。[2]不過，當時的臺灣社會由於缺乏本土漫畫創作，在接受日本漫畫的影響下，許多潛在的創作者也開始萌生了投入漫畫創作的念頭。

1906年，有日本創作者北澤樂天結合西方諷刺漫畫習慣創立《東京潑克》[3]，主要以幽默漫畫的模式針砭時政。臺灣創作者受此風氣影響，催生了類似風格的本土創作——《臺灣潑克》。[4]隨

2　張欣雅：〈漫畫秩序的歷史進程及其意向：以臺灣經驗為例〉，《休閒研究》，第8卷第2期（2019年3月），頁18-38。

3　潑克這一概念始於美國，為當時著名的漫畫刊物，主要以幽默、諷刺的手段來表現主要內容。

4　《臺灣潑克》發行時代距今久已久，無緣為吾人所見，但我們能從洪德麟的文章中窺見《東京潑克》對其之影響。詳參洪德麟：《風城臺灣漫畫五十年》（新竹：竹市文化，1999），頁55。

著「潑克」的漫畫形式開始流行，日本政權與臺灣地域的重合亦在一定程度上浸染了臺灣人民對於時政、民生與社會議題的關懷意識。[5]故此，當時不少創作者也紛紛開始在報章上發表諷刺時政的漫畫。這些創作者包括陳光熙（《臺灣新民報》、《臺灣日日新報》）、陳定國（《同光新聞》、《新竹州時報》）以及許丙丁（《臺灣警察時報》、《三六九小報》）等人。許丙丁亦於昭和四年（1929年）在《臺灣警察協會雜誌》主辦的文藝獎中，獲漫畫第二等。陳定國也曾到日本東京太平洋美術學校深造。後來陳家鵬、洪晁明、王超光等人亦參加了由日本漫畫家舉辦的函授學校，並於1940年成立臺灣首個漫畫團體「新高漫畫集團」，並創辦刊載「潑克」形式的漫畫雜誌《新新》。[6]

作為日本領土的一部分，臺灣民眾也藉由日本社會的輸入而接觸到日本出版的漫畫刊物。[7]例如1920年代日本四格漫畫《阿正的冒險》紅極一時，故事中的少年主角「阿正」所配戴的毛帽更一度蔚為風尚，成為時下年輕人爭相搶購的「周邊商品」。當時許多的日本漫畫出版社為了吸引更多讀者，爭相效法同類型的內容與敘事型態。這使得昭和年間的漫畫風尚達到頂點，講談社的《王樣》雜

5　周文鵬：《讀圖漫記：漫畫文學的工具與臺灣軌跡》（新竹：國立交通大學出版社，2008），頁166。

6　詳參洪德麟：〈圖像世紀前臺灣漫畫史的回顧與展望〉，《臺灣漫畫特展》（臺北：國立歷史博物館，2000），頁20；李闡：《漫畫美學》（臺北：群流出版社，1998），頁116。

7　詳參《阿正的冒險》90週年紀念官方網站，「阿正資料」：http://www.shochan.jp/.

誌一度熱銷一百萬本。[8]而且，臺灣的漫畫創作者也有機會參與日本本島的漫畫創作活動。例如筆名為羊鳴的臺灣漫畫家陳光熙便於1925年以一幅繪製對戰時罷工情景的圖繪獲得《王樣》雜誌的二十元獎金。[9]綜觀以上，我們會發現在日治時期，臺灣漫畫的發展軸線與日本漫畫的發展軸線多有重疊之處。

另外，在臺灣歷史上首位有漫畫家之稱的是筆名為雞籠生的陳炳煌，他的《雞籠生漫畫集》於1935年面世。[10]但值得關注的是，雞籠生並不是第一位在臺灣繪製漫畫的人，他之所以享有「漫畫家」的稱譽，根據莊永明在《臺灣第一》的說法，主要是因為他是第一位專心為「畫」而成「家」的人。

除了日系的漫畫，蔡盛琦提出臺灣當時的漫畫市場也有一部分來自上海的「漫畫」作品，主要以「連環圖畫」的形式出現。[11]距今最早可見的是嘉義蘭記圖書部經銷販售的漢文通俗圖書，除了現場售賣，還經銷給其他的漢文書店。從蘭記1930年代的報章廣告中可見，蘭記所售賣的連環圖畫題材多元，包括章回小說、傳統戲曲還有改編電影三大類。例如：《連環圖畫三國》、《連環圖畫水滸》、《連環圖畫西遊》、《連環圖畫封神》、《連環圖畫說岳》、《連環圖畫濟公傳》、《連環圖畫開天闢地》、《連環圖畫火燒紅

8　洪德麟：《風城臺灣漫畫五十年》，頁53。

9　二十元獎金相當於當時警察一個月的月薪。有關陳光熙得獎的紀錄，詳參林文義：〈誰傳中國漫畫的下一把薪火〉。

10　李闡：〈早期臺灣漫畫發展概況〉，《文訊》，135（1997年1月），頁26。

11　蔡盛琦：〈臺灣流行閱讀的上海連環圖書（1945-1949）〉，《國家圖書館館刊》，第1期（2009年6月），頁55-92。

蓮寺》等。但對於日治時期長期以日語為主要溝通語言的臺灣社會
而言，連環圖畫並不受消費者的青睞。蘭記最後也因為1933年遭
遇祝融之災，許多連環圖書最終付之一炬。1937年，臺灣總督府為
了加強推行皇民化運動，頒布政令，禁止以漢文出版報紙、書籍與
雜誌。蘭記的漢文圖書經銷事業，也因為盧溝橋事變而中止。這項
禁令一直持續到日本投降為止。[12]

〔二〕1945-1970 年：從開創到審查

1945年日本戰敗，國民黨政府接收臺灣，當時的臺灣社會可
謂是處於百業待興的狀態。這一時期的臺灣漫畫由於先後吸收了日
本和中國血統，逐漸開啟了醒目的發展脈絡。這個時期代具表性的
作家有許丙丁，代表作為《小封神》；雞籠生，代表作為《雞籠生
漫畫集》；當時被尊為漫畫界五大天王之一的葉宏甲，其代表作為
《諸葛四郎》，以及創作臺灣光復後的第一本連環漫畫單行本《水
滸傳》的王朝宗等。值得一提的是，戰後的臺灣由於處於中、日文
轉換的階段，故此王朝宗所創作的這本長篇漫畫是以中文及日文進
行標注。其後來出版的三國志連環漫畫《貂蟬》等中國歷史類漫
畫書，亦以同樣的形式進行標注，故此當時文化轉型的現象可見一
斑。[13]不過，由於國民黨政府實施戒嚴令並於1946年立法禁售日文

12　辛廣偉：《臺灣出版史》（石家莊：河北教育出版社，2000），
　　頁 16。
13　賴政如：《漫畫產業編輯制度之探討——以日本與臺灣為例》
　　（新竹：國立交通大學經營管理研究所碩士論文，2008）。

書籍及雜誌，撤銷報紙雜誌的日本版，實行全面禁用日語的政策，以致原先以日本漫畫為主力的臺灣漫畫市場一直處於地下化的發展階段。

　　但是，臺灣漫畫的發展卻沒有因此而停滯不前。彼時能夠在「檯面上」閱讀到的漫畫，主要是通過報章媒體、綜合雜誌、出租的漫畫單行本與連環圖畫冊刊載的內容。[14]市面上發行量最廣的屬國民黨政機關報《中央日報》、《國語日報》以及與官方關係密切的《徵信新聞》、《聯合報》等，所刊載的臺灣漫畫以時事與政治漫畫為眾，立意圍繞「反共抗俄」。

　　國民黨政府自國共內戰的經驗，借鑒了共產黨使用易於農工閱讀的圖像、漫畫來快速集結人民與學子的作法，並於1949至1957年間通過文藝獎助與創設刊物來宣導其「反共抗俄」、「反共復國」的政治意識。[15]但228事件以後，許多製作時政漫畫的創作者都選擇放棄這條路線，繼續以相關題材進行創作的漫畫家則是以外省人為主。其中，1949年10月由梁中銘兄弟創刊的《圖畫時報》便在此列。即便《圖畫時報》在創刊後一年便虧損停刊，但合併於《中央日報》後的《漫畫半週刊》卻因為梁中銘兄弟的作品〈土包子下江南〉、〈牛伯伯打游擊〉而大受讀者歡迎。後來《新生報》也增設〈漫畫雙日刊〉、〈兄弟畫報〉、〈天風畫報〉、〈戰友畫報〉等

14　連環圖畫冊一般指一頁一張圖，圖旁附有解說文字，一個故事要用多張單幅圖串連起來的讀物。這一文圖創作型態契合臺灣70年代學者所認知的故事圖畫書，亦可被視作是臺灣繪本創作的雛型。

15　周文鵬：《讀圖漫記：漫畫文學的工具與臺灣軌跡》，頁177-179。

來博取讀者青睞，同時也開啟了漫畫敘事的發表機會。[16]值得一提
的是，這些發表平台後來也成功孕育了許多漫畫創作人才如牛哥、
王朝基、廖未林、吳越、楊英風等。

　　國民黨政府來到臺灣，除了帶來了他們的政治理想，也帶來了
前文中所提及的連環圖畫。但是，相較於當地民眾所熟悉的日本漫
畫以及當時紅極一時的大陸漫畫《三毛》、《王先生》，「連環畫」
以一成不變的形式呈現畫面，對於已經習慣四格或多格幽默漫畫與
故事漫畫的讀者群來說，缺乏使他們持續閱讀的吸引力。[17]即便如
此，周文鵬指出，連環畫雖然無法吸引讀者眼球，但作為一般滲透
臺灣地區的漫畫敘事養分，其中的描線及圖述手法，廣泛地影響了
臺灣後來的雜誌漫畫與週刊漫畫的發展。[18]

　　1950年以降，臺灣的漫畫活動逐漸活躍於商業出版的環境
中，最開始是以少量形式出現在兒童刊物上。當時的兒童刊物主要
分為兩種類別：第一類是官方色彩較重的兒童讀物，例如《小學
生》作為進入教育體制內，輔助官方形塑社會認知架構的課外讀
物。其內容依舊循著中國官方史與國民黨道統的線性史，以忠君
愛國、反共建國，或是用抗日史代換日治時期為主題的作品。[19]另
一類則是民間體系的兒童雜誌，如1953年創刊的《學友》雜誌。
《學友》的內容包含插繪小說、民間故事與漫畫作品。前文中提及

16　周文鵬：《讀圖漫記：漫畫文學的工具與臺灣軌跡》，頁179。
17　洪德麟：《風城臺灣漫畫五十年》，頁60。
18　周文鵬：《讀圖漫記：漫畫文學的工具與臺灣軌跡》，頁166。
19　李衣雲：〈臺灣大眾文化中呈現的歷史認識：以漫畫為中心（1945-
　　1990）〉，《思與言》，第57卷第3期（2018年9月），頁7-73。

的羊鳴也曾在《學友》中刊登漫畫〈三國志〉以及改編自西方文學《金銀島》的漫畫。由於這些刊登於兒童報刊的漫畫作品深獲讀者支持，出版社逐漸增加漫畫版面，例如，1954年創刊的《東方日報》，甚至脫刊另成獨立刊物《東方少年》，漫畫活動逐漸有了專屬空間。[20]隨後，在報章被外省籍漫畫家囊括後，兒童雜誌成為本省籍畫家移轉後的陣地。當時類似《東方少年》的刊物相繼出刊，其中包括《新學友》、《模範少年》、《寶島少年》等，但大多於一、兩年就消失在市場中。《學友》於1959年停刊，《東方少年》則於1961年停刊，僅剩下《漫畫大王》、《漫畫週刊》等純漫畫雜誌支撐至1963年。[21]

　　邁入1960年代，宏甲、志成等臺灣漫畫社紛紛成立。他們通過快速與大量生產漫畫產品搶奪漫畫週刊的市場大餅。彼時的漫畫出版形式以出租單行本為眾，連環故事漫畫也取代了連畫圖畫冊，成為書店與書攤的重點商品。此時，臺灣漫畫可謂是進入了本土創作第一個黃金時期，其中又以中國為背景的武俠漫畫小說最受讀者青睞。這一趨勢取代了先前漫畫期刊大多導入日本內容的慣例，同時也開啟了本土漫畫的創作優勢，具代表性的作者包括了陳海虹、葉宏甲、淚秋等，代表作品有《諸葛四郎》以及《小俠龍捲風》等。

20　王宇清：《臺灣兒童漫畫發展研究（1945-2000）》（臺東：國立臺東大學兒童所碩士論文，2014）

21　李衣雲：〈臺灣大眾文化中呈現的歷史認識：以漫畫為中心（1945-1990）〉，《思與言》，第57卷第3期（2018年9月），頁22。

1962年國民黨政府頒行《編印連環圖畫輔導辦法》，開啟了長達二十五年的系列審查與規章。臺灣的漫畫與敘事發展，逐步在對日本系統的糾葛中失衡，為今日代理業態埋下遠因。[22] 這一時期由於漫畫出版需要經過重重審查程序，即便還有少數外省籍漫畫家如錢夢龍於1967年出版《天龍少年半月刊》刊登臺灣漫畫，許多臺灣漫畫家由於喪失發表園地而逐漸轉行。我們從中崙圖書館所藏的1966至1975年出版的臺灣漫畫書中可以發現，這一期間大多作品是以古代歷史、武俠、中國傳統忠孝節義或傳奇的題材，或是反映現代人情冷暖、諜報故事、運動與科幻及少女愛情故事。

〔三〕1970-1990年：臺漫的沒落與新生機

1972年後，臺灣漫畫快速萎縮，但市場上對於漫畫的需求仍然存在。[23] 1976年《週刊漫畫大王》登場，但其中也只有一篇臺灣漫畫，如錢夢龍的《西遊記》，連環圖畫輔導辦法對於臺灣漫畫市場的衝擊可見一斑。後來，新漫畫出版社虹光成立，許多中譯的日本漫畫本以本土作家而非日本作家的「譯名」送審來躲避政府的重重審查，當時的讀者許多其實都不知道自己手中看的就是日本漫畫。由於當時臺灣並不保障外國人翻譯權，臺灣出版方可以逕自翻譯國外的出版品，相對於需要支付創作者費用的臺灣本土漫畫，

22　周文鵬：《讀圖漫記：漫畫文學的工具與臺灣軌跡》，頁166。

23　李衣雲：《變形、象徵與符號化譜系：漫畫的文化研究》（新北：稻鄉，2012），頁221。

日本翻印漫畫相對而言簡直是零成本。這種趨勢也鼓勵了許多出版社如東立、尹士曼陸續成立，讓日本漫畫又再大量回流到臺灣市場中。綜上所述，這段時期日本漫畫的審查通關率有所提高，但國產漫畫由於面對重重的審查限制，而一度停擺。

但值得一提的是，《聯合報》在1979年主動展開漫畫活動的管轄，開啟了臺灣首次出現非官方對於出版物的審查。[24] 報刊體系倚仗自身作為大眾傳播媒介的公共性質，通過斥責翻印日本漫畫出版者的行為為社會秩序的越限，以及將日本漫畫批判為嚴重毒害孩童的問題讀物，試圖重建臺灣本土創作的重要性。《聯合報》的論述獲得民眾的正面迴響，日本漫畫翻印者也在壓力下同意報刊體系所列明的規定，將日本翻印漫畫再度送回地下，騰出了更多舞台，讓臺灣漫畫創作者能發表作品。臺灣漫畫及本土創作者直到1980年代才有新作為。這一時期的代表作者及作品包括，敖幼祥的四格漫畫《烏龍院》、《頑皮狗皮皮》，鄭問的《刺客列傳》，以及憑藉《莊子說》、《老子說》等思想系列作品，紅遍香港、日本及新加坡的蔡志忠等。

1987年，國民黨政府宣布解嚴，對於漫畫審查的管控也隨即鬆綁，興盛的漫畫雜誌市場提供了漫畫新人發表創作的舞台。賴佳微也認為，這一時期臺灣漫畫創作的水準已有顯著提升[25]，諸多漫畫產業的重要推手及重要人物也粉墨登場。其中包括享有「漫畫女

---

24 賴政如：《漫畫產業編輯制度之探討——以日本與臺灣為例》
　　（新竹：國立交通大學經營管理研究所碩士論文，2008）。

王」美譽的游素蘭、以「人」作為漫畫主要元素的朱德庸、臺灣四格漫畫鼻祖老瓊，以及政治漫畫家兼政論名嘴魚夫等不勝枚舉。

（四）1990-2000 年：臺版漫畫市場的興盛時期

1990 年臺灣漫畫版權化及 1992 年新著作權法通過後，許多出版社和日方建立正式的代理合作關係，正式合法授權臺灣發行單行本及漫畫雜誌。為了讓臺灣本土漫畫創作繼續蓬勃發展，這些雜誌中也保留二至五成的版面給臺灣連載漫畫，本土創作者也通過參加漫畫比賽加入本土漫畫的創作行列，逐漸壯大了本土的漫畫創作市場。但是學者李衣雲也指出，即便 90 年代臺灣漫畫市場逐漸復甦，但是大多數的日本漫畫都在臺灣出版，年輕讀者其實更廣為接受與認同的仍是日本漫畫。[26] 臺灣的漫畫產業雖然逐漸起步，但是漫畫市場在不健全的環境中快速成長，加之社會文化衝突，使得本土創作的發展再度停擺。以 1992 年由東立出版創刊的國人漫畫期刊《龍少年》、《星少女》月刊和 1993 年由尖端出版創刊的同類型刊物《神氣少年》為例，後者僅發行一年便吹熄燈號，前者則一度停刊至 1998 年，直到 2012 年獲得政府補助款項才恢復為月刊形式。

25　賴佳微：《臺灣漫畫家發展研究──以漫畫競賽與數位創作平台為例》（臺北：明志科技大學視覺傳達設計系碩士論文，2014），頁 15；李衣雲也指出，1980 年以後的臺灣漫畫畫工細緻，運用三點透視與寫實手法，有別於 1960 年代的簡筆風格。詳參李衣雲：〈臺灣大眾文化中呈現的歷史認識：以漫畫為中心（1945-1990）〉，《思與言》，第 57 卷第 3 期（2018 年 9 月），頁 54。

26　李衣雲：《變形、象徵與符號化譜系：漫畫的文化研究》，頁 221。

　　儘管期刊熱潮初期，臺灣創作者的作品經由日本的共同連載形式，以眾星拱月之姿帶到讀者眼前，形成了新一群不與群眾疏離的知名創作者。[27] 但由於臺灣的漫畫發展經由戒嚴法的諸多限制所帶來的停滯與消費市場的流逝，這與技法、形式燦爛完備的日本漫畫創作相較之，難免相形見絀。故此，隨著市場、連載空間與臺灣漫畫期刊數的逐漸萎縮[28]，許多臺灣漫畫作者逐漸轉行，不少漫畫創作的心血也改以同人誌活動為主要舞台。

　　這一時期的代表作家及作品包括邱若龍的《霧社事件》，陳志隆繪製漫畫版《仙劍奇俠傳II》、《仙劍奇俠傳III》，創作《夢還未醒──921震災物語》的毛毛、卓宜彬、李鴻欽、張智豪和黃璁毅等。

〔五〕2000年迄今：從線下到線上的認同經濟世代

　　21世紀，日本漫畫依舊為臺灣漫畫市場的主力。這是因為，日本漫畫在刻畫人物方面做得深刻而真實，劇情上具備豐富的張力，相當受臺灣讀者群的青睞。同時，加上「同人販售會」[29] 的盛行，這一趨勢使許多具備同人漫畫創作背景的人投身商業販售體

27　周文鵬：〈臺灣漫畫的創作及產業變遷──通往數位平台的困境與省思〉，《休閒研究》，第8卷第2期（2019年3月），頁1-17。

28　周文鵬：《圖像載體的敘事與接受──論臺灣漫畫文學的形成與創作》（新北：淡江大學中國文學研究所博士論文，2014），頁299-301。

29　同人指的是志同道合的人們一起做一件事，同人販賣會最初則指由同好或社團組成的動漫作品販賣活動，作品都是個人或團體自費出版，後來以二次創作為主。

系的漫畫創作。2005年以降，新一批漫畫家的出現，為臺灣漫畫界帶來了全新氣象。例如，韋宗城因《馬皇降臨》而備受矚目，又如首位登上日本漫畫聖殿《週刊少年JUMP》刊載漫畫的外國人彭傑。2007年備受矚目的漫畫家還包括筆名為Arku的沈穎杰，其創作《柯普雷的翅膀》更榮獲2008年行政院新聞局劇情漫畫獎首獎以及最佳劇情。

　　隨著諸多社交媒體平台如Facebook、YouTube、Bilibili等的崛起，消費者的視聽選擇變得更為多元，線上的圖文創作蔚然成風。這為臺漫於21世紀的發展帶來了另一大挑戰，即數位轉型的必要——如何開創線上閱讀平台？如何提升讀者瀏覽動機？

　　2004年，網路素人彎彎在「無名小站」自由發表創作，成功連結大量的閱聽人。她的創作也開啟了一股全新的文圖創作熱潮，促發了許多素人創作者投入部落格、臉書、Instagram等社交平台發表創作。數位媒體的興起，打破了漫畫創作者於報刊、商業出版體系上刊載，以及藉由同人漫畫來引介漫畫閱讀活動的傳統。時至今日，網絡平台上的商業漫畫創作者多半是在個人資源的支持下從事創作活動。作品形式多為單格、二格或四格的小短篇，結構精簡、題材極為多元而且具個人特色。

　　隨著漫畫活動移至網路，漫畫活動逐漸從商業出版體系中停止。另一方面，數位平台上的無版權漫畫的興起，也帶動了漫畫產品的新消費形式——即讀者先「試讀」再消費的選項。張欣雅也提出，新型態的漫畫閱讀不再是漫畫文本的商品化趨勢，反之而是將漫畫閱讀行為化為一項商品，臺灣漫畫商業活動邁入21世紀不再

以經濟為優先,而是需要讀者先認同創作者的創作,再進行瀏覽行為,使得漫畫的閱聽行為成為一種「認同經濟」的模式。[30]

2 臺灣圖畫書(繪本)發展與現狀

本文借鑑陳玉金老師博士論文中的分期方式,以指標事件作為臺灣兒童圖畫書發展的分期依據。[31]故此,本文分期如下:

1. 1945-1963年:臺灣繪本概念的萌芽期
2. 1964-1986年:經濟起飛到解嚴前
2. 1987-1999年:解嚴後到政黨輪替前
4. 2000年至今:政黨輪替到數位媒體崛起

〔一〕1945-1963年:臺灣繪本概念的萌芽期

這是臺灣光復以後至經濟起飛前的時期,對於圖畫書的發展來說可謂是概念萌芽的階段。臺灣社會由於經歷政權的轉變,政局由日本統治轉換為中華民國政府,因此語言與文字面臨巨大變革,諸多兒童文學作家對於圖畫書的認識也處於初探的階段,故此尚未出現對於圖畫書發展有巨大影響力的作者。

由於圖畫書主要是引自歐美兒童文學一類,其概念在臺灣逐漸

---

30 張欣雅:〈漫畫秩序的歷史進程及其意向:以臺灣經驗為例〉,《休閒研究》,第8卷第2期(2019年3月),頁18-38。

31 陳玉金:《臺灣兒童圖畫書發展史論(1945-2013)》(臺東:國立臺東大學兒童文學研究所博士論文,2014)。

為人所知主要是透過專家學者撰文介紹,而後再由出版社引用作為圖畫書系列名稱,最後才普遍通行。唯其如此,這一期間在臺灣真正接觸過圖畫書的人,主要為從事兒童文學學術研究的學者,抑或是少數參與出版或論述兒童文學及教育相關工作的人員。而真正閱讀繪本的人,則為少數於日治時期以日文閱讀過繪本的人。這一期間唯獨1963年臺灣師範專科學校所使用的教科書中,簡略地介紹卡德考特(Randolph Caldecott, 1836-1886)所作的16本圖畫書。書中未就圖畫書的具體內涵進行定義,但就其關於卡德考特作品的論述以及其書中關於「十九世紀中葉以後的兒童文學」的描述,我們能夠推斷作品中的圖畫書文字與圖像所描繪的內容彼此呼應,而且圖繪多為「插圖」存在於繪本之中。彼時臺灣社會尚未出現現代意義的圖畫書,多為廣義的圖畫書的認知,圖繪的作用主要是再現文字內容。

洪文瓊認為,「圖畫書」的概念在這個時期尚未成型。這一時期與圖畫書較為相關的,是由臺灣省教育廳1951年創辦的《小學生畫刊》,其內容以圖畫為主,五彩印製,尤其停刊前的末二十年,幾乎以圖畫書專輯的方式出刊,基本形制可謂具備「圖畫書」的雛型。[32]

1956 年,民間出版社「童年書店」發行《童年故事畫集》四冊,這是彼時極少見的圖文並茂的全彩色兒童讀物。臺灣圖畫書的

---

32 洪文瓊:《臺灣圖畫書發展史——出版觀點的解析》
　　(臺北:傳文文化事業有限公司,2004),頁35。

發展和教育脫不了關係，戰後臺灣面臨語言轉換的需要，1957 年臺灣省國語推行委員會主編並與民間出版的寶島出版社合作發行「小學國語課外讀物」（共 12 冊），每冊標示適讀年齡，提供一年級至三年級學齡兒童閱讀。作為低年級讀物，這一套書已初見圖畫書形式，而且是少見的本土原創作品。這套叢書所採取的「分齡閱讀」概念主要是受到當時來自於美國的專家的指導，對於後來繪本中的適讀年齡層的建議，有其開創意義。值得一提的是，這套叢書包括林良著、林顯謀繪圖的《舅舅照相》，內容為淺顯有趣貼近兒童的生活故事。

由於這一時期對於著作權的意識仍然不高，許多本土創作或是翻譯圖畫書的封面均未出現文字與插畫作者的姓名，可見當時的兒童讀物創作者並未受到重視，亦無法催生專業的圖畫書創作者。

〔二〕1964-1986 年：經濟起飛到解嚴前

這一階段觀察臺灣自 1964 年以來經濟起飛，美國停止對於臺灣的援助，直至 1987 年臺灣解除戒嚴令之前的本土圖畫書發展氣象。

1964 年，聯合國教科文組織兒童基金會來臺撥款一百萬美金，協助臺灣省教育廳推動四項五年計畫，支持成立兒童讀物編輯小組。這項善舉開啟了官方體系對於圖畫書發展脈絡的介入，同時也培養了第一批臺灣插畫人才。由於有來自官方對於出版的補助，當時的圖畫書無論在編輯或是印刷水準上都有顯著提升。

這一時期開始我們也看見了現代圖畫書的形制成形的進化過

程。

　　1965年，臺灣省政府教育廳成立了「教育廳兒童讀物編輯小組」[33]，出版了《中華兒童叢書》（共12冊）。這套書的圖畫比例較多，也以彩色加上黑白輪替印刷。雖然這套叢書到底可否稱之為圖畫書仍備受爭議，但對於臺灣圖畫書概念的建構不可說毫無關聯，這個小組通過書籍企劃與編輯培育童書、特別是圖畫書的創作人才。

　　《國語日報》亦於同年至1969年陸續出版《世界兒童文學名著》（共12輯，120本），主要介紹翻譯美、英、法、德、義大利、瑞士、荷蘭、丹麥、土耳其等國的兒童文學圖畫書，拓展了讀者群對繪本的認識，故對於臺灣社會書的發展具有極大的啟蒙意義。

　　1970至1980年代期間，由於臺灣經濟起飛，受到消費者購買能力提升的帶動之下，出版社也紛紛以套書形式銷售書籍。這段時期，我們也看到了官方與民間雙軌並行的發展型態。

　　1970年代由於受到鄉土文學思潮的影響，臺灣早期本土圖畫書的重要代表作──《中華幼兒叢書》也粉墨登場。這套叢書是「教育廳兒童讀物編輯小組」接受省社會處的委託，針對農村托兒所的孩童閱讀需要而編製的叢書。其文字言簡意賅，而且口語化，

33　洪文瓊指出「教育廳兒童讀物編輯小組」的成立，是「官方系統對臺灣兒童文學的發展，真正具有火車頭帶頭作用。」引述自林文寶、趙秀金：《兒童讀物編輯小組的歷史與身影》（臺東：臺東大學兒童文學研究所，2003年10月），頁147-148。

圖像與顏色的表現採取全彩印刷，於當時圖畫書的發展來說，可謂
是傑出之作。1971年1月由漢聲出版社推出的《漢聲精選世界最佳
兒童圖畫書》（105冊），還附「媽媽手冊」引導家長與孩子進行
親子共讀。這對於臺灣後來提倡親子共讀圖畫書，也具開創意義。
此套叢書的編輯鄭明進解釋，「媽媽手冊」的創意起源是希望經由
解說與引導，讓臺灣的兒童讀者與家長，更好地領略圖畫書文圖結
合後的深層意義。[34]彼時的家長對於圖畫書的認知不高，兒童圖書
主要由推銷人員推銷給消費者。故此伴隨銷售員的詳細解說，以及
「媽媽手冊」所提供的導讀內容，許多家長更為樂意進行圖畫書消
費。此舉的成功，引起後續更多出版社以附冊導讀作為贈品。[35]

　　同年，臺灣民間成立了信誼基金會，積極投入繪本的出版工
作；財團法人洪健全教育文化基金會亦於1974年成立兒童文學創
作獎，旨在挖掘更多創作圖畫書的優秀人才。這一時期民間基金會
的成立以及對於圖畫書的推動，加之官方的努力，將臺灣圖畫書的
發展推向另一里程碑。雖然這一時期參與比賽的創作者都對於圖
畫書沒有明朗化的認知，但許多參賽者卻通過這個比賽更深刻地認
識圖畫書並有機會接觸其他優秀創作者，最終成為臺灣圖畫書的作
家、插畫家或是推廣者。[36]

　　這一時期為圖畫書的推廣工作費盡心力的人物，包括林海音、

34　阮本美：〈媽媽手冊的價值──畫龍點睛或畫蛇添足？〉，收
　　於《精湛季刊》（臺北：臺灣英文雜誌社有限公司，1992年8
　　月），第16期，頁58-61。
35　陳玉金：《臺灣兒童圖畫書發展史論（1945-2013）》，頁61。
36　陳玉金：《臺灣兒童圖畫書發展史論（1945-2013）》，頁61。

華霞菱及林良。林海音到訪美國後帶回了有關美國圖畫書的概念，並提倡以兒童生活作為圖畫書的創作素材。華霞菱則是以幼教教育工作者的身分參與圖畫書的文字創作。林良則任《小學生畫刊》的最後一任主編，他以圖畫書作為專題介紹大量的海外優秀圖畫書作品給臺灣讀者，後來更投身於圖畫書創作，留下經典作品無數。

1987年「信誼幼兒文學獎」肯定優秀的幼兒圖畫書，臺灣圖畫書的獎金金額居彼時各類文學獎之最，這一獎項的創立也將臺灣本土圖畫書的創作推向另一高峰。

1980至1990年間可謂是臺灣本土圖畫書迅速發展的十年，世界各地的優秀作品以迅雷不及掩耳之勢進入臺灣市場，開拓了兒童文學創作者的視野，也激勵潛在的創作者投入兒童圖畫書的創作。這一時期也開始出現以「繪本」指涉picturebook的情況。[37]由英文漢聲出版社出版的《世界精選最佳兒童圖畫書》（三套共72冊），將國外的諸多經典作品如《野獸國》、《第一次上街買東西》等引入臺灣，同樣開啟了臺灣出版界出版翻譯圖畫書的熱潮。這些海外佳作通過出版社的譯介流入臺灣市場，也開拓了讀者與創作者的眼界。

縱觀這一時期，臺灣社會對於圖畫書的認識仍處在初步認識的階段，而且著重在釐清「繪本」、「圖畫故事」等名稱的定義。而

---

37 劉鳳芯指出：80年代後期，隨著翻譯兒童圖畫書大量出現，在通曉日文的圖畫書推動者如鄭明進等人的引介之下，繪本一詞開始見諸文字。但是，繪本一詞要到1992年，由遠流出版公司出版「繪本童話中國」系列，這一種用法才廣為流行。詳參劉鳳芯：〈1948-2000 兒童圖畫書在臺灣的論述內涵、發展與轉變〉，《兒童文學學刊》（2014年12月），頁53-94。

且，圖畫書的認知，亦停留在「為圖服務」的插圖概念為主。這一時期的重要插畫家包括趙國宗、曹俊彥、洪義男、呂游銘、劉宗銘等人[38]。趙國宗由於曾留學德國，故此繪畫風格頗受西方畫風影響。其他作家如洪義男及劉宗銘則是來自漫畫界的跨界作家，同樣為早期的圖畫書創作注入全新面貌。例如洪義男熱衷於古文物，他將文物精緻、細巧、溫文的特質帶入圖畫風格之中。他的第一本繪本創作《治水和治國》便是其對於漢代磚畫再三琢磨的成果。[39]

〔三〕1987-1999 年：解嚴後到政黨輪替前

如前文所述，臺灣於1987年結束了長達三十八年零五十八天的戒嚴。政治氛圍的轉變，為人們的生活帶來了新氣象。隨著臺灣的國際流通性增強，出版及言論的開放也讓臺灣圖畫書與世界接軌，開啟了蓬勃的交流期。1989年遠流出版公司出版的「繪本臺灣民間故事」系列首次以「繪本」作為書系名稱，此後開啟了「圖畫書」、「漫畫」混用的情況。[40]

報禁解除之後，以兒童為閱讀對象的報刊，諸如《國語兒童畫報》、《兒童日報》、《國語時報》、《小鷹日報》等陸續面世，

38　陳玉金：《臺灣兒童圖畫書的興起與發展史論（1946-2016）》
　　（臺北：萬卷樓，2020），頁108-109。

39　曹俊彥、曹泰容：《臺灣藝術經典大系‧插畫藝術卷：探索圖
　　畫書藝術色彩森林》（臺北：文化總會，2006），頁12。

40　有關學界與出版界，分別使用「圖畫書」與「繪本」的現象，
　　詳參游珮芸：〈Why "picturebook"? ——「圖畫書」或「繪本」
　　在臺灣風行的幾點觀察〉，《竹蜻蜓‧兒少文學與文化》，第
　　4期（2018年5月），頁347-365。

一改戒嚴前只有《國語日報》獨佔兒童日報市場的情況。其中《兒童日報》更是許多本土繪本創作者的搖籃，成功培育出了賴馬、李瑾倫、楊麗玲等人。1992年，《兒童日報：兒童文學花園版》（藝術版）通過系列專文介紹臺灣插畫家，給予原本不受重視的臺灣兒童書插畫工作者莫大肯定。

隨著臺灣與世界接軌，臺灣創作者及海外創作者亦有更多交流互動的機會。例如，信誼幼兒圖書館在1988年開幕之時，便邀請日本插畫家安野光亞來臺發表演講。隔年，臺灣本土繪本作者徐素霞的插畫《水牛與稻草人》等作品，入選義大利波隆納圖書館插畫原畫展，成為第一位入選此展的插畫家。

1993年臺灣行政院新聞局成功促成出版界以「臺北出版人」名義參加義大利波隆納國際兒童書展，臺灣圖畫書正式面向國際讀者群。而後，臺灣的插畫家亦紛紛入選其他國際插畫家大展，使臺灣創作躍上國際舞台，被世人所見。但陳玉金認為，臺灣社會大眾在這一時期普遍將兒童插畫視作漫畫，並未將童書插畫放在純藝術欣賞的氛圍下。[41]

解嚴後的臺灣社會也掀起了一股本土化的熱潮。政府及民間出版均肯定圖畫書作為傳遞鄉土文化的媒介，故此這一時期臺灣社會出現了不少濃厚本土風情的繪本，致力於提倡環保與推廣農村生活的認識。[42]其中可見遠流出版公司所出版的「兒童的臺灣」系列圖

41　陳玉金：《臺灣兒童圖畫書的興起與發展史論（1946-2016）》，頁158。
42　何皇宜：《文化臺灣繪本研究》（彰化：國立彰化師範大學國文研究所碩士論文，2010），頁21。

畫書，以及1991由農委會與多位文圖創作者合作出版《田園之春叢書》，直至2000年間陸續出版了一百本圖畫書。這套叢書由臺灣重量級的繪本創作者合作，並且由林良、鄭明進、曹俊彥等臺灣圖畫書創作前賢擔任執行主編，質量可見一斑。這些以鄉土文化作為題材的圖畫書，旨在開發兒童對於在地文化的興趣，也從民間故事、信仰、景觀，甚至歌謠擷取創作藍本。其中，原住民題材更受到前所未有的重視，與海外創作形成鮮明對比。但是，1991年開始出版的《南瀛之美》，強調或緬懷臺灣過去傳統中的鄉土之情，使人形成原創圖畫書和農村脫不了關係的既定印象。尤為值得關注的是，當時以城市作為主題的圖畫書不多，僅有孫心瑜的《午後》、《一日遊》以臺北作為故事背景。

這一時期圖畫書的蓬勃發展也帶動了學界的關注，各所師範學院在1992年後相繼成立幼兒教育學系，開授圖畫書相關課程，並且成立兒童文學研究所，展開對於圖畫書的相關討論。例如目前在圖畫書研究方面也起著帶頭之功的國立臺東大學兒童文學研究所於1997年成立之時，是作為師範學院語文教育的延伸，2003年學校改制為國立臺東大學。

臺灣圖畫書的消費市場自1997年便開始出現了下滑的趨勢。但是，1998年隨著幾米以成人作為閱讀對象的《森林裡的秘密》與《微笑的魚》面世，開啟了臺灣繪本發展史的全新一頁。幾米的作品成功引起讀者共鳴，爾後出版的許多膾炙人口的佳作，例如《向左走，向右走》、《地下鐵》、《星空》都被劇場、電視及電影工作者進行二次創造，以另一種表現形式呈現於閱聽人眼前。

　　此一時期的重要圖畫書創作者，有專業美術背景的為劉伯樂、徐素霞、幾米、何雲姿、陳志賢、賴馬等人，繪畫技巧相當嫻熟、專業。國際市場的開拓，使創作者得以廣納百川地吸收創作養分，圖像敘述能力都在水準之上。

　　因幾米的創作而後興起的成人繪本市場，也為臺灣繪本創作界開啟了全新版圖，而他的作品亦可謂是老少咸宜，除了感動大人，也深受兒童讀者歡迎。

〔四〕2000年至今：政黨輪替到數位媒體崛起

　　這一時期關注圖畫書從2000年臺灣政黨輪替至今的發展動向。2000年以降，臺灣受到國際化的影響，社會氛圍和經濟競爭力也發生變化。臺灣社會由於受到經濟影響，普羅大眾的購買力下降，圖畫書的行銷也從大套書改而以小套書或是系列產品的方式推出。

　　即便客觀的消費環境不佳，但是這一時期依舊出現許多優秀的圖畫書創作者，他們不僅在臺灣受到消費者的青睞，亦在國際市場上大放異彩。例如邱承宗分別於2000年和2006年成為臺灣唯一入圍波隆納兒童書展插畫展「非文學類」插畫的作者。臺灣新生代繪本插畫家鄭俊昇亦曾在2011年獲得作家新人獎。2000年，臺灣公共部門選出鄭明進的二十本圖畫書於臺灣主題館展出。2006年臺灣出版界也在波隆納兒童書展，以「東方小美人」主題設立臺灣館，推銷臺灣諸多插畫家的優秀作品，例如：賴馬、李瑾倫、幾米、王家珠、陳致元等人。「東方小美人」的主題此後沿用多年，成功於

國際繪本市場打造了屬於臺灣繪本的主題與意象。

　　除此之外，除了國外圖畫書插畫家與編輯來臺訪問交流，臺灣繪本創作者的繪本創作也得以翻譯，銷售於海外市場，並且取得佳績。例如陳致遠的作品《小魚漫步》與《Guji Guji》，分別於2003與2004年獲美國《出版人週刊》（*Publisher Weekly*）評選為最佳兒童書獎，以及美國《紐約時報》（*The New York Times*）圖畫書暢銷排行榜前十名。2008年，周逸芬撰文、陳致元繪圖的系列圖畫書首本《米米說不》，出版前於波隆納兒童書展展出，售出十餘種語言版本，外銷國包括首次引進中文繪本的國家芬蘭、丹麥以及以色列。同年，幾米的《吃掉黑暗的怪獸》由英國專業圖書出版社Walker公司出版，開啟了類似和外國圖書作者合作的契機。除了和歐美圖畫書創作者與出版業的合作，臺灣繪本創作者也多次到日本進行交流。

　　2015年3月格林文創、時藝多媒體主辦「讓想像飛躍──波隆納世界插畫大展」展出2014年波隆納兒童書展選出的19個國家、75位插畫家的380件展品，門票並不便宜，成人票280元、學生票250元（6歲以下免費），但卻仍能吸引大批群眾入場。這揭示了臺灣民眾對於繪本消費產品的接受度已然提高，而且已經由以兒童為主要接受對象及為教育而做的認知，轉向一種時髦的、適合賞玩的「繪本藝術」。[43]

43　游珮芸：〈Why "picturebook"？──「圖畫書」或「繪本」在臺灣風行的幾點觀察〉，《竹蜻蜓‧兒少文學與文化》，第4期（2018年5月），頁347-365。

　　這一時期臺灣圖畫書的重要人物有楊茂秀、林訓民、方素珍、林真美、周逸芬以及陳璐茜，而不少繪本創作者都具備自寫自畫的能力。其中較為人知的創作者包括李如青、劉旭恭、林小杯、陳致元等，所創作的題材與內容也非常多元。

　　近年來，繪本市場也關注到家長為兒童挑選與導讀繪本，是先於孩童的繪本讀者。故此，為了鼓勵更多成人閱讀繪本，陳璐茜的手製繪本團體「圖畫書俱樂部」企劃編輯推出《大野狼‧繪本誌1》年刊（MOOK）。創刊號主打的特別企劃便是「大人的繪本生活」，推出了給成人閱讀的繪本書單。為了進一步鼓吹成人繪本的閱讀風氣，玉山社出版社為了紀念創社20週年，也出版了兩冊《大人也喜歡的繪本》，請成人繪本愛好者分享自己與繪本的邂逅，並且推薦自己喜歡的繪本，共150本。

　　時至2010年，臺灣的繪本市場已經頗具規模。隨著網路數位科技產品的普及，圖像與影像文本的傳播更具優勢。游佩芸認為，"Picturebook"以圖像敘事為主軸的特質，正好滿足了網路傳播媒介的特性，簡短的故事長度，也符合現代人嗜好輕鬆閱讀的趨勢。目前，不少繪本創作者的繪本作品亦以電子書的形式呈現在讀者眼前。例如，賴馬於天下出版的諸多繪本如《愛哭公主》、《生氣王子》、《勇敢小火車：卡爾的特別任務》也以電子書形式進軍電子書籍市場，以更好的因應新時代讀者的閱讀習慣。

　　隨著繪本的製作形式更為多元，作者於繪本中加入立體元素以加強敘事效果，未來繪本電子書的敘事效果如何媲美實體書的閱讀體驗，想必提供了繪本作者與出版商更多的創發空間與挑戰。

3 結語

漫畫與圖畫書在臺灣圖文創作的發展脈絡下，均可謂是精彩紛呈的文藝創作型態。雖然圖畫書的概念在80年代逐漸形成之時，仍有許多人無法分辨圖畫書、連環畫、漫畫等的箇中區別，但隨著政府與民間不斷地耕耘與努力，圖畫書逐漸走出了自己的一片天。本土的漫畫作品則由於缺乏有力的支持，導致消費者仍傾向於熱衷海外輸入的創作。

隨著國際市場流通性的增加，豐沛的英語系兒童讀物以及日本的繪本得以輸入臺灣市場。這使不少圖畫書創作者得以站在巨人的肩膀上，透過跨文化學習，經由翻譯吸收外來經驗，創作出許許多多優秀作品。尤為值得關注的是，1970年以來，圖畫書的本土化發展趨勢逐漸壯大，主題由兒童日常擴大至地方風土，再延伸至更大的社會議題。其中不乏優秀著作，經由翻譯成多國語言開拓海外市場，引發了熱烈的臺灣繪本風潮。另一方面，臺漫創作雖然在90年代趨向成熟與完備，但由於缺乏本地消費者的認同與青睞，使其終究無法成為臺灣漫畫市場的一方主力。

在第四代工業革命的推動下，蓬勃的經濟發展與印刷技術的日新月異，促使漫畫與圖畫書在臺灣市場中，成為一種臺灣民眾熟悉也樂於消費的文創產品，發展也更為多元。目前，紙本出版已然在敘事手段上加強敘事力度，網路的二維空間如何更為「立體」，並且因應消費型態給予讀者更多視聽享受，想必是未來「認同經濟」下的一大挑戰。

4 中國大陸原創繪本與漫畫的 發展與展望

孔令俐

在當今這個「讀圖時代」，圖像閱讀的重要性已經絲毫不亞於文學。漫畫與繪本作為兩種最具代表性的文圖類型，不僅將文學與圖畫，文本與圖像整合而成一種綜合的閱讀體驗，還以藝術性、文學性和教育性等特徵加速傳播且影響日益廣泛。本文將對中國大陸原創繪本與漫畫的發展歷程進行簡要的脈絡式梳理，以期配合本書的其他篇章為讀者勾勒出華語地區繪本與漫畫發展的鮮活地圖，為後續的深入研究提供助推力。

1 引言

漫畫和繪本都是視覺藝術表達的一種形式。傳統意義上，漫畫往往以幽默的表象來表達諷刺、誇張、隱喻等效果，絕大多數的漫畫都具有一定的功能性，既可以傳播信息擴大受眾，也可以表達態度或發表評議。然而在當代中國大陸的漫畫創作中，隨著互聯網和多媒體的介入，漫畫被應用到更廣泛的場景和傳媒中，漫畫的題材

和類型也變得愈加豐富。「繪本」在大陸也被稱為圖畫書（picture book），最初被歸於兒童文學的範疇，隨著繪本題材和形式發展的多樣，繪本已經不再是兒童專屬的讀物，也成為很多成年人休閒療癒、紓解情緒的媒介。大陸繪本的發展和研究雖然起步較晚，但是近年來取得了飛速的發展態勢，也逐漸成為文圖學研究中的顯學。[1]

　　漫畫和繪本在中國的起源因概念界定的模糊性，使眾學者之間難以達成一個共識。正如前文所言，圖文相隨的讀物並不是現代才出現的概念，衣師若芬已對近代之前中國出現的「有圖像的書」進行了簡要的梳理，並指出「漫畫」在中國古代典籍中就已出現，但是當時的詞語意涵與現代「漫畫」一詞的含義相距甚遠。之後，「漫畫」的含義和使用則延續了日語中的漢字翻譯，直到20世紀，漫畫才能為一個獨立的畫種。也有學者指出中國古代一些怪誕滑稽、造型誇張或是幽默詼諧的繪畫甚至雕塑，都可以視為中國早期漫畫的雛形。同樣的，「繪本」一詞也是源於日本漢字，廣義的繪本是「有圖畫的書」，而狹義的繪本是為兒童創製的圖畫書。為了與漫畫的討論加以區分，本文對繪本脈絡的討論將從狹義的繪本概念出發。[2]

1　中國大陸的漫畫發展已經有學者進行了較為系統的梳理，本文主要參考了畢克官：《中國漫畫史話》（天津：百花文藝出版社，2005），甘險峰：《中國漫畫史》（濟南：山東畫報出版社，2008），陳維東：《中國漫畫史》（北京：現代出版社，2015）等書，試圖以時間線索縱向呈現中國大陸漫畫發展的面貌，同時，與港臺地區和新加坡的脈絡發展呈現橫向的比較。

2　參看本書〈繪本‧漫畫：文學圖像化〉一文。

2 中國大陸早期的原創漫畫

　　漫畫在中國大陸的出現是從清末民初的報紙上開始的，當時已經開始零星出現一些諷刺時事的佚名漫畫，例如上海的《俄事警聞》就在 1903 年 12 月的創刊號轉刊過《時局全圖》，被認為是中國出現的最早的時事漫畫。這些漫畫運用誇張、幽默等造型語言，專門報道或評議新近發生的時事和社會問題，因此也被稱為新聞漫畫或時事漫畫。[3] 1904 年，上海的《警鐘日報》就已經出現了時事漫畫的專欄，這些漫畫一方面尖銳地批判當時的清廷統治，同時也希望通過漫畫來喚醒民眾的愛國和反抗意識。1905 年，潘達微曾創作過一幅《龜仔抬美人》的漫畫，諷刺意味頗為濃厚，以回應當時東南沿海城市的「反美運動」，在廣州也引起了很大的反響。潘達微還編寫了中國最早的漫畫教材《小兒滑稽習畫帖》，從 1908 年陸續刊登於《時事畫報》上，為中國早期漫畫的普及和漫畫創作開闢了先河。

　　中國大陸第一份專門刊登漫畫的期刊是 1918 年 9 月創刊的《上海潑克》，其創辦人則是當時上海著名的插畫家沈泊塵。「潑克」是 puck 的音譯，也說明了這本刊物是以看似惡作劇的戲謔方式來達到諷刺警醒的目的。《上海潑克》多刊登時事漫畫，關注國內政

3　劉一丁：《中國新聞漫畫》（北京：中國青年出版社，2004），又參黃茹：〈以漫畫的名義守望真相──簡述近代中國新聞漫畫的發展及影響〉，《傳播與版權》，第 11 期（2015 年），頁 1-3。

治與國際形勢，亦對當時的社會問題表現出強烈的關注和責任感。刊物中的絕大部分漫畫都為沈泊塵親手所繪，內容嚴肅，製作精良，頗見編輯的用心認真。《上海潑克》雖然未直接使用「漫畫」一詞，但作為中國專門刊登漫畫的首個刊物，以專業的精神為後期的漫畫發展奠定基礎，其對時事問題的敏感性也說明中國本土漫畫的誕生是在政治與時事中孕育的。[4]

　　「五四」運動之後，漫畫發展的熱度仍在不斷升溫，《世界畫報》、《解放畫報》等成為刊登漫畫的主要陣地。馬星馳、丁悚、沈泊塵、錢病鶴等知名漫畫家的作品也持續不斷地創作著緊跟時代的漫畫作品，但杜宇還出版了《國恥畫譜》，這部作品被視為最早的個人漫畫作品集。其中內容諷刺辛辣，態度鮮明，以此表達反對日本的殖民侵略和諷刺北洋政府的賣國行為，激發了大眾階層的愛國熱情。另一位高產的漫畫家是丁悚，作為最活躍的漫畫家之一，丁悚曾為《申報》、《新聞報》、《上海畫報》等刊物供稿。他的代表作品有《豺狼當道》、《鎖上加鎖》、《民國九年六月裡底上海人民》等，這些漫畫作品表達了軍閥混戰、物價飛漲的社會環境下普通平民生活的困苦。1926年，丁悚與張光宇、葉淺予、張敦慶等人在上海成立了「漫畫會」，這是中國大陸第一個漫畫家團體。「漫畫會」將當時眾多知名漫畫家聯合起來，共同推動漫畫藝術的發展，並企圖通過漫畫這一藝術形式來回應當時混亂的社會現實。

4　方雅：〈中國第一本漫畫刊物——《上海潑克》創刊號〉，《都會遺蹤》，第2期（2012年），頁68-73。

　　1928年創刊的《上海漫畫》是「漫畫會」的機關刊物，這部雜誌是繼《上海潑克》之後的另一標誌性期刊，葉淺予和張光宇擔任主要的編輯工作。《上海漫畫》除了延續刊登諷刺時事和關懷社會的漫畫外，也有像葉淺予所創作的《王先生》這類以幽默風格見長的漫畫。這也反映出當時的漫畫期刊要想長期運營下去，需要一定程度上迎合城市有閒階層讀者群的消費和閱讀的品味。

　　1930年6月，《上海漫畫》在其終刊號中提到「因為當今我民族的時勢承受上下世界的大關鍵。我們負起為智識上而服務的使命，更辦了《時代畫報》以應時代的急需。」《上海漫畫》此後併入《時代畫報》。《時代畫報》雖然不是刊登漫畫的專業刊物，但其中的漫畫作品佔據了畫報圖片中相當的比例。上海圖書公司的另外一份刊物《時代漫畫》則繼承了《上海漫畫》的使命，繼續為優秀的漫畫作品提供發表和展示的平台。《時代漫畫》的主編也是「漫畫會」的核心成員之一魯少飛，魯少飛自己也是熱衷於漫畫創作的漫畫家，1927年，他還發表了長篇連環漫畫《改造博士》，之後又創作了《陶哥兒》和《毛郎艷史》等長篇漫畫。在魯少飛擔任主編的三年多時間裡，眾多優秀漫畫通過《時代漫畫》脫穎而出，《時代漫畫》也成為漫畫界的標誌性刊物。[5]

　　除了這些緊跟時事的漫畫作品，豐子愷的漫畫可以說是象徵另一種浪漫主義的漫畫類型。豐子愷作為中國大陸漫畫史中最重要的

5　王琳：《〈時代漫畫〉與中國漫畫的現代主義（1934-1937）》（西安：陝西師範大學博士論文，2018），頁23-52。

代表人物之一，其一生中不僅創作了數量眾多的漫畫作品，而且創造了專屬的漫畫風格。豐氏的漫畫畫風清麗簡明，內容含蓄深沉，堪稱精品。1925年5月，豐子愷在鄭振鐸主編的《文學周報》上刊登〈子愷漫畫〉，「漫畫」之名才開始見諸於中國的美術史，豐子愷自己也說過：「『漫畫』二字，的確是在我的畫上開始用起的，它也不是我的自稱，卻是別人代起的。……其實，我的畫究竟是不是『漫畫』，還是一個問題。」[6]但實際上，「漫畫」一詞早已開始在報紙上零星出現，無論「漫畫」是否在此時才第一次出現，〈子愷漫畫〉都極大地推動了「漫畫」一詞的使用和接受。[7]到了1926年，上海開明書店將〈子愷漫畫〉印製成冊單獨出版，這部作品集共收錄了60幅作品，如《人散後，一鈎新月天如水》、《惜別》、《瞻瞻底車》等，都是從生活中捕捉最日常的生活情趣，充滿了純樸和童真，詩意與閒情躍然紙上，充分體現出豐子愷作品的風格。後期豐子愷陸續出版的《護生畫集》，則通過「護生即護心」的主旨表達對自然的感悟和觀察，充滿對大自然的慈悲和尊重。俞平伯曾盛讚豐子愷的漫畫「一片片的落英，都含蓄著人間的情味。」「其妙正在隨意揮灑，譬如青天行白雲，卷舒自如。」豐子愷的抒情漫畫不僅為中國當時的漫畫發展注入了一股新鮮的活力，對於後世來說，也啟發和影響了眾多當代漫畫家的創作。[8]

6 黃大德：〈中國「漫畫」名稱緣起考〉，《美術觀察》，第4期（1999年），頁3-5。

7 趙敬鵬：〈民國漫畫的創作與研究圖景〉，《中國圖書評論》，第6期（2018年），頁79-88。

8 崔曉彥：《豐子愷漫畫的美學價值》（武漢：武漢理工大學碩士論文，2010）。

　　20世紀2、30年代，還湧現出許多知名的漫畫家，參與創辦《時代漫畫》、《獨立漫畫》的張光宇可以說是中國漫畫界的「旗手」。他自己也不乏優秀的創作，《民間情歌》、《光宇諷刺畫集》等頗具個人特色的漫畫作品，特別是《民間情歌》利用南方民間口頭文學的形式配合簡潔流暢的漫畫圖像，形成了獨具特色的現代東方風格。

　　這一時期的漫畫發展，不僅有畫作的實踐，一些漫畫理論的研究也隨之出現。魯迅在1935年將〈漫談漫畫〉一文發表在陳望道主編的《小品文與漫畫》一書上，可以看出文藝界已經將漫畫視為正式的藝術題材。魯迅從介紹西方漫畫史的名家討論到中國的漫畫創作，並提出中國古代沒有漫畫的論斷。此外，〈漫而又漫畫〉、〈論諷刺〉、〈從諷刺到幽默〉等文都反映出魯迅對建構漫畫理論的貢獻。魯迅對漫畫的鍾愛、介入乃至指導與提倡，建構了具有深度關涉人生和社會的漫畫藝術，其最終目的是希望使這種喜聞樂見、貼近大眾的藝術形式對人生和社會的參與，促發人本身及其生存狀態的轉變，推進整個社會的發展。[9]

　　20世紀上半葉，「繪本」一詞在中國大陸尚未開始使用，大眾將這種為兒童設計的文圖並置的讀物稱為「連環畫」，因此，連環畫可以被視為現代繪本藝術的雛形。[10]1922年1月，著名的藝術史

9　趙玉彩：《魯迅漫畫思想研究》（湘潭：湘潭大學碩士論文，2014），頁58-75。

10　孫雯琦：《從連環畫到繪本的文化轉型研究》（杭州：浙江理工大學碩士論文，2016），頁7-13。

家鄭振鐸開始創辦《兒童世界》週刊，這份由商務印書館印製的刊物是中國第一本意義上的兒童期刊，其陸續刊登了〈兩個小猴子的冒險〉、〈河馬幼稚園〉，葉聖陶〈稻草人〉等插圖故事，奠基了我國最早的繪本創作，但因為只是短篇的插圖故事，沒有獨立成為圖畫書，因此並不能稱為嚴格意義上的繪本作品。1927年6月，由上海世界書局發行的《三國志》可以被視為中國第一部「連環畫」圖畫書，這部圖書利用多幅插圖和文字敘事並置閱讀來完成一個獨立故事的講述，符合現代繪本的閱讀方式。在30年代，趙景深又陸續創作了《一粒豌豆》、《哭哭笑笑》等兒童連環故事。魯迅也曾發表〈連環圖畫瑣談〉、〈「連環圖畫」辯護〉等文來號召文藝作家進行連環畫的創作。可以看出，早期被稱為「連環畫」的「繪本」與漫畫之間並不是兩種獨立的讀物類型，連環畫是通過連環的圖像組合方式來進行長篇敘事和人物塑造的一種形式，而當時的漫畫可以視為一種題材或創作風格，因此，連環畫與連環漫畫既有交集也有區別。[11]

　　1936年，中國的漫畫發展已經到達了一個小高潮，葉淺予、張光宇、魯少飛等人決定籌辦全國漫畫展覽會，將當前漫畫界的成果更集中地展示和宣傳。這次漫畫展覽會開放給全國有識之士加入，邀請專業和業餘的漫畫家踴躍投稿，風格題材及創作者的身分

11　關於連環畫的發展，參看宛少軍：《20世紀中國連環畫研究》（北京：中央美術學院博士論文，2008）。

等都不設限制。在委員會的積極動員下，1936年11月4日，在上海
南京路大樓公司舉辦的「第一屆全國漫畫展覽會」盛況空前，轟動
一時。其中，穆一龍《蜻蜓南下》，高龍生《國破山河「在」？》等
作品都圍繞當時的社會問題和政治局勢作為表現主題，體現出絕大
多數漫畫創作者對時事題材的高度關注。1937年，中華全國漫畫作
家協會在上海成立，這一組織較「漫畫會」帶有更嚴肅的使命感，
其宗旨是「團結全體漫畫家，共同推進漫畫藝術，使漫畫成為社會
教育工具。」[12] 在全國政治形勢急轉直下的時刻，中華全國漫畫作
家協會試圖通過漫畫加入到抗日救亡的隊伍中，以表達他們強烈的
愛國情緒。

　　抗日戰爭全面爆發後，上海漫畫界救亡協會成立，並創辦了會
刊《救亡漫畫》，顧名思義，這份漫畫是為了配合抗日戰爭的宣傳
而創辦的，王敦慶在發刊詞中提到「自盧溝橋的抗戰一起，中國的
漫畫作家就組織『漫畫界救亡協會』，以期統一戰線，準備與日寇
作一回殊死的漫畫展。」由王敦慶擔任主編的工作，魯少飛負責發
行。編輯成員有葉淺予、張光宇、華君武、丁聰等，他們所創作的
漫畫也帶有鮮明的鬥爭色彩，例如丁聰的《日本強盜任意蹂躪戰區
裡的我同胞》，葉淺予的《前線作戰將士的恩物——標準光餅製造
所》等。雖然在《救亡漫畫》發行不久，上海就已淪陷，漫畫家們

12　林豪：《漫畫界的高潮時期——四十四年前的漫畫
　　期刊和「第一屆全國漫畫展覽會」》，《美術》，
　　第8期（1984年），頁57-59。

也不得不轉移活動陣地，但通過這份漫畫可以看出漫畫界同仁高漲的民族主義情緒和愛國熱情。葉淺予等人從上海撤退後，還積極組織漫畫宣傳隊並在南京舉辦「抗戰漫畫展」，他們一路撤退一路宣傳，繪製了大量宣傳漫畫來揭露日軍的侵略行為。[13]

抗日戰爭期間，西南地區和陝甘寧作為國共兩黨活動的不同陣地，其各自的創作風格也都充滿著強烈的政治意味。其中，華君武是抗日戰爭時期延安的代表漫畫家之一。他在1938年來到延安後，漫畫的題材和風格與上海時期有了顯著的不同，並在1942年同蔡若虹、張諤舉辦過三人漫畫展。此時延安漫畫的批判對象除了日軍的侵略暴行，還有不少涉及國民黨領導人物的諷刺漫畫，階級鬥爭意識非常明顯。抗戰時期，中國漫畫理論的探索也取得了階段性進展，戰爭的到來也為漫畫的藝術地位和發展提供了一個契機，使藝術理論家注意到漫畫鮮明的諷刺色彩和簡潔的宣傳方式，更有助發揮巨大的感染力來激發讀者的愛國熱情。[14]魯少飛〈抗戰與漫畫〉，賴少其〈漫畫與政治認識〉，豐子愷〈漫畫是筆桿抗戰的先鋒〉等文章都指出了漫畫在表達政治觀點和社會運動中的功能。

抗日戰爭勝利後，上海再次成為全國漫畫創作的中心。在國共三年內戰時期，雖然政局動蕩，但是仍然不乏優秀的漫畫作品問世。張樂平所創造的「三毛」系列漫畫堪稱我國漫畫界的經典作

13　江婭茜：《〈抗戰漫畫〉期刊中的漫畫作品研究》（重慶：重慶師範大學碩士論文，2017）。又參朱蕙：〈抗戰時期的漫畫家及漫畫創作〉，《文藝理論與批評》，第4期（2005年），頁33-36。

14　陶少藝：《抗戰漫畫運動研究》（桂林：廣西師範大學碩士論文，2002）。

品，《三毛從軍記》最初在上海《申報》上連載，《三毛流浪記》
自 1947 年 6 月 15 日開始在《大公報》上連載，兩者都受到讀者的
熱烈歡迎，也引起了漫畫界很大的反響和關注。「三毛」這一上海
流浪兒童的形象反映出當時社會上很多生活在底層的弱勢群體，通
過張樂平的畫筆，「三毛」引發了讀者對流浪兒童的深切同情和社
會貧富分化問題的關注。[15]

3　20 世紀下半葉中國大陸原創漫畫與繪本的發展

　　自 50 年代開始，漫畫與政治的關係過於密切，這一時期的漫
畫一方面以歌頌主題為主，另一方面也充當政治鬥爭的宣傳工具。
歌頌主題的漫畫以中華人民共和國的成立事件最為普遍，例如眾多
漫畫家集體創作的《萬象更新圖》，刊登於 1956 年 2 月號的《漫
畫》月刊和《文藝報》上，這幅漫畫集合了丁聰、方成、葉淺予等
十數位漫畫家的成果，氣魄宏大，是當時影響廣泛的一幅大型歌頌
漫畫。[16] 1956 年至 1958 年這三年的「大躍進」時期，漫畫的創作也
與當時的政治目標一樣，充滿著不切實際的浮誇與盲目。例如歌頌
「大躍進」、「總路線」與「人民公社」的漫畫，這些漫畫的「誇
張」程度已經處於一種失實的狀態，顯然違背了客觀規律。本以

15　錢可：〈共時語境下相同素材的不同藝術表達──豐子愷與張樂平漫
　　畫之比較〉，《中國民族博覽》，第 9 期（2017 年），頁 197-199。
16　金千里：〈可喜的嘗試──「萬象更新圖」讀後〉，《美術》，第 2 期
　　（1956 年），頁 42-43。

「誇張」著稱的漫畫逐漸演變成迎合政治口號的「鬧劇」，使漫畫喪失了其藝術價值和意義。值得一提的是，張樂平在這一時期創造的「新三毛」形象以全新的面貌登場，從最初《三毛的控訴》，到《解放日報》上連載的《三毛翻身記》，都通過對三毛生活的今昔變化來影射社會變革後底層民眾生活的改善和提高。[17]

另一方面，當時的漫畫界受到毛澤東文藝思想的影響，漫畫也開始在激烈的政治鬥爭中發揮作用。為了響應40年代由毛澤東在延安文藝座談會上的講話，「內部諷刺漫畫」逐漸興起，這類漫畫的目的是為了解決「人民內部」的矛盾而進行的一種具有「積極」作用的批判和諷刺。例如，華君武在50年代後的創作以「內部諷刺漫畫」為主，這段時期的漫畫一方面用以諷刺官僚主義，另一方面也有諷刺當時極「左」的思想和不遵循客觀規律的行為，甚至有一些反映了社會中不文明現象的主題。[18]華君武創作的這些「內部諷刺漫畫」雖然一定程度上是為了迎合政治宣傳的需要，但內容構思精巧、簡潔明快且數量眾多，在中國大陸的漫畫史上是不可忽視的一筆。

同時，受到5、60年代政治運動中「極左」「極右」思想的影響，漫畫界也出現了一些思想的偏差，一些優秀漫畫家或因漫畫創作而被批判和攻擊，還有的漫畫家在這一時期創作了一些缺乏求實

17　顧錚：《意識形態如何俘虜流浪兒三毛──論三毛形象的轉型》，《書城》，第9期（2005年），頁61-66。

18　劉玉靜、甘險峰：〈華君武與內部諷刺漫畫〉，《新聞記者》，第8期（2010年），頁67-69。

態度，只為了配合政治口號和迎合政治運動的作品。這對中國大陸的漫畫史來說是一段不可回避的不堪往事，其歷史意義更重要的是使創作者和研究者反思作為一種藝術形式的漫畫與政治之間應始終保有的界限與獨立性。[19]

20世紀5、60年代，與漫畫界濃厚的政治意味不同的是，兒童圖畫書在這一階段湧現了不少優秀的經典作品，如《小馬過河》、《小蝌蚪找媽媽》、《蘿蔔回來了》等。其中，《小蝌蚪找媽媽》利用了水墨畫的簡約線條和靈動寫意的繪畫風格，突顯中國原創圖畫書兼具童趣與典雅的獨特美感，之後還被改編成了動畫短片，頗受兒童觀眾的喜愛。

1966年至1976年，漫畫界與其他文藝活動都隨著「文化大革命」的到來而陷入了停滯，一些優秀的漫畫家也遭到了嚴重的摧殘，例如豐子愷被列為上海十大批鬥對象之一，葉淺予、丁悚等人甚至遭遇了牢獄之災，甚至殘忍的迫害。這段時期所產生的一些漫畫，戰鬥性非常明顯，甚至包含辱罵、誹謗，甚至人身攻擊等漫畫。紅衛兵還有專門的漫畫報刊，並舉辦畸形的漫畫展覽，例如紅衛兵漫畫《群醜圖》，通過醜化劉少奇等文革批判對象，來迎合當時的政治需要。[20]

十年浩劫時期是中國大陸漫畫萬馬齊喑的時期，在這之後，漫

19　鄒燦：《「大躍進」時期的宣傳畫與政治社會化》（天津：南開大學碩士論文，2011）。
20　劉梵均：《「文革」期間中國大陸與香港地區漫畫及連環畫的對比研究》（廣州：廣州大學碩士論文，2011）。

畫界也開始逐漸重現活力，進入蓬勃發展的時期。1979年，《諷刺與幽默》作為官媒《人民日報》文藝部的副刊創刊，這是中國大陸迄今為止出版時間最長的漫畫報刊。《諷刺與幽默》除了刊登中外漫畫和幽默畫以外，還有小品文、諷刺詩等題材作品，這份刊物十分受讀者歡迎，到了20世紀80年代，最高發行量可達到130萬份。《諷刺與幽默》為當時優秀的漫畫作品提供了一個良好的發表平台，作品的整體質量都很高，繼這份刊物之後，各個地方也紛紛效仿，例如浙江的《幽默大師》、天津的《中國漫畫》等都是後期質量上佳的漫畫讀物。

隨著漫畫創作數量的極大增加，各個漫畫的類型也分化得更加細緻，其中，新聞類漫畫仍然是原創漫畫的主要題材，內容涵蓋政治經濟、文教體育、醫療環保等廣泛的題材，緊追熱點，同時抱持針對社會現象的諷刺與揭露，發揮著漫畫的社會監督和教育大眾的功能。針對新聞類漫畫的研究也相對起步較早，早在80年代，漫畫家方成就完成專著《報刊漫畫》，以新聞漫畫為主探討了漫畫與報刊的關係等一系列專業的研究。而非新聞類漫畫也佔有相當的比例，其中又分為肖像漫畫、幽默漫畫、連環漫畫、抒情漫畫、哲理漫畫等。這些新時期的漫畫內容也不再與政治掛鉤，而是純粹表達創意和趣味，突顯娛樂大眾和放鬆心情的功能。

1985年11月，中國美術家協會漫畫藝術委員會於北京成立。1987年1月，漫畫藝術委員會在北京召開了全國漫畫藝術交流會，中國新聞漫畫研究會也於1987年10月在北京成立，這是當時唯一的全國性漫畫社團。這些漫畫組織所舉辦的一系列會議、展覽，甚

至是專業獎項的設立，不僅配合了當時中國大陸原創漫畫的快速發展，也推動了對漫畫領域的專業研究和文化產業等事宜。

20世紀90年代，隨著中國大陸改革開放的深入和文化環境的活躍，中國開始大量引進和翻譯海外優秀的繪本作品，而海外繁榮的繪本市場也為大陸繪本的發展注入活力。[21]「繪本」這一概念在中國大陸也逐漸確立並被廣泛使用。首先，繪本的飛速發展與社會對兒童讀物的重視密不可分，90年代的圖畫書從策劃到出版都更加專業化。其次，專門的圖畫書獎勵機制使優秀作品得有積極的反饋，促進了原創圖畫書創作的良性循環。國際兒童讀物聯盟中國分會（CBBY）還與日本連續兩屆合辦「小松樹」兒童圖畫書獎，這次比賽脫穎而出的作品就有周翔的《貝貝流浪記》、《當心小妖精》等。此外，湖南少年兒童出版社的「黑眼睛」系列和海燕出版社的「小鱷魚」系列還分別榮獲過全國「五個一」工程獎和國家圖書獎。

4 互聯網時代的中國大陸原創漫畫與繪本的發展與展望

進入互聯網時代以來，漫畫已經不再單純依賴紙媒的傳播，網路漫畫和漫畫網站相繼出現，為漫畫的傳播和閱讀提供了更多的契

---

21 關於中國大陸原創繪本的研究，參看曾艷：《中國當代流行繪本研究》（蘇州：蘇州大學碩士論文，2008）。陸莉莉：《中國原創圖畫書出版現狀及對策研究》（合肥：安徽大學碩士論文，2014）。孫運芬：《中國當代新型漫畫的審美特徵淺論》（濟南：山東師範大學碩士論文，2005）。

機。2001年7月，中國新聞漫畫網（www.newscartoon.com.cn）創立，這是由中國日報網站與中國新聞漫畫研究會合辦的中國大陸第一家專業的漫畫網站。作為漫畫網路刊載平台，中國新聞漫畫網不僅為漫畫家提供了一個開放式發表作品的機會，也使讀者得以更加便捷的瀏覽和閱讀海量的網絡漫畫，可以說是為互聯網時代中國大陸漫畫發展提供了首個成功的樣板。此外，科學技術的支持也對傳統單幅或連環漫畫進行了多媒體的改造。動漫漫畫將聲音、圖像、文字等多種元素相結合，調動著觀眾的聽覺、視覺和想像力，為讀者帶來全新的觀感體驗。

21世紀以來的當代繪本創作和發展更加活躍，無論是質量還是數量都有顯著提升。這些作品不僅受到少年兒童的喜愛，也逐漸在彌補我國繪本發展先天不足的缺陷。當代的優秀繪本作品最初由明天出版社、21世紀出版社、新時代出版社等幾家專門從事少兒出版事宜的出版社負責，之後三聯書店、北京師範大學出版社也紛紛開始加入出版繪本圖畫書的行列中。

對「中國風」的探索和追求使中國原創繪本熱衷於對傳統故事進行改編，2001年，由日本的松居直編寫故事，湖南少兒出版社編輯蔡皋配圖合作完成的繪本《桃花源的故事》，成為中外合作優秀繪本的代表。雖然「桃花源」是中國傳統故事題材，但是經過改編的桃花源故事更加迎合現代讀者的品味。這次合作不僅說明中國傳統母題可以為現代原創繪本的創作提供豐富的靈感來源，而且通過中外優秀創作者的合作，也可以為傳統故事帶來更加現代感的詮釋。明天出版社2007年出版的「繪本中國系列」頗具代表性，熊

亮、熊磊兄弟創作的《兔兒爺》、《年》、《竈王爺》、《小石獅》等，以中國傳統元素為創作靈感，在古老的民俗故事中尋求突破。[22]之後，2013年北京師範大學出版社又發行了《「繪本森林」中國民間故事與神話傳說》，2014年河北少兒出版社出版的《中國山川故事》等，都是將原本耳熟能詳的故事進行更適合當代兒童閱讀體驗的文圖詮釋。此外，周翔《一園青菜成了精》是通過對北方童謠的改編，利用中國美術中水墨、水彩等形式表達田園鄉村生活的純真和趣味。改編自長沙童謠的《月亮粑粑》也通過節奏明快的童謠配合古樸稚拙的繪畫，傳達生命的活力。雖然這類故事缺乏強烈的敘事性，但是勝在以意象來激活想像力，通過唱誦節奏來傳達音樂美。[23]改編傳統故事繪本的另一個顯著特點是將中國傳統的泥塑、京劇、剪紙、皮影等藝術形式相結合，或是在繪畫風格上體現白描、水墨等「類國畫」的技巧，從而使兒童在閱讀繪本故事的過程中，也能受到傳統風俗文化熏陶和啟蒙。

　　2008年明天出版社出版了余麗瓊配文、朱成梁插圖的《團圓》，其取材於日常生活中的故事引發了每一個中國家庭的共鳴，這部繪本憑借溫暖感人的插圖和細膩傳神的文字，還榮獲豐子愷兒童圖畫書獎。從生活中取材，將私人的經驗加以改變，也被稱為

22　談鳳霞：〈突圍與束縛：中國本土圖畫書的民族化道路——國際視野中熊亮等的繪本創作論〉，《南京師大學報（社會科學版）》，第2期（2012年3月），頁148-153。

23　洪妍娜：〈改編藝術：從童謠到圖畫書〉，《中國出版》，第12期（2019年），頁48-50。

「私繪本」，這些故事內容或輕鬆幽默，或溫馨治癒，擴展了繪本閱讀的新形式，比較有代表性的「私繪本」作品還有李冰的《糗事一籮筐》、《我的快樂一家》，錢海燕的「小女賊」系列，豬樂桃的《我的家在西雙版納》等。可以看出，隨著繪本創作題材和內容的多元，繪本的閱讀不僅局限於兒童，唯美清新的畫面，雋永詩意的配文也給都市中的成年人提供了一處抒解壓力、放鬆身心的閱讀空間。[24]

專業機構和獎項的設置為中國大陸當代原創繪本的發展提供了良好的氛圍。2008年，由明天出版社和中國兒童文學委員會共同舉辦了「中國大陸原創圖畫書論壇」，該論壇圍繞國外圖畫書對中國大陸原創圖畫書發展的啟示，以及中國原創圖書館的發展策略展開討論。為了打造中國大陸原創圖畫書的品牌，2008年10月之後，「五色土」中國大陸原創圖畫書年度論壇定期舉行，以期提高大陸繪本的創作質量。2015年，北京師範大學中國圖畫書創作研究中心成立，成為大陸首個專注於圖畫書繪本研究的學術機構。因此，無論是專業學術平台的支持，還是圖書出版領域內部的活躍，都可以看出近年來大陸繪本欣欣向榮的發展態勢。

雖然中國大陸的原創繪本在近些年來發展態勢強勁，但是與發展更為成熟的漫畫相比，大多數原創繪本的大眾接受度仍然不高，或者被局限在兒童文學的範疇。直到2006年由Hans創作的「阿

24　曾艷：《中國當代流行繪本研究》（蘇州：蘇
　　州大學碩士論文，2008），頁28-30。

狸」系列繪本可以說是通過互聯網的傳播，為原創繪本的發展帶來了新的引爆熱點。「阿狸」繪本故事最初是以網路連載的方式出現在互聯網上，之後，因為「阿狸」溫暖可愛，萌態可掬的形象迅速通過社交網路中的表情包和周邊產品爆紅，甚至推出了相關的音樂和手遊。根據網路信息的統計，阿狸的微信表情包下載量超過2億，輸入法皮膚下載量高達7億次。阿狸正是從繪本成長為IP（Intellectual Property）的成功範例，這也是中國大陸漫畫和繪本更好地打造原創品牌的一條值得探索的發展路徑。

　　在中國大陸原創漫畫和繪本的分類上，仍然缺乏一個更加嚴格的定義和邊界。無論是以敘事方式、對象讀者還是繪畫風格，兩者都存在交集與區別。特別是對於上文中所提到的阿狸等虛擬IP來說，無論是誕生於繪本還是漫畫，通過媒介成功塑造出的人物形象在互聯網時代的催化下，將為繪本和漫畫的發展提供更多元的維度。我們對於繪本和漫畫的理解也不應該局限於傳統的圖畫漫畫書，還可以作為虛擬IP的一種衍生品或周邊，從而使繪本和漫畫誕生於形式而不局限於形式。

5 結語

　　縱觀百餘年來中國大陸原創漫畫和繪本的發展，可以發現中國大陸的創作在不斷地尋求本土化的過程。雖然中國大陸的原創漫畫和繪本作品起步較晚，但是在近年來呈現出鮮明的民族特色和創作風格。漫畫的發展從之前單一的類型和題材逐漸開始更加注重娛樂

性和趣味性，同時應用到更加廣泛的語境中。繪本閱讀風潮的興起則最初受到臺灣的影響，逐漸從傳統的兒童圖畫書開闢了更廣泛的讀者市場。當下，越來越多地優秀原創漫畫和繪本衍生出了一系列廣受歡迎的 IP 主題，這實際上也是觀眾對原創漫畫和繪本的內容提出的更高層次的挑戰，原創漫畫和繪本不再只局限於「講好故事」，優秀的漫畫和繪本作為文圖互動的有機組合，應該從內容敘事、情感訴求甚至對整個社會和人類文明的關注等角度來與讀者進行對話，從而使文圖閱讀進入到下一個「深度表達」的時代。

5 港漫講故：20世紀的香港漫畫

朱維理

> 近年常見有關香港漫畫逐步衰落的論調。這種論述以黃玉郎開創的薄裝武打漫畫為討論中心。不過，有論者歸類這些作品為連環圖，並認為漫畫應是以簡單線條描繪社會的單幅作品。本文將不會從定義探討香港漫畫。反而，本文將追溯「香港漫畫」的論述在20世紀的變化及其包含的作品，說明它從不局限於特定的創作模式和出版書種。反而，香港漫畫是一個隨著時代、市場和漫畫家轉變的概念。拋開規範性定義或有助我們對香港漫畫有新的理解。

約定俗成，我們日常生活中每當提到「港漫」一詞，無論是說的聽的，通常腦海中浮現起的都是某一特定書種……約A4大小，每本書共九張紙……以鐵絲平釘，……每冊共三十六面圖文；通常內裡八張採用書紙，收錄內文，而最外一張採用粉紙，成為封面、封面裡、封底及封底裡；彩色印製。

——施仁毅與龍俊榮，2014年[1]

1　施仁毅、龍俊榮編：《港漫回憶錄：香港漫畫五十年的集體回憶》（香港：豐林文化傳播有限公司，2014），頁11。

1 引言

漫畫一詞，在各個地方和語言有不同意義。[2]雖然漫畫分色公司創辦人施仁毅與漫畫研究者龍俊榮認為，在廣義上凡是香港製作的漫畫都是「港漫」。但從開首的引子，可得知他們以作品的種類及格式分類。這個定義是指黃玉郎（原名黃振隆）等漫畫家自1970年代以工廠流水線生產模式出版的「港式武打漫畫」。正如跨媒體創作人、曾任漫畫助理的馮慶強所言，這個定義過於狹窄和粗糙，排除了很多香港漫畫家出版的作品。[3]另一邊廂，學者黃少儀和漫畫收藏家楊維邦認為這些作品並非漫畫，而是在社會輿論責難下「洗底」的連環圖。「香港純漫畫」的發展軌跡是單格或多格透過簡單線條批評社會現象的通俗性圖畫。[4]眾說紛紜之下，到底香港漫畫是什麼呢？

本文將不會如上述論者般從定義看香港漫畫。反而，本文會以時序的方式概述在20世紀被稱為香港漫畫的作品。當中大致分為「1945年前的單幅和連環漫畫」、「漫畫單行本的興起」、「故事漫畫（連環圖漫畫）」、「『主流』漫畫產業化與跨媒體發展」和

2　Jean-Paul Gabilliet, *Of Comics and Men: A Cultural History of American Comic Books*, trans. Bart Beaty and Nick Nguyen (Jackson: University Press of Mississippi, 2010), p. xii.

3　馮慶強：〈「港漫」嘅嘢〉，《立場新聞》，2016年5月24日，網址：https://www.thestandnews.com/art/%E6%B8%AF%E6%BC%AB-%E5%98%85%E5%98%A2/。

4　黃少儀、楊維邦編：《香港漫畫圖鑑1867-1997》（香港：非凡出版，2017），頁53-54。

「『獨立』漫畫」五個章節。每章節論述該時期漫畫家對漫畫創作的想法、漫畫製作方式，以及漫畫作品與內容。本文的目的是探索香港漫畫論述包含的內容。透過這個做法，本文用以說明漫畫以至是香港漫畫是一個會隨著時間、市場和漫畫家轉變的有機概念。由於篇幅所限，本文將不會如黃少儀和楊維邦編訂的《香港漫畫圖鑑1867-1997》包羅所有已知的作品。不過，以下的作品大多都出現黃、楊二人的著作中。另外，礙於資料所限，本文描繪1945年前的香港漫畫發展會較為零碎。

2 1945年前的單幅和連環漫畫

在學者如黃少儀和香港漫畫家如鄭家鎮的論述中，香港首部漫畫應是由英國記者創辦、模仿英國《笨拙》雜誌的《中國笨拙》（*The China Punch*，又名《中國滑稽報》）。它以居港英人為對象，強調英國殖民者的文化優越感。1899年，謝纘泰於《輔仁文社社刊》發表《時局全圖》，向民眾講解列強在中國的野心。[5]它在中國改編成為鼓吹推翻滿清政府的《瓜分中國圖》。[6]兩部作品都是單幅形式。

至1910年代末，香港出現了具有情節的故事漫畫。在賴際

5　Wendy Siuyi Wong, *Hong Kong Comics: A History of Manhua* (New York: Princeton Architectural Press, 2002), p. 13.

6　甘險峰：《中國漫畫史》（濟南：山東畫報出版社，2008），頁39。

熙、陳伯陶等晚清遺老推廣下，1910年代的香港文化圈仍以傳統中國文化為中心，與中國的新文化運動大相逕庭。[7]商人梁國英相信美術辦報可以推開民智，同時認為「有感官師之失職，教育之不良，而風俗人心之往而不返」。因此，他邀請南來學者鄭磊泉編繪提倡重振中國傳統道德的《人鑑》。[8]該部作品以「改良舊家庭、革除少年社會惡習」為宗旨。[9]鄭氏在每幅作品前描述他觀察得來的當下香港道德觀念，並結合旁白、對白和圖像敘事。同時，鄭氏移植西方漫畫的分鏡技術，透過編定各個畫像的號碼顯示順序。例如在〈不義之教育有如此害〉一畫中，鄭氏先描述中國人自私自利之故，源於各父母「聞人賊劫，掩耳疾去，或且幸災樂禍」這失敗的家庭教育。[10]這部著作大抵是香港首部漫畫專集。不過，由於稿件早已亡佚，而且只靠梁國英長子複印予有興趣人士。[11]因此，《人鑑》的流傳和知名度依然是未知之數。

　　及至1920年代末，漫畫開始刊載於流傳範圍較廣的媒體上。[12]女性雜誌《脂痕》開始刊行大量四格漫畫。不過，這些消閒漫畫與雜誌關注女權問題的宗旨沒有關係。[13]1928年出版的文學和藝術創

7　程美寶：《地域文化與國家認同：晚清以來「廣東文化」觀的形成》（香港：三聯書店，2018），頁229-230。

8　梁國英：〈序言〉，黎健強、李世莊編：《人鑑》（香港：香港藝術歷史研究會，1995），頁2。

9　梁國英：〈凡例〉，黎健強、李世莊編：《人鑑》，頁3。

10　鄭磊泉：〈不義之教育有如此害〉，黎健強、李世莊編：《人鑑》，頁42-43。

11　〈《人鑑》重修計劃總序〉，黎健強、李世莊編：《人鑑》，頁i。

12　小思：〈看公仔書的日子〉，《明報》，2010年9月26日，頁9。

13　楊國雄：《舊書刊中的香港身世》（香港：三聯書店，2014），頁66。

作雜誌《字紙簍》在第5期開始便特設漫畫欄目。由廣州漫畫社繪製的連載漫畫《亞老大的職業問題》便透過角色亞老大揭示在廣州的求職和失業問題。漫畫的對白是以書面語為主，輔以不少俚語及髒話。[14] 1934年11月23日，《工商日報》為了推動文化創新和保持競爭力，以「漫畫週刊」取代「圖畫週刊」專欄。[15]《工商日報》的「漫畫週刊」以刊登讀者的單幅和四格作品為主。[16]

　　同時，從中國南來的漫畫家在報章專欄連載以廣東話為對白的連環漫畫。例如李凡夫在《香島日報》連載了553期的《何老大》。袁步雲在《香港日報》的連載漫畫《二伯父》皆為數百期的連載漫畫。[17] 每期之間既有連貫性，也可獨立成篇，恰如單元故事。

　　二戰前的香港漫畫雖然因現存資料殘缺而顯得較為零碎，但是相關片段已可讓我們略知香港漫畫在這時期的發展面貌。其一，香港漫畫的模式包羅單幅、多格以至連環故事。其題材不單涉及社會議題，更有原創故事。其二，香港漫畫載體不局限於出版專集，而是散見於報章、雜誌等媒體。因此，早期香港漫畫在題材模式和載體上都沒有特定形式，也沒有一個「純漫畫」的發展方向。

14　廣州漫畫社：《亞老大的職業問題》，《字紙簍》，第1卷第5期（1928年），頁2、8、52。

15　〈本報刷新各週刊啟事〉，《工商日報》，1934年11月23日，第一張第一頁。

16　〈現代四大天王〉，《工商日報》，1934年11月25日，第四張第一頁。

17　李凡夫：《何老大》，《香島日報》，1943年10月1日，頁3；袁步雲：《二伯父》，《香港日報》，1942年12月24日，頁4。《何老大》應為戰前刊載最長時間的連載漫畫，共553期，《二伯父》則共306期。

3 漫畫單行本的興起

　　二次大戰後，香港漫畫大多以漫畫專集和單行本形式出版。
1945年後，中國國民黨和共產黨進入內戰，令大量人口逃難到
港。當中一群漫畫家攜帶他們的作品南來香港。[18]其中一個分支以
諷刺中國政局為宗旨。以復興中國文化為宗旨的《香港畫報》認為
漫畫「圖文兼備，令閱者易於明暸」，是「為國效力」和改善中華
民族文化水平的重要途徑。這特性與「國家社會各部門的推進，都
有很重要和密切關係」。[19]類似的論述可見於《華僑日報》。該報
藝術版的編輯施仁便強調，漫畫作品必須站在「愛國家愛人民」的
立場上以幽默方式批評腐敗份子。[20]《華僑日報》另一篇藝術版的
文章更指出：

> 漫畫是一種題材重於一切的藝術，它必須描寫具有社會意義和
> 政治性的題材，否則，這種藝術的意義就不是在我們所說的意
> 義範圍以內。
> 漫畫和政治及人生的關係至為密切，漫畫家不能在這兩者以外
> 去尋找他反對的否定現象，政治舞台上的一舉一動足以左右世
> 界的命運，人生社會的風氣足以摧毀人類的幸福，而漫畫家乃

18　鄭家鎮：《香港漫畫春秋》（香港：三聯書店，1992），頁47。
19　陳策：〈香港畫報題詞〉，《香港畫報》，1946年第1期，頁1。
20　施仁：〈略論漫畫──和一位關心漫畫前途的朋友談話〉，《華
　　僑日報》，1949年10月19日，第四張第一頁。

是代表大多數人的利益、忠於自己的原則把這些問題表現在畫面上的。[21]

　　以上的論述在1940年代末至1950年代初的香港催生不少政治漫畫。當中尤以謝澄平、左舜生等人在美國駐港新聞處資助所創辦的自由出版社的反共作品為主。[22] 該社的《紅鬼殺人錄》便以讓讀者「知道蘇聯間諜活動的真相，認清殺人不眨眼的紅鬼們的猙獰面目」為創作宗旨。[23] 每頁四格的純圖畫《阿細與大鼻子》描述男主角「阿細」在國共內戰後無法逃離中國，受盡借代為中共官員的大鼻子的「欺騙和奴辱」。由於忍受不了「大鼻子侵略者的惡毒心腸」，「阿細」最後以狩獵為由取得斧頭向「大鼻子」報仇。[24]

　　雷雨田（原名雷燉桃）的《烏龍王》是諷刺中國共產黨的著名漫畫系列。雷氏自1946年以來於廣州《針報》連載其《烏龍王》系列。他在1949年來港後，與亞洲出版社合作出版單行本《烏龍王獻妻記》及《烏龍王靠攏記》，以諷刺「共產黨的戲法是一套大烏龍」。[25] 當中《烏龍王獻妻記》以主角「烏龍可夫」獻妻予中共幹部脫罪為題材。此部作品描繪「烏龍可夫」為求自身自保不惜賣妻。

21　〈關於漫畫〉，《華僑日報》，1949年11月3日，第四張第一頁。

22　〈自由出版社〉，《香港文學通訊》（香港：香港中文大學圖書館，2008），第56期（2008年3月），頁77-78。

23　〈最新連環圖文〉，《誰迫害了金嗓子》（香港：自由出版社，1953），頁i

24　戴衞路：《阿細與大鼻子》（香港：思文出版公司，1950），頁i、22。

25　亞洲出版社編者：〈序言〉，雷雨田：《烏龍王獻妻記》（香港：亞洲出版社，1953），頁i。

圖1 《烏龍王獻妻記》（圖像由作者提供）

當被問及「戴咗幾多頂綠帽」時，「烏龍可夫」不諱言：「綠帽唔怕戴！有時綠帽會變為烏紗帽！說不定明天我又有官做！」（圖1）[26]深刻諷刺中國官場令《烏龍王》系列成為香港早期政府漫畫的代表作，甚至被拍成《烏龍王發達記》、《烏龍王飛來艷福》等多部粵語長片。[27]

　　袁步雲的《牛精良漫畫集》則是政治故事漫畫的象徵。《牛精良》是著名報人任護花在《紅綠日報》上描寫江湖人物「牛精良」參與抗日游擊事蹟的流行小說。[28]現存於中文大學圖書館的《牛精良漫畫集‧下集》便講述牛精良、馮師爺和老張在抗戰時的交情。

26　雷雨田：《烏龍王獻妻記》，頁32。
27　〈「烏龍王」數度搬上大銀幕　漫畫家雷雨田文物展
　　出〉，《大公報》，2012年2月28日，頁B16。
28　香港藝術中心：《再見細路祥：漫畫家袁步雲紀念
　　展》（香港：香港藝術中心，1996），頁54。

當馮師爺抵港不久後，便獻計牛精良拯救被抓至日軍慰安婦中心的妻子。馮牛二人因而成為摯友。及後，牛精良再次與馮師爺合作對付仇人靚仔豪。最後，漫畫以牛精良助友人老張經澳門回到中國作結。[29]

社會現象與生活

不過，戰後的香港漫畫不止諷刺或取材自中國政局。在1950年代中期，《中國學生周報》的編輯便認為漫畫「是針對人生與現實的藝術」；而「漫畫者好像是人生舞台上的一個小丑，他以帶淚的嘲笑，揭露社會的醜惡，顯現社會的病態」。若漫畫脫離了社會現實，只會淪為「靈感的堆砌」。[30]這看法與當時的漫畫家不謀而合。漫畫期刊《漫畫世界》主編李凌翰在回應讀者「何謂漫畫」時解釋：

> 漫畫固然有寥寥數筆完成的，也有用非常複雜的線條構成畫面的……用筆法的簡單或複雜作為漫畫的定義，是根本不成立的……漫畫必須畫這個社會的事物，這些事物又決定於這個社會的諸色人物的活動，因此說，漫畫是「題材藝術」……漫畫家透過你和我周圍的現象看出一些有關世道人心的社會問題。[31]

29 袁步雲：《牛精良漫畫集．下集》（香港：馬錦記書報社，年份不詳），頁6-13。
30 〈漫畫專頁：編者的話〉，《中國學生周報》，第92期（1954年4月13日），頁7；〈怎樣繪漫畫〉，《中國學生周報》，第173期（1955年11月11日），頁9。
31 〈漫畫是什麼？〉，《漫畫世界》，第2期（1956年12月15日），頁32。

自戰後在《華僑日報》刊登漫畫三十多年的鄭家鎮也形容「漫畫是畫家的不平鳴」。[32]諷刺時弊和社會現象也成為1950年代香港漫畫的題材。

勞工階層：《柳姐》

袁步雲的《柳姐》是反映勞工階層的代表作。《柳姐》創刊於1930年代的《中英晚報》上。二戰後出版社結集成單行本出版後風行省港。柳姐也因而成為袁氏眾多漫畫中最受歡迎的角色。[33]柳姐的造型源於照顧袁氏的女傭麥阿柳。不過更重要的是，柳姐代表了勞工階層面對的問題。袁氏曾指出：

> 「柳姐」型之人物，正是恆河沙數，她不過代表了受薪階級的一員，為了飯碗問題，給資產階級的欺榨壓逼，作者便借「柳姐」的行狀向社會控訴，讓社會人仕看到某一種人的臉譜和私生活。

袁氏呈現這種觀念在《柳姐》中。當柳姐接待客人李先生時，李先生要求柳姐「畀我痛（錫）喇（給我吻一下吧）」。柳姐直斥「撩身撩勢非打不可」，打了李先生一光耳。在李先生投訴後，「事頭婆」立即指責柳姐。柳姐反指「佢侮辱我就要打佢喇嗎」，

32　鄭家鎮：《香港漫畫春秋》，頁11。
33　香港藝術中心：《再見細路祥：漫畫家袁步雲紀念展》，頁43。

並認為要出賣肉體的工作「打唔打都（打還是不打）」（圖2）。袁氏
描繪的柳姐引起讀者共鳴，令他們多次致函袁氏詢問柳姐本人的真
偽。[34] 不過，由於柳姐在漫畫和
改編電影如《柳姐與沙塵超》等
渲染的風騷形象，令「銷魂柳」
成為1950年代香港社會形容風
騷女傭的代名詞。[35]

圖2　《柳姐》（圖像由作者提供）

社會現象：《老夫子》

　　《老夫子》是另一部描繪香
港社會現象的著名漫畫。此作最早散見於1961年的兒童繪本《小漫
畫》、《漫畫周報》和《星島晚報》。每篇《老夫子》四至六格，
偶有長篇作品。《老夫子》中的大番薯和秦先生來自王家禧1963年
分別刊於《天天日報》生活漫畫版和娛樂版的彩色四格漫畫《老夫
子》和《老蕃薯》。[36] 1964年，吳中興在《星島晚報》上看到《老夫
子》後便覺得「內容幽默，人物造型特別趣怪」，具有發展潛力。
因此，吳中興透過王氏的姐姐促成合作。[37]《老夫子》中角色的身
分隨主題而變。它的題目大多以四字成語為題，「耐人尋味」、

34　袁步雲：《柳姐漫畫集》（香港：雲盈圖書公司，1957），冊1，頁i、3。
35　香港藝術中心：《再見細路祥：漫畫家袁步雲紀念展》，頁45。
36　鄭嬋琦編：《老夫子漫畫研究計劃》（香港：香港藝術中心，2003），頁96。
37　《老夫子，四十多年的慣性收視：訪問吳中興先生》，香港記憶・香港漫畫網
　　頁。網址：http://www.hkmemory.org/comics/text/index.php?p=home&catId=6，
　　瀏覽日期：2015年5月6日。

「惡有惡報」等都是經典題目。[38]王家禧曾表示《老夫子》是他以幽默和誇張筆觸表達對社會問題的觀點。[39]王家禧長子王澤更指出，作品中部分笑話是王家禧的親身經歷；秦先生甚至是王家禧的個人寫照。[40]因此，《老夫子》的題材與時代接軌，如1960年代在流行文化影響下的長髮少年、流行曲、貧窮、屋邨黑幫猖獗等社會問題都是王家禧的創作靈感，容易引起讀者的共鳴。[41]《老夫子》初期以十六開本的月刊形式出版，售價6毫，第1期5,000本兩天內沽清，第2期15,000本日內售罄。至234期轉為彩色印刷前銷量仍不斷增加，成績驕人。[42]《老夫子》呈現香港社會的眾生相，促成作者與讀者和社會，以至是家長與小朋友之間的互動，令《老夫子》成為華人地區著名漫畫。[43]

《漫畫周報》

漫畫不止刊於報紙和單行本，更見於漫畫專門雜誌。由李凌翰督印及主編、與另一本期刊《漫畫世界》和《小漫畫》同一系列的《漫畫周報》，便以刻劃社會現象和娛樂讀者為目標。[44]它的長篇

38 〈老夫子懷舊50大壽〉，《U Magazine》，第345期（2013年1月25日），頁L42。

39 王澤：〈我的父親——王家禧先生〉，載於鄭嬋琦編：《老夫子漫畫研究計劃》，頁4。

40 〈王澤談王澤：耐人尋味的老夫子爸爸〉，《信報月刊》，第450期（2014年9月），頁143。

41 《老夫子，四十多年的慣性收視：訪問吳中興先生》，香港記憶．香港漫畫網頁。網址：http://www.hkmemory.org/comics/text/index.php?p=home&catId=6，瀏覽日期：2015年5月6日。

42 伍嘉雄：〈香港版本《老夫子》〉，鄭嬋琦編：《老夫子漫畫研究計劃》，頁24；香港藝術中心：《翼動漫花筒：香港漫畫歷史展覽》（香港：香港藝術中心，2012），頁168。

43 〈《老夫子》與老王澤　《老夫子》歷久不衰初探〉，《明報》，2017年4月3日，頁D6。

44 〈開場白〉，《漫畫周報》，第1期（1960年12月17日），頁1。

連載漫畫《吉叔正傳》是李克壂在《漫畫世界》的《吉叔》後續故事。它描述吉叔在外地回港後，發現香港猶如「天堂似的都市，當然與數年前的不同，高樓大廈不知新建了多少，令到吉叔幾乎迷了路」。這反映在急速的都市化下香港的瞬間萬變、高樓林立的城市面貌，以及香港市民急促的生活節奏。「人海茫茫中吉叔舉目無親」一句，便反映都市人生活步伐急速令吉叔無法問路。他甚至被斥「你神經！找痾屎癲佬（柯士甸站）不要問我」。[45]

從以上的發展可見，香港漫畫在二次大戰後大多以單行本的形式出現。不過，這些作品在被出版社結集成書前，都曾見於報紙、雜誌和期刊。同時，這些漫畫題材多元化地涵蓋政治諷刺、社會現象和長篇自創故事。換言之，二戰後的香港漫畫發展多元化，既無固定書種，也無單格／多格和連環圖的模式之分。

4 故事漫畫（連環圖漫畫）

香港漫畫的創作模式自1950年代後期開始有重大轉變。著名香港漫畫家上官小強（原名陳國賢）在追溯香港漫畫的發展時指出「香港早期的漫畫，形式多是單格或近似插圖的，內容大都取材於現實生活，或者是諷刺時弊者」。他在1960年代開始創作的漫畫已是另一種風格。[46]著名漫畫家黃玉郎便憶述：

45　李克壂：《吉叔正傳》，《漫畫周報》，第1期（1960年12月17日），頁2。
46　施仁毅、龍俊榮編：《港漫回憶錄：香港漫畫五十年的集體回憶》，頁48。

許冠文的《財叔》是現代港式連環圖漫畫的開始。在《財叔》
之前市場上的漫畫是寫如《三國演義》般章回小說的「連環圖
畫」，基本上是每頁一幅插圖，附上一段文字。雖也有些漫畫
會把對白框直接寫到畫面上，那也只是不大的變奏。直至《財
叔》才變成長篇連載的「故事漫畫」，而且尺寸也和之前的連
環圖畫大大不同了，細本三十六開橫度，一版多格，每本頁數
減了許多。[47]

　　黃氏的回顧或許忽略了上文曾提及在二戰前香港報紙刊登的連
載故事漫畫。不過，黃氏之言說明當時的漫畫家融合傳統連環圖與
漫畫的技法，結合圖文敘事來發展長篇情節的故事漫畫形式。這種
模式在坊間被稱為「公仔書」。在漫畫界，它被稱為「連環圖漫
畫」。[48]這種產品在書報攤上販售，被認為是香港漫畫產業的「主
流」。[49]

　　事實上，香港漫畫界早於1960年代已沒有區分漫畫的形式。
1964年，有讀者致函《漫畫周刊》查詢何謂漫畫，以及連環圖與漫
畫的差別。當時的主編李凌翰回答時表示採用哪種模式「視乎你所
表現的題材和形式而定」，兩者並無優劣之分。他進而表示：

47　施仁毅、龍俊榮編：《港漫回憶錄：香港漫畫五十年的集體
　　回憶》，頁28。
48　施仁毅、龍俊榮編：《港漫回憶錄：香港漫畫五十年的集體
　　回憶》，頁27、48。
49　馬傑偉、吳俊雄編：《普普香港：閱讀香港普及文化2000-
　　2010（一）》（香港：香港教育圖書公司，2012），頁314。

大凡有故事性的題材，要分若干個單元說明者，則以連環方式
表現為佳；否則，可以獨幅製作表現了。[50]

　　對於香港漫畫界而言，連環圖與漫畫只是表達形式的分野。以
此觀之，被視為奠下「港漫」基礎的黃玉郎一系列武打作品，便是
李凡夫「以連環方式表現」的漫畫。這不是1970年代香港獨創的技
法，而是用以敘述長篇故事的藝術表達。因此，1960至1970年代
的漫畫家並非如學者所言，以漫畫之名出版連環圖。這種漫畫與連
環圖區分的論述，或是用以區分與遭受社會輿論批評、以黃玉郎為
首的作品之別。相關社會輿情將在下文交代。[51]不過，可以肯定的
是1960年代的香港漫畫家已不再強分漫畫與連環圖的技法，甚至
將二者合而為一。這說明香港漫畫是一個隨時代和市場需求轉變的
概念。

　　香港漫畫家創作長篇故事的模式與1960年代美、日文化傳入
大有關係。美國漫畫自1950年代後期已開始進入香港市場；而香
港俗稱《鹹蛋超人》的日本漫畫在香港則於1960年代逐漸成為潮
流。[52]出版社洞悉美、日漫畫帶來的商機，邀請漫畫家直接翻譯或
「抄考」這些作品，或將它們寫進作品。[53]何口君的《玉面霸王》

50　〈怎樣認識生活〉，《漫畫周刊》，第71期（1964年2月），頁33（封底內頁）。
51　黃少儀、楊維邦編：《香港漫畫圖鑑1867-1997》，頁53-54。
52　吳偉明：〈日本漫畫對香港漫畫界及流行文化的影響〉，氏著《日本流行文化與
　　香港》（香港：商務印書館，2015），頁165。
53　上官小寶：《上官小寶正傳》（香港：博益出版集團有限公司，1988），頁149。

和東方庸的《東方庸編繪科學幻想故事》便分別仿作美國長篇漫畫《超人》和日本漫畫《小飛俠》。[54]上官小強甚至仿作及收編美、日的漫畫角色。日本動畫《太空小英傑》在香港無線電視上映後，上官小強隨即仿作一系列《太空小英傑》作品。不過，他自創作品情節：本為主角的超人淪為配角，改由原創人物太空小英傑擔綱打敗各種外星人、鐵甲人與怪獸。[55]美、日漫畫長篇故事的情節模式及電影分鏡方法成為香港漫畫家應付日增的創作需求。[56]黃玉郎便曾回憶，「寫短篇故事便需要很頻密地構思新角色，十分吃力。寫長篇故事可以沿用既有角色把情節寫下去。」[57]在這種創作範式轉變下，香港出現長篇情節的故事漫畫。

少女漫畫與中西文化

李惠珍的《13点》描寫了1950年代末以來西方文化和生活習慣在香港結合中國傳統的現象。[58]李氏以輕鬆幽默手法，描寫居住於發達城快富街十三號內一位性格外向、率直但傻氣的年輕富家小

54　〈原子七俠〉，香港記憶・香港漫畫網頁。網址：http://www.hkmemory.org/comics/text/index.php?p=home&catId=41&photoNo=0；〈東方庸編繪科學幻想故事〉，香 港 記 憶・香 港 漫 畫 網 頁。網 址：http://www.hkmemory.org/comics/text/index.php?p=home&catId=78。

55　施仁毅、龍俊榮編：《港漫回憶錄：香港漫畫五十年的集體回憶》，頁71-72；Wan Chan：〈上官小強的漫畫世界・太空小英傑系列〉，我的漫畫時代Blog，2013年2月26日。網址：http://daaaer80.blogspot.hk/2013/02/blog-post.html。

56　朱琦：《香港美術史》（香港：三聯書店，2005），頁272。

57　施仁毅、龍俊榮編：《港漫回憶錄：香港漫畫五十年的集體回憶》，頁109-110。

58　黃少儀、李惠珍編：《完全《13点漫畫》圖鑑：李惠珍的創作》（香港：吳興記書報社，2003），頁40-41。

姐「13点」的生活，以及她中西並行的潮流打扮。[59] 這展現於《13点》的封面：中國文化方面，第16期的《大展鴻圖》封面是穿上旗袍的「13点」手持「福」字和祝賀對聯慶祝農曆新年；西方文化方面，第12期的《奇異的禮物》封面展示「13点」在聖誕節穿上聖誕帽應節。由於「13点」所居的發達城與香港同是中西文化兼容的地方，提供了讀者「發達城－香港」的聯想空間。有讀者便曾詢問李惠珍快富街是否指香港的旺角，顯示他們聯繫《13点》的情節與香港的都市面貌。[60]

武打漫畫與社會治安：《小流氓》與《李小龍》

香港漫畫家得益於1970年代李小龍功夫電影的熱潮，以武打風格描述香港惡霸橫行的情況。[61] 黃玉郎自我定位為「揭露社會罪惡的作者」，為讀者們展示香港繁華之下的黑暗面貌。[62] 他曾在《小流氓》第55期解釋這作品是要以武打方式「寫出社會上的醜惡歹人，令廣大讀者有所認識」。[63] 社會不法份子猖獗與表揚義士警惡懲奸的宗旨於《小流氓》首刊號已有所體現。故事以「香城是一個繁榮的都市，建築物和交通工具等都極為現代化。但城市的另一角

59 「13点」是李惠珍母親對她的暱稱。黃少儀、李惠珍編：《完全《13点漫畫》圖鑑：李惠珍的創作》，頁21。

60 黃少儀、李惠珍：《完全《13点漫畫》圖鑑：李惠珍的創作》，頁23。

61 麥勁生：《止戈為武：中華武術在香江》（香港：三聯書店，2016），頁158。

62 黃玉郎：《小流氓》（香港：保光出版社，1971），第38期，《鬼鞭四狂》，頁24。

63 黃玉郎：《小流氓》（香港：玉郎圖書公司，1972），第55期，《學校黑社會》，頁3。引文中的標點符號為筆者所加。

亦有一些貧窮的木屋區」兩句開首後，便講述「臭飛」非禮瞎子女性「小詠姊」。見義勇為的光頭星見狀大叫「死臭飛竟欺負弱者」，並在另一名義士四仔明幫助下拯救「小詠姊」。之後，同一名「臭飛」意圖將小詠姊拐賣為「妓女」。他的兩名同黨瞬即合作擄走小詠姊。幸而，「平生最憎這種欺善怕惡（的人）」的黃小虎出手趕走「臭飛們」。[64] 其後在《雌雄毒龍》一期中，黃氏又描繪「吸毒令人家散人亡」的故事。[65] 由此可見，《小流氓》的故事設定原是透過社會不法份子與屬於正派的「小流氓」們的角力，展示社會黑暗和發揚行俠仗義的精神。[66]

《李小龍》是另一部在功夫電影熱潮下描寫惡霸猖獗的武打漫畫。[67] 1971年李小龍主演的《唐山大兄》上映除了掀起武打片熱潮外，更成為流行文化的靈感來源。[68] 這部電影便啟發了上官小寶（原名酈東源）以漫畫繪畫電影打鬥節奏的《李小龍》。[69]《李小龍》與黃玉郎的《小流氓》除了同以「殺惡霸為民除害」為主線，更加入武館鬥爭的元素。主角李小龍是一位習武之人。他在魯莽施

64 黃玉郎：《小流氓》（香港：保光出版社，1970），第1期，頁2-4、16-24。

65 黃玉郎：《小流氓》（香港：玉郎圖書公司，1970），第5期，《雌雄毒龍》，頁2。

66 范永聰：〈「港漫」中的廣東文化形象：民俗文化之傳承與現代詮釋——以《新著龍虎門》為例〉，文潔華編：《香港嘅廣東文化》（香港：商務印書館，2014），頁60。

67 Wendy Siuyi Wong, "Hong Kong Comic Strips and Japanese Manga: A Historical Perspective on the Influence of American and Japanese Comics on Hong Kong Manhua," *Design Discourse Inaugural Preparatory Issue* (2004): 33.

68 姚偉雄：〈被社會壓抑的尚武思維：漫畫《龍虎門》的技擊符號結構〉，《E+E》，第5期（2002年9月），頁50。

69 上官小寶：《上官小寶正傳》，頁160。

展功夫殺人後，聽從母親不動武的訓戒和帶上和平佩玉，到香港投靠精武門國術館教練的表哥伍韋東。及後，日本血豹武館派別的兩名「臭飛」調戲伍韋東女朋友，被伍韋東教訓。血豹武館主持人血豹九段隨即找伍韋東報復，途中扯爛了李小龍的和平佩玉。憤慨的李小龍隨即協助打倒血豹九段。不過「麻煩事並非就此了結，李小龍仍要再接再厲對付香港的惡霸」。[70] 故事便繼續以李小龍挑戰武館去除惡霸為主線發展。

《小流氓》和《李小龍》描繪的正是自1950年代三合會和罪案猖獗的社會現象。自1950年代以來，三合會成員在工廠、學校、監獄以至徙置屋邨招攬青少年為成員。[71] 他們在社區和屋邨不時搶劫和非禮，令平民敢怒不敢言。[72]《小流氓》和《李小龍》這兩部描寫俠士懲罰惡霸的漫畫因而得到讀者支持。《小流氓》創刊號7,000本日內便已售罄；四年後的第83期更創出75,000本的銷量，在四年間飆升十倍。[73] 至於《李小龍》創刊號6,000本也是即日售罄；四年後的售銷量達至50,000本。[74] 有讀者甚至詢問黃玉郎是否

---

70 上官小寶：《李小龍》（香港：小龍圖書公司，1971），期1，《三腳震香港》，頁5、14、24。

71 Report on Triad Societies of Hong Kong Prepared by the Staff of Triad Societies Bureau, August 1964, HKRS41-1-2240, Hong Kong Government Records Service (hereafter HKGRS), Hong Kong.

72 〈飛仔盜賊為禍徙區 銅較銅手掣也被偷 慈雲山電梯強搶案件時有所聞 婦女怕被非禮夜後不敢去廁所〉，《大公報》，1969年12月17日，頁4。

73 黃玉郎：《小流氓》（香港：玉郎圖書公司，1974），第82期，《苦鬥銅鐵雙狼》，頁3。

74 Joint Interact Council and Hong Kong Social Workers' Association, Violence & Sex in Children's Comic Books: Hong Kong, 1973-74 (Hong Kong: Joint Interact Council, 1974), p. 17.

真的有俠士在西環為民除害。[75]《小流氓》和《李小龍》或許誇張地勾畫三合會成員的行為。不過，二者的銷量證明它們切中讀者渴求義士為民除害的心理。[76]

政府管制與漫畫創作[77]

黃玉郎和上官小寶以武打情節誇張地描寫社會問題的手法被政府視為是犯罪源頭之一。1971年11月，麥理浩就任港督後便下令各部門研究社會罪案的成因以推行「撲滅罪行運動」。[78]不久，由社會福利署、皇家香港警察、民政科、懲教署及政府統計處組成的社會罪行成因研究小組委員會發表報告。委會指出電影、漫畫等流行文化中「以暴易暴的不良意識會令青少年誤解為正確行為」，繼而犯案。《小流氓》第2期繪畫王小虎以西瓜刀插穿惡霸肚子，以及《李小龍》描繪角色亞炳的腸臟被挖出等情節，便被委會點名批評。故此，委員建議「確立一套更嚴格的審查制度去除文化產品中暴力、色情與扭曲的內容」。[79]香港社會工作人員協會與國際少年

75　黃玉郎：〈玉郎信箱〉，《小流氓》（香港：玉郎圖書公司，1971），第39期，《怒踢鬼鞭王》，頁18

76　范永聰：〈「港漫」中的廣東文化形象〉，頁59-60。

77　此部分撮寫自拙文〈「救救孩子」：1945-1975年的香港漫畫和社會道德恐慌〉，《香港研究》，第1卷第2期（2018年），頁163-165。

78　Peter Lloyd to Andrew Stuart, 22 March 1973, FCO 40/442, The National Archives, Kew.

79　Public Attitudes to Crime and Punishment, February 1972, HKRS163-9-852, HKGRS, Hong Kong; Minutes of the First Meeting of the Sub-Committee on the Social Causes of Crime, 26 May 1973, HKRS163-9-852, HKGRS, Hong Kong.

服務團發表的《公仔書之暴力與色情研究報告》支持委會的說法，並建議政府立法「規定所有公仔書稿件在令梓前必須呈交查閱，其內容若有不當，應該禁止出版」。[80]立法局議員高苕華在得到社會輿論支持下，於1974年10月促請政府加強搜查與取締不良漫畫的法律能力，阻嚇相關刊物的出版。[81]律政司何伯勵認同漫畫的不良內容已向政府警示一個需要另立新法管制的嚴重社會問題。[82]在多次磋商後，立法局於1975年8月13日通過《不良刊物條例》。[83]

在政府的管制和社會壓力下，「主流」漫畫家刻意迴避香港的社會議題。上官小寶轉載其作品《李小龍》至漫畫日報《喜報》，並強調此報是「不談政治」和只提供娛樂的刊物。[84]原本由黃玉郎三位徒弟張萬有、毛名威及祁文傑主編、「專門針對香港的不平事件⋯⋯痛擊弊政」的《臭香港漫畫》，在《不良刊物條例》生效後都轉型為提供諧趣笑料與娛樂消息的《玉郎漫畫》。黃玉郎明言此舉是「配合香港一項新法例」，顯示為防《不良刊物條例》檢控而調整路線。[85]同時，黃玉郎易名《小流氓》為《龍虎門》，強調作

---

80 Joint Interact Council and Hong Kong Social Workers' Association, pp. 25-26.

81 Legislative Council Archives of Hong Kong Special Administrative Region, H19741031, Official Record of Proceedings, 1974.10.31, pp. 107-108.

82 Legislative Council Archives of Hong Kong Special Administrative Region, H19741114, Official Record of Proceedings, 1974.11.14, pp. 205-206.

83 Legislative Council Archives of Hong Kong Special Administrative Region, H19750813, Official Record of Proceedings, 1975.08.13, p. 1046.

84 施仁毅、龍俊榮編：《港漫回憶錄：香港漫畫五十年的集體回憶》，頁103。

85 黃玉郎：《臭香港漫畫》（香港：玉郎圖書有限公司，1975），第8期，〈新法例通過前之最後的諷刺〉，頁1。

品是「發生在日本北郊」的俠義故事，並將之延伸至韓國（「白蓮教篇」）、泰國（「通天教篇」）等世界各地。[86]雖然，黃玉郎曾公開表示這轉變是讓自己有更大創作空間，[87]然而，他在著作中曾解釋是次轉變的三個深層次原因：淡化香港社會黑暗的主題；「收斂畫面的官能刺激」；以及調整作品的重點至角色的招式與肌肉紋理。[88]可見，黃玉郎與上官小寶刻意淡化作品與香港社會議題的關係，以免政府禁制和輿論責難影響盈利。[89]

5 「主流」漫畫產業化與跨媒體發展

自《不良刊物條例》生效後，以黃玉郎和上官小寶為首的「主流」漫畫家轉變出版模式和加入其他元素。早於1975年7月5日，上官小寶已率先出版標榜「漫畫書刊，只有歡樂」的《歡樂週報》，回應當時正經立法局二讀程序的《不良刊物條例》。[90]其後，他又相繼出版《喜報》、《東報》、《青報》和《連環圖日報》，刊登馬榮成、牛佬（原名文啟明）等新晉的作品。他們二人正是在這段時間奠下自己的基本功和創作方向。[91]黃玉郎也陸續推出以娛樂新

86　范永聰：〈「港漫」中的廣東文化形象〉，頁55-56。

87　香港漫畫研究社：《勁抽！黃玉郎》（香港：香港漫畫研究社，1984），頁70。

88　黃玉郎：《龍虎門》（香港：玉郎圖書有限公司，1975），第99期，〈火雲邪神〉，頁2。

89　黎明海，《功夫港漫口述歷史》（香港：三聯書店，2015），頁53。

90　上官小寶：〈創刊詞〉，《歡樂週報》（香港：東然出版社，1975），第1期（1975年7月5日），頁1。

91　施仁毅、龍俊榮編：《港漫回憶錄：香港漫畫五十年的集體回憶》，頁105；牛佬：〈牛佬的話〉，《古惑仔》（香港：和平出版有限公司，2007），第1000期，頁30。

聞包裝漫畫的《生報》和《金報》。此兩份漫畫報紙以黃氏的《龍虎門》和上官小強的《壽星仔》擔綱；其後更加入馬榮成的《中華英雄》。這兩份報紙銷量每日約 20,000 份，直至 1980 年代中期才正式結束。[92] 被視為「主流」的香港漫畫家從不止一種創作和出版模式，反而他們會根據市場需要而調節。

與此同時，黃玉郎正籌備其上市計畫。他首先拉攏上官小寶至玉郎集團，以整頓後者主理的《連環圖日報》中的色情漫畫《女千王》，改善漫畫業的社會形象。[93] 這形象工程並不止於此。一年後上官小威（原名鄺南倫）在其主理的《漫畫王》表示，「玉郎機構半年之前就已經進行了一個粗俗句語大掃除……因此近期玉郎機構的出品中，已經難得一見粗言污語。」[94] 對玉郎集團而言，《漫畫王》是推廣兒童刊物以及改善小朋友對「主流」漫畫業印象的「開路先鋒」。[95] 為討好兒童讀者及家長，《漫畫王》刊載的《小八寶》「模仿」日本的「叮噹」，設定主角上官博是「糊塗、易笑、為人正直」；而其助手小八寶則是「法寶最多」的貓型人類。[96] 此外，每期《漫畫王》都刊載一頁成語漫畫，如〈一成不變〉教導小朋友「不應墨守成規，死抱陳舊制度不放」的道理。[97]《漫畫王》甚至增

92　施仁毅、龍俊榮編：《港漫回憶錄：香港漫畫五十年的集體回憶》，頁 90。
93　施仁毅、龍俊榮編：《港漫回憶錄：香港漫畫五十年的集體回憶》，頁 100。
94　上官小威：《老編與你》，《漫畫王》（香港：玉郎機構，1982），第 10 期，頁 25。
95　上官小威：《老編與你》，《漫畫王》（香港：玉郎機構，1982），第 11 期，頁 8。
96　上官小威：《小八寶》，《漫畫王》（香港：玉郎機構，1982），第 1 期，頁 12。
97　白金龍：〈一成不變〉，《漫畫王》（香港：玉郎機構，1982），第 4 期，頁 14。

設「智力 IQ 版」及「答案填字遊戲」兩個欄目，增加趣味性和建立良好的社會形象。最終，玉郎集團於 1986 年 8 月 12 日正式上市。[98]

　　支撐著逐漸規模化的玉郎集團便是漫畫助理制度和流水作業的生產模式。自 1960 年代起，漫畫主筆如上官小龍（原名鄺卓雄）、潘飛鷹等已開始聘請漫畫助理處理基本工序。[99] 及至 1970 年代後期，黃玉郎等漫畫家每日處理的稿件由於上述的一系列漫畫日報而飆升，因而擴張助理團隊應付。[100] 各位助理專職起稿（草圖）、勾頭（人物表情造型）、駁身（人物動作）、場景（背景）、衫花（衣服花紋）等工序。這形成各位主筆的獨立創作團隊。同時，玉郎集團位於北角工業大廈的辦公室開始劃分編劇組、寫畫部、分色部、印刷部、製版部等不同部門。[101] 黃玉郎更在準備上市期間，招攬蕭若元、黎彼得、張海興等影視編劇人才，專責劇情設計。[102] 漫畫製作工序已形成有系統的生產線。

小說改編漫畫

　　在創作系統和生產模式專業化下，玉郎旗下出現了多部改編其他流行文化的漫畫。改編自金庸《射鵰英雄傳》的《醉拳》便是其

98　玉郎首天上市交投暢　收一元二角八比認購價升一角〉，《大公報》，1986 年 8 月 13 日，頁 13。

99　施仁毅、龍俊榮編：《港漫回憶錄：香港漫畫五十年的集體回憶》，頁 18-19。

100　香港漫畫研究社：《勁抽！黃玉郎》，頁 74。

101　上官小威：〈玉郎機構部門介紹〉，《漫畫王》（香港：玉郎機構，1982），第 9 期，頁 32。

102　施仁毅、龍俊榮編：《港漫回憶錄：香港漫畫五十年的集體回憶》，頁 120。

中之一。[103]黃玉郎設計主角王無忌為清末大刀王五的幼子。他被大刀王五的朋友、丐幫第九代長老酩酊神丐收養為義子後習得醉拳功夫。[104]故事便以清幫為主線，講述王無忌習得《九霄真經》後捲入江湖鬥爭，先後大敗清幫練辟邪、大漠日帝月后、紅教朱邪風等人的過程。[105]其後，蕭若元及其編劇團隊改變黃玉郎「為對手的組織設計出一個分級結構（典型的例子是「一神二妖三煞星，四鬼五怪六騎士」），然後讓主角逐個逐個對手從低層一路打上去」的套路，改以側重角色的人物描寫，並加入電視劇每集「起承轉合」的套路。[106]至第328期，雖然王無忌打敗宿敵小劍仙，但在過程中錯手弒師。王無忌由於後悔不已，最終「仰天在嘯，自斷全身經脈，決以一死來贖償自己的過失」。[107]這首創了香港漫畫中主角逝世的元素。

　　另一部重要著作是《如來神掌》。它是一部單元故事，分為龍天篇、龍仁篇、龍劍飛篇、龍九州篇、絕代雙驕篇、赤努王篇、終結篇等十五個單元。故事初期模仿金庸武俠小說《倚天屠龍記》的橋段。龍天篇講述第一代主角龍天與如來神掌的關係。龍天成為威震武林的「厲必邪」義子後獲授秘技如來佛掌。他在兩個月內便習

103　施仁毅、龍俊榮編：《港漫回憶錄：香港漫畫五十年的集體回憶》，頁121。
104　黃玉郎、馬榮成：《醉拳＊中華英雄》（香港：玉郎圖書有限公司，1981），第3
　　　期，《金鐵雙屍》，頁16；黃玉郎、馬榮成：《醉拳＊中華英雄》（香港：玉郎圖
　　　書有限公司，1981），第5期，《四大惡人》，頁10-15。
105　岑卓華編：《醉拳》（香港：文化傳信有限公司，2000），第1000期，《魔亂風
　　　雲》，頁2。
106　施仁毅、龍俊榮編：《港漫回憶錄：香港漫畫五十年的集體回憶》，頁120-122。
107　黃玉郎：《醉拳》（香港：玉郎集團，1987），第328期，《巨星哀逝》，頁30-31。

得如來佛掌中「佛光初現」及「金頂佛燈」兩式。[108] 及至第14期，
厲必邪在龍天戰死後置如來佛掌秘笈於猿腹中；龍天妻子夏蕙則交
託兒子龍仁予武當派掌門張三豐。[109] 及後，龍仁與金毛獅王雷真較
量時，寫出「雷霆寶刀，威震八方。風雲變色，獨霸穹蒼。紫電
不出，誰敢稱王」二十四字。[110] 這正是改寫自《倚天屠龍記》中的
「武林至尊，寶刀屠龍。號令天下，莫敢不從。倚天不出，誰與爭
鋒」。

電影改編漫畫

1989至1990年，《賭神》、《賭聖》及《賭俠》分別成為該
兩年度最賣座和第二賣座的香港電影。[111] 這類「賭片」便成為香港
漫畫改編藍本。[112] 由文敵編劇、嚴志超編繪的《賭神》同樣描繪賭
博、江湖和人情味，以展現「賭」與人生命運的關係：《賭神》之
意不在賭局，而是每次賭局背後更深層次的人生抉擇。因此，嚴志
超形容這部作品描述的故事是屬於任何人的。[113] 另一部改編自「賭
片」的是司徒劍僑的《賭聖傳奇》。《賭聖傳奇》創刊號以周星馳
和劉德華的肖像作為封面及人物造型。司徒劍僑直接引用三人在賭

---

108 黃玉郎：《如來神掌》（香港：玉郎圖書有限公司，1982），第1期，頁10、19。

109 黃玉郎：《如來神掌》（香港：玉郎圖書有限公司，1982），第14期，《萬佛朝宗》，頁9、12。

110 黃玉郎：《如來神掌》（香港：玉郎圖書有限公司，1982），第17期，《冰火島》，頁4。

111 張志偉：〈香港電影的賭博意識演變〉，馬傑偉、吳俊雄編：《普普香港：閱讀香港普及文化2000-2010（一）》，頁149。

112 范永聰：《我們都是這樣看港漫長大的》（香港：非凡出版，2017），頁111。

113 嚴志超：〈我對賭本身的意識〉，《賭神》（香港：玉郎國際集團有限公司，1990），第1期，〈創刊號〉，頁35。

神系列電影中的角色「賭聖」周頌星、「賭俠」刀仔、「賭神」高
進和他們的對白。在故事中，賭聖首次在賭桌與賭俠對決時，指出
「小弟『烟』面話事嘛，係咁咦一百萬啦」，賭俠則回應「我賭俠
有個壞習慣，未見到底牌我一定跟」。[114]前者直接引用《賭俠》中
賭聖的說話，後者則改寫《賭俠》中賭俠「我包拗頸（抬槓／唱反
調）」一句。不過，司徒劍僑重設三位角色的背景和性格。例如
「賭聖」被設定是1970年代可以感應賭局結果、綽號「心中有數」
的周重義兒子。他因苦練賭術十四年而贏得賭聖稱號。[115]在作品後
期，賭聖甚至殺害賭神和意圖殺害賭俠。[116]這與電影中賭聖非常尊
敬賭神，以及和賭俠聯手對抗敵人的設定大相徑庭。

電子遊戲改編漫畫

1987年，香港電子遊戲中心引入風靡日本的遊戲《街頭霸王》
（Street Fighter）。這遊戲在香港獲得空前成功之際，也催生了香
港首部改編電子遊戲的同名漫畫。[117]許景琛及其編劇李中興直接移
植遊戲角色的人物造型。不過，他們更改了角色設定和名字，如主
角阿Ryu被改為赤龍。更重要的是，由於電子遊戲沒有鮮明的故事

---

114 司徒劍僑編繪，劉定堅創作：《賭聖傳奇》（香港：自由人出版集團有限公
司，1990），第1期，〈賭俠，你好嗎？〉，頁26。

115 司徒劍僑編繪，劉定堅創作：《賭聖傳奇》，第1期，〈賭俠，你好嗎？〉，
頁8、16。

116 司徒劍僑、永仁編繪，劉定堅、文敵創作：《賭聖傳奇・激鬥篇》（香港：
自由人出版集團有限公司，1992），第102期，〈決戰魔化神俠〉，頁30。

117 吳偉明：〈從《街霸》與《拳皇》看日本遊戲在香港的在地化〉，氏著《日
本流行文化與香港》，頁71。

情節，許、李二人得以自創故事情節，以逃過正在討論的版權問題。[118]《街頭霸王》漫畫設定於公元2010年。第三次世界大戰後的核輻射導致人體異變，人類社會以天資而分為強者、弱者及地下人三個等級。[119]在世界中央的海洋座落一個世人夢寐以求的宏大都市（樂土）。這個「夢幻都市除原有優越人種外，每年只接納十名武功高強人士移民！而挑選方法就是陸地上每年舉辦一次的街頭爭霸戰」。[120]許景琛便隨著這套路發展原創於原著電子遊戲的故事。

從漫畫到電影

在編劇專業化和系統化下，具備影視作品劇情元素的香港漫畫在1990年代被改編成電視劇和電影。正如上文提及，香港漫畫自1950年代起已經改編成電影，如袁步雲的名著《柳姐》和《細路祥》都分別改編成電影《柳姐與沙塵超》及《細路祥與沙塵超》。而1980至1990年代的香港漫畫更被改編成一系列的流行影視作品。

馬榮成的《中華英雄》便是其中一例。《中華英雄》是一個民初的武俠故事，大抵講述「男女主角青梅竹馬，男主角被迫逃走，帶同家傳至寶離去的『奇偶式小子成長故事』」。[121]馬榮成在此部作品試圖重塑英雄形象。他認為英雄大抵是一個凡人，「內心世界

118　Henryporter：〈〔漫之魄〕喜會《街霸》編劇李中興〉，香港動漫畫研究所網頁，2006年11月3日。網址：http://hkari.cuhkacs.org/wordpress/index.php?p=611。
119　許景琛編繪：《街頭霸王》（香港：玉郎國際集團有限公司，1991），第1期，〈創刊號〉，頁2-3。
120　許景琛編繪：《街頭霸王》，第2期，〈逆轉昇龍拳〉，頁2。
121　施仁毅、龍俊榮編：《港漫回憶錄：香港漫畫五十年的集體回憶》，頁122-123。

或許與其他人有些相似，希望大家能接受和認同」。與眾不同的只是他們做事問心無愧和堅持做對的事的決心。[122] 因此，主角華英雄雖然與偷了華家珍傳「赤劍」的錢無義結怨，但是也曾經願意「拋卻仇怨和無義同站一線」，從而「打低洋鬼子佬，為中國人吐氣揚眉」。[123] 在後期講述華英雄與地獄門的恩怨時，馬榮成刻意加入華英雄與地獄門新門主瓊天在戰場上父女相認的情節。《中華英雄》脫離《醉拳》後獨立出版的單行本銷量達4萬本，其後更曾創下20萬本的佳績。《中華英雄》得以成功，在於切中1980年代初民族意識、「華正洋邪」，以及著重情感描寫的流行文化元素。[124] 在《中華英雄》大行其道之際，亞洲電視於1990年改編馬榮成的作品推出同名電視劇。1999年及2000年，作品甚至被改編成電影及網路遊戲。

馬榮成另一部巨鉅《風雲》也被改編成電影。《風雲》的重心是聶風與步驚雲兩位主角。[125] 聶風為握「雪飲劍」聶人王之子。他在其父於凌雲窟一役失蹤後，被當時武林五大派別之一的天下會幫主雄霸收留為徒。[126] 步驚雲原名霍驚覺，其父霍步天由於拒絕雄霸的招攬而遭抄家。雖然行劍道的無名救了霍驚覺，但由於無法化

122　馬榮成：《馬榮成自傳：畫出彩虹》（香港：友禾，1990），頁97。

123　《中華英雄精華珍藏本》（香港：玉郎集團，1990），第1期，頁77，79。

124　洛楓：〈神話、漫畫：拆解《中華英雄》〉，吳俊雄、張志偉編：《閱讀香港普及文化1970-2000》（香港：牛津大學出版社，2002），頁312。

125　馬榮成：〈馬仔手記〉，《天下畫集》（香港：天下出版有限公司，1989），第4期，頁35。

126　馬榮成主編：《天下畫集》（香港：天下出版有限公司，1989），第9期，〈風雲：一遇風雲便化龍〉，頁12-13。

解霍驚覺的戾氣而拒絕收他為徒。霍驚覺因此改名步驚雲，直接加入天下會伺機報仇。[127] 馬榮成以「鐵板神算」董慕節給自己的橫批──「金鱗豈是池中物，一遇風雲便化龍」──設計《風雲》第一部的情節。[128] 馬榮成設計神像泥菩薩贈送此兩句批言予雄霸，指出若雄霸「遇風雲於水中，便能金鱗化龍，飛躍九天」。結果雄霸得聶風與步驚雲二人後，不單除去其心患「無雙城主」獨孤一方，更在短短六年間發展天下會成「武林中第一大幫會」[129] 在天下會秦霜、聶風和步驚雲三師弟長大後，故事便以「朋友之間的情義考驗，師兄弟的矛盾鬥爭，慾海愛恨中的抉擇，人性醜陋弱點的最終表露」為核心，講述雄霸決意「徹底分化風雲，不容他毀我苦心創建之霸業」的故事。[130] 這個傳說是暗喻玉郎機構辦公室政治眾生相的作品，除了獲得一眾漫畫讀者的歡迎，也受電影界人士的垂青。電影監製文雋便聯絡馬榮成，成功洽談版權製作改編電影《風雲：雄霸天下》。此部電影更成為1998年香港年度票房冠軍。

　　若果上述兩部作品是1990年代的經典，那麼牛佬以香港三合會為題材的《古惑仔》則被譽為1990年代的代名詞。[131] 牛佬抱著「報紙寫得，點解我唔寫得」的心態，在作品引用現實黑幫字頭的

127　馬榮成編繪：〈風雲──步驚雲外傳下集〉，《天下畫集》（香港：天下出版有限公司，1990），第32期，〈悲痛莫名〉，頁3、5、17、22。
128　施仁毅、龍俊榮編：《港漫回憶錄：香港漫畫五十年的集體回憶》，頁164。
129　馬榮成主編：《天下畫集》，第9期，〈風雲：一遇風雲便化龍〉，頁16、28。
130　馬榮成主編：《天下畫集》（香港：天下出版有限公司，1989），第15期，〈風雲──九霄龍吟驚天變，風雲際會淺水游〉，頁12、14。
131　Joel、aMan：〈古惑仔90s揸fit人〉，《新Monday》，第685期（2013年11月15日），頁24。

名稱。他在創刊號更特設「港九『格屎』會員大巡禮」的特輯，訪問當時和勝和、和安樂、和義堂、和安樂（水房）、新義安、和勇義與福義興的負責人。[132] 作品最初講述日本山口組如日方中的社團紅人原青男意圖收編香港所有三合會字頭。屬於洪興的陳浩南既要面對社團外的危機，又要面對幫會內的敵人靚坤。[133] 牛佬刻意描寫陳浩南等「洪興仔」具備強烈正義感，與會出賣朋友的反派形成強烈對比。由於早期的《古惑仔》直接引用香港黑幫的名稱，曾一度被認為是「社團通訊」。[134] 或許得益於這噱頭，《古惑仔》創刊號售出約14,700本，並在1997至1999年維持40,000本的高峰。由於受到讀者歡迎，《古惑仔》在1990年代已被改編成六部正傳電影、一部前傳電影，以及五部講述個別人物的外傳電影。

「主流」中的另類

以上論及的作品幾乎都可歸類為武打漫畫。另外，它們除了初創階段的出版時間偶有調整，其餘時間幾乎都以薄裝形式定期出版。這種漫畫被視為香港「主流」，也成為不少論者的「港漫」代表。[135] 然而，這個以玉郎集團為首的「主流」漫畫業，並不止於薄

132　牛佬：〈港九「格屎」會員大巡禮〉，《古惑仔》（香港：浩一有限公司，1992），第1期，頁33-34。「格屎」是社團的別稱。

133　牛佬：《古惑仔》，第1期，頁16-17。

134　〈古惑仔之戰爭與和平　牛佬〉，《壹週刊》，第1127期（2011年10月13日），頁92。

135　〈上下求索：本地漫畫何去何從〉，《星島日報》，2015年1月26日，頁A13；Connie Lam, 'Hong Kong Manhua after the Millennium,' *International Journal of Comic Art* 11: 2 (Fall 2009): 410；〈林祥焜：港漫已在深切治療部等死！〉，2013年2月22日，Gameover 網頁，網址：https://www.gameover.com.hk/news/46829。

裝武打漫畫。事實上，這個「主流」出版的題材和書種是多元化
的。

在「主流」漫畫業中別樹一幟的便是上官小強和他的詼諧作
品。早於1973年，上官小強已在上官小威主編的綜合漫畫《73漫
畫》上發表《壽星仔》。他設定壽星仔為一位「永遠是九歲半」的
下凡小神仙。後來他「受到外國《花生漫畫》（Peanuts）的影響，
漸漸把角色寫得比較人性化和通俗，以及風趣幽默一點」。他刻意
將壽星仔的頭部比例畫得愈來愈大，而且「手腳肉肉的」；再加上
口語化對白，時代感重之餘也又不失滑稽元素。他甚至參考《老夫
子》的做法：同樣的角色在各個故事中有不同的身分和造型，以豐
富故事情節和可塑性。[136]至1981年，已加盟玉郎集團的上官小強為
「發掘一些新的題材」推出綜合漫畫《小強漫畫集》。這綜合漫畫
收錄當時的漫畫助理稿件，作品和題材多元化之餘，也因為不定期
刊而有異於當時「主流」產業的定期出版。[137]即使出版有別於薄裝
武打漫畫的詼諧作品和綜合漫畫，上官小強依然被譽為香港「惹笑
漫畫一代宗師」。[138]

另一位奇葩便是甘小文（原名甘健文）和他的「無厘頭」作
品。從畫風而言，甘小文與黃玉郎、馬榮成、邱福龍等「主流」漫
畫家的精細寫實筆觸大相徑庭。他曾自言，「我不能做這種太精細
的漫畫，所以選擇一些比較粗枝大葉的漫畫風格」。另外，甘小

136　施仁毅、龍俊榮編：《港漫回憶錄：香港漫畫五十年的集體回憶》，頁82、129。

137　施仁毅、龍俊榮編：《港漫回憶錄：香港漫畫五十年的集體回憶》，頁149。

138　〈殿堂主筆　細數港漫興衰〉，《東方日報》，2012年9月8日，頁A10。

文「很喜歡說笑，喜歡玩」。[139]因此，他的作品以改編和諷刺娛樂為主。這種「惡搞」模式最顯現於他在1980年代出版的綜合漫畫《玉郎漫畫》上刊登的《太公報》。甘小文刻意描寫《太公報》每期不一樣的督印人，以及「本報已在滿清政府註冊」。[140]在第15期《玉郎漫畫》刊登的《太公報》中，甘小文甚至特設看圖識字區「教（讀者）五種生菓名稱，與及六種動物的名稱」。他以簡單線條畫上圖像後，配上「柑蕉桔李硃柚，雁鷥鵰狸獅狒」十二字，以諧音介紹廣東話的著名粗口。[141]這個笑話成為當年不少漫畫讀者的珍貴回憶。[142]他的「惡搞」人物更得到各個品牌垂青。1997年，甘小文在香港有線電視衛星轉播世界各地足球聯賽的熱潮下創作《至GOAL無敵》。他以「全球股市出現大熊市，各地指數急挫……部分球員生活變得潦倒」為背景，描寫各位世界級足球明星的潦倒生活。[143]他甚至以廣東話諧音「惡搞」球星的中文譯名。香港賽馬會、百威啤酒等品牌認為這些人物和造型「適合他們用作宣傳或製作Figure（人偶）、旅行袋或水樽」，向甘小文買下人物版權，因而成為廣為人知的漫畫人物。[144]甘小文以及上官小強這些有異於

---

139 黎明海：《功夫港漫口述歷史（1960-2014）》，頁393。

140 甘小文：《太公報》，《玉郎漫畫》（香港：生報有限公司，1985），第28期，頁34。

141 甘小文：，《太公報》，《玉郎漫畫》（香港：生報有限公司，1985），第15期，頁33。

142 尉遲一：〈甘小文：以前我畫四方果，畫到自己都笑！〉，GameOver網站。網址：http://gameover.com.hk/?p=3923。

143 甘小文：《至GOAL無敵》（香港：君地有限公司，1997），第2期，〈超級魔鬼〉，頁2。

144 黎明海：《功夫港漫口述歷史（1960-2014）》，頁397。

「主流」武打薄裝漫畫的作品，也被普遍認為是香港漫畫的代表。這便顯示香港漫畫不止於薄裝武打漫畫，而且比相關論述更多元化和立體。

　　另一部非主流的「主流」漫畫是劉雲傑於1992年出版的精裝漫畫《FEEL100%百分百感覺》。劉氏曾憶述《FEEL100%百分百感覺》是他在1990年代根據所見的青少年愛情故事，寫成約百頁的精裝漫畫。[145]故事開首講述Jerry與許樂為推銷他們的化妝廣告設計，讚賞化妝公司高級行政人員Carol有80分，逗得Carol默許Jerry設計新廣告。[146] Jerry和許樂在各種場合中都會拿出「一至一百分對各種女性評分」計算一個月所見女性的平均分。[147]劉氏也描繪1990年代的各種女性心理：Cherrie一角代表了當時懂得打扮的香港女孩對愛情和生活缺乏明確目標。Jackie一角則是在1990年代因受過情傷而以同性戀身分保護自己的女孩。[148]當Jackie被喝醉的許樂強吻時，Jackie初時拼命掙扎，但很快便接受了許樂。翌日Jackie梳洗時，用唇膏在鏡上寫下「69」，並道出「佢尋晚總共叫咗69次Cherrie……九十年代嘅男人，仲有用情咁深嘅？」[149] Jackie

---

145 〈百分百　劉雲傑　傻瓜〉，《東周刊》，第269期（2008年10月1日），頁59。

146 劉雲傑繪、阿寬編：《FEEL100%百分百感覺1》（香港：玉郎國際有限公司，1992），第1期，頁18。

147 劉雲傑繪、阿寬編：《FEEL100%百分百感覺1》，第1期，頁21-22。

148 〈香港不再有感覺〉，《明報》，2008年9月5日，頁A26；〈百分百　劉雲傑　傻瓜〉，《東周刊》，第269期（2008年10月1日），頁59-60。

149 劉雲傑編繪：《FEEL100%百分百感覺6》（香港：文化傳信有限公司，1994），第6期，頁125-126；劉雲傑編繪：《FEEL100%百分百感覺7》（香港：文化傳信有限公司，1995），第7期，頁42。

對許樂的痴心一片動之以情，可見她是以同性戀者的身分保護自己。這部人物性格分明的愛情漫畫迅即獲得好評，並打入義大利的漫畫市場。[150]影視界留意到當中的商機後，分別改編成同名廣播劇（1996）、電影（1996）和電視劇（2002）。

不過，非典型的「土流」漫畫激烈競爭最終令「主流」漫畫再次備受輿論責難。1993年8月，因涉嫌訛騙公款入獄的黃玉郎出獄。他除了推出傳統武打漫畫外，更出版內頁含有女性「三點不露」相片的《情雙周》。自由人有限公司劉定堅繼而推出《情侶週刊》、《情人知己》、《情侶特刊》等以「情」為題的漫畫，加插裸體鏡頭和裸照，儼如軟性色情刊物。[151]這些作品雖然得到讀者追捧，但也引起社會強烈譴責。各界關注色情文化聯委會便指責這些作品以情愛為題，「實則以歪曲的『性描繪』為目的，賣弄色情……扭曲男女形象、性關係和人性尊嚴」，嚴重傷害「心智未成熟的青少年」。[152]故此，鄧兆棠等立法局議員建議政府應「擴大對不良物品的管轄範圍、加強監察及對違例者加強檢控，以遏止不良意識物品的泛濫」。[153]影視及娛樂事務管理處隨即抽樣檢查書報攤的刊

---

150 〈猛龍過江？香港漫畫　四出突圍〉，《大學線月刊》，第44期（2001年4月），網址：http://ubeat.com.cuhk.edu.hk/ubeat_past/010444/comic.htm。

151 Henryporter：〈《情侶週刊》事件〉，吳俊雄、張志偉、曾仲堅編：《普普香港：閱讀香港普及文化，2000-2010（一）》，頁321-322。

152 香港特別行政區立法會檔案館，HB584/94-95，文件：「我們對『色情及不雅物品』的嚴正聲明」，頁1；香港特別行政區立法會檔案館，H19950719，會議過程正式紀錄1995.07.19，頁4468。

153 香港特別行政區立法會檔案館，H19941116，立法局會議紀錄1994.11.16，頁793。

物，當中被評為「因其內容有暴力成分而被認定為不雅的刊物」佔28%，包括《刀・劍・笑》、《如來神掌》、《海虎》、《天子傳奇》、《李小龍》、《醉拳》、《龍虎門》、《黑豹列傳》、《中華英雄》等；「因其內容有色情成分而被認定為不雅的刊物」如《賭神》、《紅燈區》、《古惑仔》、《江湖大佬》等則佔68%。[154] 雖然在1995年7月19日通過的《淫褻及不雅物品管制條例》修訂議案沒有對「主流」漫畫業構成沉重打擊，[155] 但是以武打為主要題材的香港「主流」漫畫由於被影視及娛樂事務管理處歸類為「不雅」物品，逐漸被標籤成為「過時的怪物」。[156]

6 「獨立」漫畫

與上述「主流」的作品同時空並存的，是一批採取不同創作路向的漫畫家。他們的作品甚至廣受黃玉郎一直希望取悅的兒童讀者的歡迎。

顯例之一是由麥家碧和謝立文創作的《麥嘜》系列。這系列最初刊登於《明報周刊》；其後轉至《黃巴士》上刊登。這系統圍繞主角麥嘜的生活為主，觸及親情和香港時事，場景也別具本土特

---

154 香港特別行政區立法會檔案館，HB667/94-95，文件：「可能被評定為第 II 級（不雅）物品的刊物例子」。

155 溫日良：〈肥良專欄〉，溫日良主編，鄧志輝繪畫：《海虎》（香港：海洋製作有限公司，1995），第43期，〈風火雷電雪〉，頁32。

156 Gnatybot：〈Time For Revolution〉，黃水斌繪、少傑監製：《欲望之翼 EGO》（香港：大渡出版有限公司，2014），第1期，頁76。

色。例如《三隻小豬》的故事講述三隻小豬居無定所，在儲了一點錢後希望買一個「小小的單位，一個永久的居所，一個家」。然而樓價貴得驚人，他們向親戚貸款買了一個185呎的單位，並改變了「沒有清潔的觀念」，三隻小豬輪流清潔廁所。然而，由於三隻小豬無法抵償房貸，銀行因而收回房子並交了新業主豺狼。豺狼瞬即發現廁所「一排排排得整整齊齊的潔廁得，還有那個unplugged的雪櫃，打開盡是玻璃水、洗潔精、碧麗珠和百潔布，半點空位放食物也沒有」，以及三隻小豬「惟恐新業主不懂愛惜這屋」、以錯別字介紹如何清潔小屋的紙條。豺狼在超級市場發現三隻小豬的自薦清潔招聘廣告後，聘請他們回來清潔屋子，並讓他們睡在床上，成全「一段最單純、最基本、最卑微的愛情」。這故事表面在講述香港樓價持續上升下市民生活的慘況。不過，作者進而表達在講究經濟利益的社會中，依然有懷著赤子之心的人維繫著一個「未算太壞的世界」。[157]

　　另一個在1990年代漸受歡迎的漫畫便是草日漫畫。草日原名梁仲基。他早在1991年開始在《明報》連載漫畫。1994年，他便結集在該報的《普普阿三》成《亞三愛的茶煲》。1998年，他又結集在《成報》連載的《梁家婦女》漫畫系列。在這部漫畫中，草日描繪其母親成為梁亞太。她作為一家之主表現硬朗，買菜時「講價出名開哂巷」。在新娘向梁亞太斟茶時，梁亞太贈送一對「特級絨裡

157　謝立文編著、麥家碧畫：《麥嘜三隻小豬》（香港：博識出版有限公司，1994），頁2、4、24、28、38、41、65-68、84、88。

洗碗碟手套」予新娘，著她「唔好咁大洗」。當一對新人在新婚當晚甜蜜之際，梁亞太又突然冒出來問「幾時抱孫呀我」。[158]不過，草日曾自言梁亞太設計原型的草日母親雖然「以前好惡死，一個要看住幾個，不會用講道理的方法」。[159]但被迫「惡出面」的母親其實非常善良和感性。她甚至曾與草日「一齊睇張活游、白燕嘅悲慘粵語長片，一齊喊到收唔到聲」。雖然草日自言並無「偉大到要為女性說話」的意思，但是也希望「女讀者會透過漫畫去宣洩」持家的辛酸。[160]

這些漫畫家自視為奉行與黃玉郎為首的「主流」漫畫產業的不同創作路向，並被稱為獨立漫畫家。結集他們自述的《路漫漫：香港獨立漫畫25年》便指出：

> 獨立漫畫一般是指「個體戶」式的漫畫創作，由漫畫家本人獨力擔當故事編寫及繪畫的步驟，並不主張分工繪製，有時甚至兼顧出版製作和發行宣傳的工作。相比市面上廣泛流通的武打漫畫或日本漫畫，獨立漫畫更講求創作者個人關注的題材，及個人化的美學實踐，自成系統。[161]

---

158 草日：《梁家婦女》（香港：Big Bird Studio，1998），冊1，頁6、8-9。

159 〈草日梁家婦女〉，《飲食男女》，第959期（2013年12月23日），頁ET187。

160 陳曉蕾：〈草日阿三的外母〉，《飲食男女》，第960期（2013年12月20日），頁ET179；〈梁仲基　草根上的火熱紅日〉，《新Monday》，第691期（2013年12月27日），頁112。

161 智海和歐陽應霽編：《路漫漫：香港獨立漫畫25年》（香港：三聯書店，2006），頁4。

　　曾任漫畫編輯的黎巴嫩（筆名）則形容這些由個體戶創作的作品是「另類漫畫」（alternative comics）：

> 香港有另類漫畫嗎？答案是肯定的⋯⋯（另類漫畫的）手法、線條運用，完全超脫慣常的主流模式⋯⋯根本不介意《龍虎門》、《愛情故事》的讀者不去捧他的場吧。

　　一言以蔽之，這批個體戶創作的漫畫家雖然有個人風格，但不落於固定創作及生產模式。他們創作的作品有異於黃玉郎等人的「主流」，照顧其他類型讀者的需要。[162]

　　不過，這種個體戶創作的漫畫家並非1980年代的產物。出版於2006年的《路漫漫》一書以「25年」為名，明言接續鄭家鎮《香港漫畫春秋》的討論範圍：王司馬之後出道的非「主流」漫畫家。[163]事實上，在上文「漫畫單行本的興起」一節中提及的政治和社會漫畫在1960年代後期與被視為「主流」的漫畫並存。1963年起，嚴以敬在《天天日報》編輯的指示下繪畫大量政治諷刺的單幅漫畫。[164]中國的大饑荒和文化大革命都是他的主要題材。[165]《玩蟹》便以蟹比喻紅衛兵，譏諷毛澤東雖然可以操控紅衛兵，但當他們爬到身

162　黎巴嫩：〈艱苦經營　如行蜀道──論另類漫畫在香港〉，氏著《資本漫畫論》（香港：創建出版公司，1990），頁124。

163　智海和歐陽應霽編：《路漫漫：香港獨立漫畫25年》，頁5。

164　香港漫畫作品大展籌備委員會編：《漫畫作品大展》（香港：香港漫畫作品大展籌備委員會，1980），頁94。

165　〈阿虫畫筆下的生活哲學〉，《太陽報》，2001年5月11日，頁D3。

上時便無法脫身，猶
如「玩火」（圖3）。
《天災？人禍？》描
述中國爆發文化大革
命後，毛澤東等人的
「打鬥」波及刻上香
港字樣的房屋，批評
受文化大革命影響而

圖3　《玩蟹》（圖像由作者提供）

在香港爆發的六七暴動（圖4）。嚴氏不止描寫中國政治，也會諷刺
國際事務。《切這塊，補那塊》便描繪1960年代後期英磅貶值的情
況下，英國大規模減少海外防務開支援助國內經濟的舉動，猶如割
去鞋子的一部分填補另一個洞般治標不治本（圖5）。

　　及至1980及1990年代，香港政治前途不明和六四事件帶來的

圖4　《天災？人禍？》（圖像由作者提供）

圖5　《切這塊，補那塊》（圖像由作者提供）

社會焦慮進一步增加了政治漫畫的市場和需求。[166] 當中尤以尊子和馬龍的作品為顯例。1989年，創建出版集團有限公司輯錄尊子（原名黃紀鈞）在報紙刊登的漫畫成《黑材料》一書。《黑材料》以六四事件、中英港鬥爭與越南船民為主要題材。在《不上學的懲罰》中，一名貌似李鵬的人士在訓斥一位被坦克壓著、手持「民主」標語的學生「看你以後還敢不敢唔返學」，諷刺中國學生運動被無情鎮壓。[167] 中英港鬥爭方面，尊子在《少安無燥》中描繪市民示威遊行之際，港督衛奕信搭著許家屯肩膊表示「唔駛驚嘅」，暗喻中、英兩方暗中合作和罔顧民意。[168] 另一方面，馬龍除了出版以漫畫方式記錄六四事件的《八九民運：血染的歷史》，也結集他在《百姓》雜誌刊登的作品成《五十步》。這部漫畫「大畫特畫政治諷刺漫畫，毛澤東、鄧小平、港督、議員，漫畫家手到擒來，把他們當作筆下的人物，去反映每一段時間的新聞」。[169] 例如在《許臂擋車》中，馬龍繪畫在一段「九七工程」的鐵路上，「冧巴溫」（諧音No. 1）的工人被乙工人指責「越俎代庖」，甚至是「不按這個本子」辦事。乙工人不理會民主和民意的車卡，強行停下了正在前進的列車。不過，盛載「恆生指數」的車廂相繼滾下山坡，乙工人因而大嚷「再不停下來就是『反革命』」，暗喻代議民主制度無望實

---

166 Carine Man-yin Lai, *The Rise of Hong Kong Politics: The View Through Political Cartoons 1984-2005* (Hong Kong: Civic Exchange, 2006), p. 94.

167 尊子：《黑材料：尊子漫畫集》（香港：創建文庫，1989），頁37。

168 尊子：《黑材料：尊子漫畫集》，頁87。

169 孫念祖：〈序〉，馬龍：《五十步：馬龍漫畫集》（香港：百姓文化事業公司，1988），頁2-3。

行才是投資者缺乏信心的關鍵。[170]

　　生活和社會作品也一直見於香港漫畫之中。王司馬的《牛仔畫集》便是顯例。《牛仔畫集》是王司馬於1980年精選於《明報》上刊登的漫畫選輯，共收錄100幅四格作品。選輯開首便是王司馬的名言：

> 昨天，牛仔是我。
> 今天，牛是我的孩子。
> 明天，牛仔是我孩子的孩子。[171]

　　眾所周知，王司馬是一個充滿童心的人，作品中「洋溢的溫馨、童真一點也沒有減褪」。[172]《牛仔》主要表達了牛仔與契爺的真摯親情，當中所投射的便是王司馬與三位兒子的親子感情：漫畫中牛仔「湯碗頭」的髮型是兒子們的真實髮型，而契爺疼愛兒子的行為便是王司馬的日常行事。《牛仔畫集》中的《愛不釋手》便描述契爺雖然被其妻子斥責購買舞獅頭套給牛仔，但是契爺只是一笑置之。後來他更發現牛仔非常喜歡頭套，甚至穿著來睡覺。〈內疚〉便描述契爺體罰成績欠佳的牛仔，最終牛仔哭得累了便睡在地上，契爺面露歉疚，於心不忍抱他回床睡覺，盡顯契爺愛子之情。

170　馬龍：〈許臂擋車〉，氏著《五十步：馬龍漫畫集》，頁8-11。

171　王司馬：《牛仔畫集》（香港：明窗出版社，1980），頁ii。

172　〈充滿童心的王司馬〉，《五味青春・活力縱隊》（香港：突破出版社，1985），第4期，頁49。

　　類似題材也見於香山亞黃反思社會現象和日常生活的作品。[173]
1982年，香山亞黃結集他多年來創作的報章漫畫成《香山亞黃漫畫
選集》。他在〈近廟不求簽〉描繪位於家庭計畫指導會旁邊的一個
由大家庭經營的「多仔記士多」（Many Sons Grocery），諷刺家庭
計劃指導會只流於口號式宣傳，沒有積極推動家庭計畫。[174]在《股
票病》中，香山亞黃描繪市民因滿腦子充滿股票名稱、市價、恆生
指數等股票消息導致心臟病等。[175]香山亞黃甚至深刻描寫當時香港
的生活狀況。〈床〉描繪了富裕人家各式各樣的床鋪造型，如凹凸
不平、吊床型等，甚至有為他們睡姿而度身訂造的床鋪等，顯示富
裕人家的極盡奢華。然而，〈碌架床〉便描繪了全家六、七口同睡
在一張床上、衣物只能掛在床上、與人合租時受到合租人的滋擾、
以至是如廁與進食同在一空間進行等基層市民的生活狀況，因而有
在床上貼上「反對業主瘋狂大加租」的抗議標語。[176]

　　上述例子說明在「主流」漫畫以外，香港同時流行單幅和多格
的政治與社會漫畫，照顧不同讀者的需要。這些作品與1960年代
以前的一樣，大多先刊登於報紙、雜誌等大眾刊物後才結集成書，
具一定知名度和流傳度。因此，正如被稱為「獨立漫畫家」的黎達
達榮曾表示，所謂「主流」和「獨立」漫畫只是市場上「由人數、
時代變遷、社會環境決定有什麼品種在市面出現」的方法。二者各

173　香山亞黃：《四米厘》（香港：山邊社，1982），頁50。
174　香山亞黃：〈不得其法〉、〈近廟不求簽〉，氏著《香山亞黃漫
　　　畫選集》（香港：純一出版社，1976），頁41。
175　香山亞黃：〈股票病〉，氏著《香山亞黃漫畫選集》，頁16。
176　香山亞黃：〈碌架床〉，氏著《香山亞黃漫畫選集》，頁13-14。

自照顧不同需要的讀者。[177] 以「主流」作品概括香港漫畫發展的論述，或許是仍眷戀香港漫畫在1980及1990年代以武打作品為主的光輝歲月。[178] 事實上，「主流」和「獨立」（「非主流」）只是市場定位而已。香港漫畫發展的光譜從不限於「主流」和「獨立」，當中存在一些遊走二者之間的作品。

7 總結：那麼，香港漫畫是什麼？

本文大致概述了出現在20世紀香港市場的漫畫作品。在創作形式上，整個20世紀香港都有單幅和連環的故事漫畫。它們不是刊載於報紙，便是結集成單行本出版。對於這些作品，香港漫畫家未有強行界定「漫畫」和「連環圖」之別。反而，他們根據創作需要以單幅或故事形式展示。同樣地，漫畫家也沒有拘泥於特定的出版模式：即使被視為薄裝「港漫」代表的《龍虎門》也曾經在漫畫報紙上刊登。而被視為「主流」的《百分百感覺》、《小強漫畫集》以至是《至GOAL無敵》甚至以精裝或綜合漫畫的形式出版。加上麥家碧、尊子等人的漫畫以非「主流」工廠性製作的作品也被視為香港漫畫。這些都說明了香港漫畫從不局限於特定的創作模式和出版書種。反而，漫畫家會隨著時間和市場需要而轉變。連環圖、單

177　智海和歐陽應霽編：《路漫漫：香港獨立漫畫25年》，頁124。

178　黃照達：〈新漫畫運動：香港網絡政治漫畫初探〉，《香港視覺藝術年鑑2019》，頁20，網址：http://hkvisualartsyearbook.org/lib/img/cuhkvayb/pdf/application_20190903_lb8Za.pdf。

幅漫畫、多格漫畫以至是薄裝書都是香港漫畫的其中一部分。

事實上，漫畫以至是香港漫畫的定義於各個漫畫家而言都略有不同。正如學者Mila Bongco指出，定義漫畫的其中一個用途是美術設計的學術討論。[179]然而，漫畫對於漫畫家、學者、管治階層以至是讀者的意義不盡相同。[180]這可見於上文涵蓋的各種作品和漫畫家的理念與風格。或許這與漫畫含有一定藝術成分有關。學者何慶基便曾指出，漫畫的意識可以令讀者建立對該作品個人的觀點，這種將主觀成分融入閱讀的過程便是藝術的特色。因此，漫畫是「另類藝術」。[181]從這角度而言，漫畫和香港漫畫都含有主觀成分。要為它們下一個客觀的定義似乎是一個幾近不可能的任務。

如循著以上的想法，我們或許對今日的香港漫畫發展有新的理解。近年來，我們不時看到「港漫已死」的論調。這些報導形容薄裝漫畫題材單一、橋段千篇一律、劇情欠深度等，正在流失讀者。[182]不過，這種看法是否能準確觀察香港漫畫的整體發展便值得商榷了。一方面，正如漫畫家、現職美術主編的趙汝德所言，「香港漫畫不是沒有讀者，只是大多不願意付款，這便養活不了漫畫主

179　Mila Bongco, *Reading Comics: Language, Culture, and the Concept of the Superhero in Comic Books* (New York: Garland Pub., 2000), pp. 46-50.

180　蕭湘文：《漫畫研究：傳播觀點的檢視》（臺北：五南圖書，2002），頁19-29。

181　何慶基：〈導言〉，《笑論人間：當代香港專欄漫畫展》（香港：香港藝術中心：Frog，1989），頁i。

182　〈人物概念：港產漫畫家「出手」救港漫〉，《明報》，2017年5月18日，網址：https://life.mingpao.com/general/article?issue=20170518&nodeid=1508757539990。

筆」。[183]另一方面，一些被視為「主流」的漫畫家也在嘗試尋找突破。如鄭健和運用網路潮語和寫實風格，分別寫成黑色幽默的《野狼與瑪莉》和暗喻香港國民教育的《脫北者》。它們一度成為網路話題作品之餘，更令部分讀者刮目相看。[184]此外，網路文化的互相分享及共用概念衍生出新的創作空間和範式，促成從網路走紅的新生代本地漫畫家。[185]智海、利志達等「獨立」漫畫家甚至揚名海外。[186]當我們拉闊視野檢視香港漫畫的發展，便會發現香港漫畫面對的不是死亡，而是又一次的時代轉型。

183 范永聰、朱維理整理：〈港漫已死？訪資深漫畫人黃國興與趙汝德〉，范永聰：《我們都是這樣看港漫長大的》，頁163。

184 藍夢羽：〈藍夢羽回應〉，《[港漫]野狼＆瑪莉》，香港高登討論區，2011年6月25日。網址：http://archive.hkgolden.com/view.aspx?type=AN&message=3099095&page=4&highlight_id=0&authorOnly=False。

185 黃照達：〈新漫畫運動：香港網絡政治漫畫初探〉，《香港視覺藝術年鑑2019》，頁20，網址：http://hkvisualartsyearbook.org/lib/img/cuhkvayb/pdf/application_20190903_lb8Za.pdf。

186 〈沉鬱與童真──智海〉，《讀書好月刊》，第45期（2011年6月），頁4。網址：http://www.books4you.com.hk/45/pages/page4.html；〈利志達　放不下　離不開〉，《優雅生活》，2020年4月17日，頁P17。

6 教育‧政治‧新加坡繪本 與漫畫的前世今生*

羅樂然

本文將回顧戰前到戰後百多年的新加坡漫畫變遷，反映新加坡雖然未像亞洲其他地般，發展屬於當地的漫畫或繪本專屬產業，但是卻促使新加坡的漫畫與繪本著作，大多具有社會性及教育導向，而較少商業元素。本文利用新加坡漫畫與繪本的事例，說明新加坡人對漫畫的態度，也通過回顧新加坡漫畫史，思考新加坡文化的發展特徵。本文不限於一個產業史的回顧，而是思考漫畫發展如何作為一個新興在東南亞以華人社群為主的國家的社會變化寫照。

1 引言

2020年6月1日，新加坡的《聯合早報》發表了其特約漫畫家王錦松所繪畫的一幅諷刺美國總統川普（Donald Trump）對香港與

---

* 本文得以完成，全有賴劉敬賢先生、王錦松先生和蔡順興先生兒子Mr Zen Chua 分別容許本人使用他們大作中的各種圖像，使論述更為完整，特此鳴謝！

圖1　《川普》，王錦松有關川普評論示威的漫畫（新加坡《聯合早報》，王錦松提供）

美國不同的激進示威活動有雙重標準評論的漫畫，[1]獲得大批華語世界的讀者議論紛紛，一時間大家才發覺原來備受忽視的赤道一角，一直存在其獨特視角及文化脈絡的漫畫傳統。新加坡，更明確代表的是南洋世界的華文文化圈，從戰前到戰後，在亞洲漫畫史的發展過程，過去不太受到重視，未有學者鑽研這方面的發展。（圖1）

　　新加坡，原為英國在東南亞的海峽殖民地一部分，在19世紀

1　〈王錦松漫畫〉，《聯合早報》，2020年6月1日，https://www.zaobao.com/forum/comic/story20200601-1057759，瀏覽日期：2020年7月19日。

吸引了大批華人從中國大陸移居南洋，尋求生存空間，在新加坡戰前可以說是馬來亞半島最多華人聚居的港埠。與此同時，與其他馬來亞半島港埠不同，新加坡是英國直屬殖民地，新加坡的在地英語精英也慢慢形成。因為新加坡當地的商人群體日漸成長，其對英國政府的管治作出了各種的抗議，最終在1867年英國仿效香港一般，設立英屬直轄殖民地管治海峽殖民地——新加坡、馬六甲與檳城三地，取代由英屬印度管理。自此，新加坡的文化發展就在英殖民管治、華人南來以及本土文化與社會三者之間的互相融合下形塑起來。

　　1965年，新加坡從馬來西亞聯邦獨立建國，國家從上述三種文化傳統之中形成新的建國論述。新加坡建國領袖希望在複雜的冷戰時期，尋求國家自我的定位，並讓國民對國家自我有更強烈的歸屬感。與此同時，新型國家的建立也要確保各種渠道裡社會的穩定性。因此，新加坡在文化政策上的管理，也滲透相近的思維。在此，無論是漫畫的書寫語言、寫作技巧以及文化趨向，都與此文化氛圍相關。

　　過去學界對於新加坡漫畫的研究，都主要集中幾位學者，例如長年從事亞洲漫畫發展趨勢的學者John Lent，在其亞洲漫畫的專書中便宏觀地分析該國的漫畫在20世紀的發展特徵。[2]而在地的漫畫研究者林增如，則以不同的專題去分析漫畫與政治社會的關係，

2　John Lent, *Asian Comics* (Jackson: University Press of Mississippi, 2015), pp. 207-222.

對於新加坡政治漫畫的研究有非常深刻的認識，其研究特別觸及陳火平（Tan Huay Peng）的各種50與60年代的政治漫畫。[3]然而，這些研究大多以英語文獻發表，且課題都只停留在20世紀前，未有平衡華語書寫漫畫的面向。而且，21世紀新加坡的漫畫文化還在變化，是值得更進一步的探討。

此外，與漫畫有相近文化特徵的繪本，在新加坡有著龐大的市場，吸引了很多讀者，而當地亦都積極推廣繪本文化。新加坡家長被視為看重子女教育的一群，而繪本的閱讀更被視為培養子女的關鍵手段，使繪本在新加坡的出版市場中，佔有重要的地位。繪本的作家諸如李高豐（阿果）、余廣達、鄺偉雄（小鄺）等，都獲得高度讚揚。其中，新加坡的獨特文化社會，新移民作家所創作的繪本與土生土長在地作家的繪本如何形成不同主題的趨勢，反映新加坡文化下獨有的出版現象。可惜的是過去學術界未有就新加坡繪本進行系統地回顧。

因此，本文旨在通過各種報章材料及漫畫研究的成果，考察新加坡漫畫的發展歷史，從戰前的漫畫特色，到戰後不同漫畫家的風格與特色作分析，歸納新加坡漫畫發展的特徵，整合對新加坡漫畫認識的通論理解，通過漫畫發展的分析，理解新加坡的文化與社會獨特形態。與此同時，繪本在新加坡近年迅速發展，也將會納入於本文的討論範圍內，以助讀者了解新加坡社會的「文圖結合」的讀

3　Cheng Tju Lim, "Singapore Political Cartooning," *Southeast Asian Journal of Social Science* 25.1 (1997): 125-150.

本如何因應社會需求而蛻變，而相關的蛻變可反映新加坡的政治環境以及教育需求，是讓華文讀者深入認識東南亞文化與社會的獨特切入點。

2 戰前的新加坡漫畫

如重要的亞洲漫畫學者John Lent指出，尋找新加坡的漫畫起點是有點困難。畢竟新加坡的歷史過去曾與馬來亞高度的互動，並不容易將其文化方式或藝術完全區分。[4] 但大體來說，一般都認

圖2　1907年《中興日報》漫畫（圖像由新加坡國立大學圖書館特藏部提供）

為1907年有同盟會背景的《中興日報》接連出版數幅漫畫，來諷刺當時的中國時政。例如1907年9月8日第一幅政治漫畫，就是諷刺當時清廷表面向大眾宣布預備立憲，卻實際繼續進行中央集權的畫像。[5]（圖2）辛亥革命以後，特別是五四運動後，漫畫主要則從諷刺文化母國清賊，改為諷刺威脅中華民國的日本或是與國民黨為敵的袁世凱。[6]

新加坡今天為東南亞以華人為多的獨立國家，但於戰前華語世

4　John Lent, *Asian Comics*, p. 207.
5　《中興日報》，1907年9月9日，頁3。
6　John Lent, *Asian Comics*, p. 208.

界的各種政治勢力都嘗試在南洋爭奪話語權，故東南亞的文化發展
及相關的表述，都恰似是從中國大陸搬移至南洋一帶。正如五四運
動有關新文化運動與白話文的教育，南洋可算是當時大陸各界文化
競爭與倡導下的另一組戰場。

　　五四運動以後，魯迅在外國各地留意到版畫藝術的意義，在
1929年編寫了《近代木刻選集》，引起國人對版畫的關注。魯迅在
《新俄畫選小引》提到「當革命時，版畫之用最廣，雖極匆忙，頃
刻能辦」。[7] 1931年，他首次舉辦木刻技法講習會，開始了木刻運
動。當時，各地也展開了木刻運動，其中主要是上海、廣州等地流
行，如杭州國立藝術專科學校的學生在上海成立了「春地美術研究
所」；[8] 廣州市立美術學校成立了「現代版畫會」，木刻運動明確針
對社會改革意識，[9] 也有濃厚的左派愛國傾向。而由於當時中國共
產黨的藝術發展也深受魯迅的影響，故他們在延安成立了延安魯迅
藝術學院，如江豐（1910-1982）、胡一川（1910-2000）等便是該
學院的重要藝術家以及木刻版畫教師。中日戰爭期間，木刻版畫可
以說是西方版畫藝術的投射，但同時也是漫畫的另一種形態，而相
關版畫後來便轉化為漫畫的題材，被視為姊妹藝術。[10] 同樣地，民
國時期這種文化意識也明顯影響到南洋當地的漫畫與版畫風氣。

7　魯迅：《魯迅全集》（北京：人民文學出版社，1981），卷13，頁45。

8　洪長泰：《新文化史與中國政治》（臺北：一方出版，2003）。

9　周錦嫦：〈1930年代現代版畫會、魯迅與料治朝鳴藝術交流考〉，《美
　　術學報》，2018年第5期（2018年9月），頁93-102。

10　古烽：〈木刻與漫畫──「星馬木漫選集」〉，《南洋商報》，1955年
　　10月25日，頁8。

　　1936年5月，戴隱郎加入新加坡《南洋商報》，[11]擔任該刊的副刊〈文漫界〉編輯，專門刊登木刻、漫畫作品及探討木漫情報和理論的文章。在英屬馬來亞出生的戴隱郎，早年畢業於上海國立藝專，及後與友人溫濤（1907-1950）一直投入木刻版畫創作。他們於1935年在香港成立深刻木刻社，其木刻創作使他與魯迅保持聯繫，並曾參與魯迅舉辦的全國木刻聯合展覽會，深受魯迅發動的「木刻運動」影響，[12]故一直主張「美術救國」。回到南洋後，他持續撰寫《木漫情報》，介紹中國杭州、廣州、北平各地的漫畫與版畫的文化及活動，[13]也曾與其他友人一同創作漫畫刊登在《南洋商報‧文漫界》。當時，像戴隱郎所創作的作品，都有著濃厚的美術救國的見識。當時日義德等地的軍國主義興起，出現對各國瓜分的情況。他在1937年元旦的創作主題名為〈一九三七年世界展望〉，指出他所畫的十幅畫當中，是當時世界發展的一些預測，例如繪畫日德義三國領袖在分贓的情況、無法生活的民眾擠滿在街上的情況；還有飛機轟炸；當然漫畫中亦有一些鼓勵國民抗爭起來的信息，其中一圖則名為「弱小者群都歡告凱旋」主題的畫作，畫裡各示威者舉起著「群小者群聯合起來！」和「為解放爭鬥」等標語，

11　莊華興：〈帝國──殖民時期在東北亞與東南亞之間的文藝流動：以戴隱郎為例〉，張曉威、張錦忠編：《華語語系與南洋書寫：臺灣與馬華文學及文化論集》（臺北：漢學研究中心，2018），頁151-178。

12　詳參 Tie Xiao, "Masereel, Lu, and the Development of the Woodcut Picture Book（連環畫）in China," CLCWeb: Comparative Literature and Culture 15.2 (2013), https://doi.org/10.7771/1481-4374.2230，瀏覽日期：2020年7月27日。

13　《木漫情報》，《南洋商報》，1936年8月9日，頁11；1936年8月16日，頁11；1936年8月23日，頁11；1936年8月30日，頁11。

來激勵國民。[14]當時，新加坡戰前主要的漫畫場景與題材，自然是關於中日戰爭及太平洋戰爭期間的題材。例如戰爭結束後，1946年新加坡畫家劉抗（1911-2004）出版名為《雜碎》的漫畫結集，以中英對照方式，記下日本在南洋地區戰時的各種戰爭罪行。[15]

在戴隱郎的推動下，木刻與漫畫文化開始在南洋地區慢慢發展起來。戴隱郎曾於三角埔（即今天多美歌〔Dhoby Ghaut〕）國語夜學院，主講「漫畫的時代價值」。他在演講中，不但介紹當時短短十多年間，漫畫在中國的發展，由王文龍、豐子愷到葉淺予，又說到現時王子美等人發展出漫畫理論，故讓南洋的聽眾知道漫畫不是隨心亂畫一通，而是以簡單而深刻意義的表現方法，呈現感動力，比起文字更有刺激性，有助推動文化發展與改造社會。[16]

戴隱郎編輯的〈文漫界〉主要是倡導抗戰，同時在其左派背景的影響下，[17]顯然看見其作品也有為共產國際宣傳的影子。同時，其作品也描述著社會的黑暗面，其中一組作品〈為實現總理主張而奮鬥〉，就是嘲諷蔣介石提倡三民主義思想。可見，南洋文壇本來就是中國大陸文壇競爭的對照。不過，與中國戰前漫畫的特徵最大不同之處，就是南洋在地漫畫很多時候都有著與馬來亞社會相關的

14　〈一九三七年世界展望〉，《南洋商報》，1937年1月1日，頁36。

15　劉抗在太平洋戰爭前任教於南僑師範學校，戰後主要任教於新加坡不同的中學。他戰後一直擔任各種新加坡藝術團體的召集人與成員，為新加坡藝術與漫畫發展帶來貢獻，其畫作大部分由後人捐贈給新加坡國家美術館，讓美術館定期開放給觀眾參觀。

16　「漫畫的時代價值」戴隱郎在國語夜學院之演詞〉，《南洋商報》，1936年2月17日，頁5。

17　戴隱郎被視為馬共在文化抗戰方面的代表人物，詳參危令敦：〈百年夜雨神傷處：從三篇小說看馬華與中國之文學想像〉，《現代中文文學學報》，第6卷第2期（2005年1月），頁261。

圖像，如有漫畫介紹炒白豆的印度小販（Kahcheamputeh）、馬來沙嗲以及馬來人的生活，還有當地聘請印度錫克人作守門人的習慣等，都是南洋典型的風俗形象，在戴隱郎的創作中可見南洋漫畫藝術的風格日漸形成。

　　戰前的南洋藝術圈子日漸形成，除了不少义人南來新加坡或從中國學有所成重返南洋的藝術家外，還與當地成立了相關學府有關。1938年，福建著名藝術家林學大（1893-1963）南來新加坡，創辦南洋美術專科學校。[18]南洋美專是由陳嘉庚的集美集團出資，該校是一群廈門出身的藝術家、教育家與實業家合作而形成的藝術學校。很多後來的校友及學者都認為南洋美專更是戰前廈門美專的繼承者，師資都是從當地過去的。雖然南洋美專是培養各種傳統藝術新秀的地方，但是戰後不少漫畫家都曾受學於南洋美專。換句話說，南洋美專是當時培訓南洋畫家的基地，也是啟蒙當地漫畫的重要空間。例如戰後的著名漫畫家翁翼（1935-1993）、韓紹豐（克夫，1934-2014）以及木刻版畫家林木化（1936-2008），就是南洋美專的畢業生。這些南洋美專的畢業生，很多都在戰後成為了漫畫家，或影響了不少人從事漫畫事業。

　　雖然有評論家在戰後曾形容星馬當地的漫畫界當時仍是沙漠，[19]但其實仍可看見一些獨有的漫畫文化發展面向。第一，漫畫與木

18　呂采芷：〈華人藝術的在地性與普遍性——以林學大為中心的考察〉，《藝術學研究》，第20期（2017年6月），頁8-12。

19　古烽：〈木刻與漫畫——「星馬木漫選集」〉，《南洋商報》，1955年10月25日，頁8。

刻版畫作為姊妹藝術，受魯迅的主張思想影響，這種想法也從中國大陸轉移到東南亞；第二，漫畫成為重要的社會表述的媒介，特別是對政治議題的表述態度；第三，南洋風日漸形成，在中國主流抗日思潮或反抗國民黨主流佔據漫畫的時候，一些南洋風的創作開始出現，對於戰後發表獨有的漫畫潮流有極重要的影響。

3 戰後的新加坡漫畫發展特徵

戰後的印刷環境改善及媒體的發展，讓漫畫在戰後成為了大眾認識身邊事物及世界大事的重要媒介。新加坡戰後早期的漫畫，大多是報刊裡刊登的四格漫畫。當中，反映民生議題及教育大眾為主要的漫畫目的。大部分的漫畫家都不是以漫畫為生，而是由報業人員或教師兼任的。幾位早期漫畫家均值得留意，分別是翁翼、黎省吾、丘高朋（1921-2010）、克夫與林玉聰（滿天飛，1942-2016）等等。

翁翼又名翁詩誠，1935年出生於新加坡，祖籍海南，是南洋美專的畢業生。他曾在其作品的序言裡指出南洋美專的林學大和一直鼓勵他發表的《南洋青年》主編丘若琛（1909-1967）對他影響甚深。翁翼主要從事各出版機構的編輯，例如《武壇》等，間中在報章及雜誌發表政治漫畫與教育漫畫。例如，他還未成年前，已曾投稿到香港的《世界兒童》和《世界少年》發表漫畫作品。

他的漫畫在新加坡被視為有濃烈諷刺性及高度建設性，故吸引不少人去欣賞他處理議題的內容及畫風。[20]他曾在一篇名為〈關於

漫畫的諷刺問題〉，提出「一幅漫畫的出現，是要面對讀者負責
的。既然要深入廣大的社會每個角落，就要負起神聖的教育本能，
向讀者進行思想教育；另一方面把醜惡的實像，一一的嘲笑。但要
進行思想改造，切切不能置於死地。對共同敵人，則要以徹底的打
擊以至滅亡，這樣才能使人痛快；否則，就是『親者痛，仇者快』
了。」[21]這種主張明顯反映在他的各種作品之中。

　　1955年時，他負責主編《星馬木刻與漫畫選集》，被視為戰後
新加坡漫畫史奠基作品。他後來的作品，如《東南亞民間故事連環
圖集》、《在烽火的年代裡》[22]與《豬鼻三》，[23]都是當時為人熟悉
的作品。他本人也曾出版過文集講述他個人對社會的看法及漫畫的
想法。[24]翁翼被視為代表新加坡1980年代以前，新加坡漫畫發展的
代表人物，[25]他曾獲邀在南洋大學發表〈在天翻地覆的七十年代裡
漫畫藝術所扮演的角色〉。[26]後來因漫畫聞名，曾在1989年於新加
坡國家博物館畫廊舉行個人展，展示多年來的漫畫與藝術作品。[27]

20　〈翁翼漫畫集簡介〉，《星洲日報》，1966年6月29日，頁3。
21　〈新馬作家真名及筆名對〉，《聯合晚報》，1989年3月18日，頁17；他的其他漫畫研究與分析，可
　　參考翁翼：《美術論析》（新加坡：教育出版社，1977）。
22　〈翁翼政治漫畫選集《在烽火的年代裡》出版〉，《聯合晚報》，1985年7月26日，頁9；翁翼：《在
　　烽火的年代裡：翁翼政治漫畫選集》（新加坡：新加坡湯申文化社，1985）。
23　〈翁翼最新作品　豬鼻三漫畫集出版〉，《星洲日報》，1972年10月23日，頁17。關於豬鼻三的內
　　容，可參考方曼：〈一支藝術的匕首——談翁翼漫畫集「豬鼻三」〉，《星洲日報》，1972年11月24
　　日，頁22。
24　〈「今是樓雜筆」翁翼文集出版〉，《南洋商報》，1978年4月27日，頁24。
25　早在70年代他已經在新加坡舉辦漫畫展覽。〈翁翼詩訓兄弟　漫畫作品展〉，《星洲日報》，1973年
　　10月14日，頁7。
26　〈南大美術協會　明晚漫畫專題　邀請翁翼主講〉，《南洋商報》，1974年12月17日，頁21。
27　〈繪畫、漫畫得心應手　翁翼首次舉行個展〉，《聯合早報》，1989年9月2日，頁47。

可見，其地位得到當時社會的認可。

　　他與新加坡的藝術家在1968年成立「新加坡拔萃畫會」推動新加坡的美術發展，[28]並擔任過該會主席。[29]為了推廣新加坡的漫畫發展，他曾與中國各地的藝術家合作，在1988年成功在新加坡舉辦《本世紀中國漫畫展》。[30]此外，他也一直在各地的業餘班教授漫畫，如新加坡國立大學課外進修部、牛車水成人中心等，獲得很多人的支持。然而，1993年因病突然去世，不少人都認為是新加坡損失了一位出色的漫畫家。翁翼可以視為新加坡漫畫史發展的奠基人物，他的主張及畫作，成為往後的報社漫畫家或是業餘漫畫家的參考對象，影響往後新加坡漫畫發展的模樣。

　　丘高朋是廣東人，戰前在廣州美專就讀，戰後不久便赴新加坡從事美術教育工作。他先擔任《華聲》的漫畫編輯職務，並身兼華文中學的美術科老師，後來也輾轉到過不同學校任教。[31]曾於1960年代出版《圖案設計》，作為當時華文學生的美術教育教科書。[32]與其他漫畫家一樣，他在公餘時期創作漫畫，又在大眾傳媒推廣漫畫的發展，例如他曾到電台探討「為什麼要加強美術教育？」其中，他認為新加坡的美術教育可以推動創作有新加坡意識形態的作品，

28　〈拔萃畫會　十二周年紀念展〉，《南洋商報》，1980年11月23日，頁22。

29　〈拔萃畫會　選出新一屆理事會　翁翼蟬聯主席〉，《星洲日報》，1979年11月27日，頁21。

30　當時潘受也形容該展覽：「這個展太好了，都是反映中國近代史的精品」，詳參畢克官：〈星洲畫家翁翼〉，《美術》，1988年第11期（1988年11月），頁88-89。

31　爰桑：〈丘岳筆下的漫畫〉，《蕉風》，第37期（1955年11月），頁16。

32　〈出版消息〉，《南洋商報》，1964年5月19日，頁12；丘岳：《圖案設計》（新加坡：世界書局，1963）。

從而有助國家的文化與藝術變得更為豐富。

在丘高朋以前，新加坡漫畫大部分都是單張或是沒有連貫性的圖文互動創作。但是1950年代，丘高朋創作了《胡說八先生記事》，被視為新加坡當地最早的四格漫畫。胡說八先生記事，是一個連續性的漫畫，並非像小說長篇，但卻能夠將社會的否定現象予以強力的諷刺。當時有讀者反映丘高朋的漫畫得到讀者歡迎，要求不斷地刊登他的漫畫。[33]

黎省吾，是新加坡另一位早期漫畫家。黎省吾的故事可反映漫畫與報章出版的關係。黎氏早年在《南洋商報》擔任香港新聞編輯，[34]及後轉職為副刊《商餘》的編輯，在該報新馬分家後，黎省吾一直任職於《南洋商報》。任職期間經常以「小黎」之名，畫了不少四格漫畫，他主理《商餘》期間，便有越來越多諷刺時弊的雜文與各種時事漫畫。

1981年新加坡舉辦「五十年代漫畫展」，小黎、丘岳便與翁翼的作品並列在該展收錄的對象之一，[35]可反映他們都是戰後早期的代表漫畫家。另一方面，這些漫畫家的作品在新加坡建國後都扮演重要的角色。當時政府官員曹煜英指出新加坡建國後，不少人付出了代價，但卻無從分享國家的成果，而這些人的貢獻都記述在新加坡的建國歷史中。故當國家建立後，漫畫展可視為使觀眾了解早期

33　爱桑：〈丘岳筆下的漫畫〉，頁16。
34　〈港畫家任真漢當眾揮毫〉，《南洋商報》，1967年3月24日，頁18。
35　〈五十年代漫畫展　本周六由曹煜英開幕〉，《星洲日報》，1981年9月17日，頁5。

社會、國際局勢與政治的重要題材，使當時新加坡國民了解反殖浪潮中，一些被壓迫者所發出的申訴聲音。

與翁、黎、丘同期的漫畫家，也是南洋美專畢業生的，還有克夫（韓紹豐）。克夫一直擔任廣播局的美術員工作。自1970年代起，他便在公餘時間，向《星洲日報》、《新加坡月刊》等刊物提供時事漫畫的稿件。[36] 時事漫畫可以說是新加坡漫畫的代表詞，像克夫被介紹時，都指出他是「在本地，畫時事漫畫或政治漫畫者寥寥可數，若以創作的知名度來說，『克夫』無疑是其中的佼佼者。」[37] 當時，每則漫畫的稿費為50元新幣，以當年物價來說雖然也算豐厚，但畢竟報章數量不多，漫畫家也不可能是單靠稿費來生活，故克夫至其1994年退休以前，也不只是繪畫時事漫畫為生，只是視畫漫畫為業餘的興趣工作。

不過，因為克夫成名得早，且其專欄「笑眼看天下」也得到很多新加坡人認同，故在1989年與另一位漫畫家林玉聰曾前往中國，參加由中國的《幽默大師》雜誌主辦的亞洲漫畫家座談會，代表新加坡介紹當地的漫畫發展，讓當時的中國漫畫界對新加坡漫畫有深入的了解，[38] 並為《幽默大師》雜誌畫了一幅畫家群像以示對該雜誌的支持。[39]

36　〈曾是《星洲》特約作者　獅城漫畫家克夫病逝〉，《星洲日報》，2014年6月21日，https://www.sinchew.com.my/content/content_1394393.html，瀏覽日期：2020年7月25日。

37　〈克夫用眼用腦寫時事漫畫〉，《新明日報》，1986年4月25日，頁8。

38　〈靈峰上的笑語〉，《聯合晚報》，1989年7月9日，頁15。

39　〈青春好作伴好還鄉〉，《聯合晚報》，1989年7月30日，頁15。

克夫的繪畫方式值得留意，他對各種漫畫人物的神態處理得非常認真。例如他受報章訪問時提到，他會先自己練習各種動作，才把畫風注入政治人物的肢體和形態。同時，他從來沒有停留在原來的繪畫方法，他精益求精，曾自學成為新加坡首批以電腦做動畫的藝術家，可以看見雖然漫畫並非是一個文化產業，但是克夫的故事反映新加坡漫畫家沒有墨守成規，而繼續迎合時代發展。

林玉聰，又名滿天飛，為新加坡著名的在地編輯兼漫畫家，早年任職於《新明日報》、《聯合晚報》等，及後也曾向香港的《漫畫世界》與《東南亞周刊》等刊物發表漫畫。他最著名的漫畫角色名為「四眼先生」，早於1986年已被視為新加坡知名度最高的漫畫家。[40] 他曾於1980年代定期在《聯合晚報》以文圖兼論的方式，評鑑生活點滴的〈笑話人生〉；以及在《南洋商報》專門就當代政經問題討論的漫畫系列〈現代經濟漫話〉。例如在1983年10月的一次與讀者討論「丈夫是否應該幫忙做家務？」的生活議題，林玉聰便繪畫一漫畫，描述一個坐在家中看報紙的丈夫，對著忙於照顧孩子及煮飯的太太說：「如果我懂得做家務，還娶老婆幹什麼？」[41] 又在同年11月，討論收入只能夠買車，會不會娶老婆的問題。[42] 這些都是新加坡在80年代經濟日漸興旺以後，大家日漸關心的議題。〈現代經濟漫話〉則每篇會以大約數百字的簡介，講述一個經濟議題，並以簡單的圖像解釋相關的現象。對於當時新加坡國民來說，

40　〈漫畫家的愛情〉，《聯合晚報》，1986年7月8日，頁9。
41　〈笑話人生〉，《聯合晚報》，1983年10月3日，頁14。
42　〈笑話人生〉，《聯合晚報》，1983年11月19日，頁16。

一些經濟概念可能是比較複雜，但圖像變得相當簡單，讓他們容易得知有關資訊。例如1980年7月15日，林玉聰介紹「惡性通貨膨脹」的影響，他介紹相關現象對社會造成的破壞，並在漫畫中繪畫一個代表著經濟制度的汽球，不斷加入「惡性通貨膨脹」的氣體，比喻經濟很快泡沫爆破。

當然林玉聰漫畫也會對應一些本地的社會議題。1978年新加坡政府發起「禮貌運動」，希望讓國民明白一個文雅的社會比一個粗魯的社會好。[43]當時，報社訪問李光耀，希望他講談有關禮貌運動的成效與困難。其中，李光耀提到一些中年人士要改掉舊習慣是很不容易的。所以，他認為從教育讓年輕人改變，就會令這些長輩覺得不好意思，從而改變整個社會的禮貌氣氛。於是，林玉聰便繪畫了一幅大人在升降機中小便的漫畫諷刺這種社會現象。漫畫裡該大人並跟他的孩子說：「爸爸從小養成這種不良習慣，一時改不過來，你可千萬別學。」[44]這些就是諷刺社會上有很多長輩恃老賣老，而不願改變日常習慣的社會現象。

當時，只作消遣的漫畫多數從港臺一帶輸入，而沒有很多本地的娛樂性漫畫出版。黃展鳴是少有從事漫畫事業的新加坡漫畫家，也是繼上述各位前輩後的新加坡在地新一代漫畫家，他在1980年代末至90年代出道，以《星界》、《夢幻》、《驚夢》等漫畫在本地嶄露頭角。1993年，憑《星際行》轉為第一位在港臺工作的新加坡

---

43 〈禮貌運動今後的方向〉，《聯合晚報》，1988年7月4日，頁4。
44 〈禮貌運動今後的方向〉，《聯合晚報》，1988年7月4日，頁4。

全職漫畫家。他最為人認識的是，先後獲得香港兩位重要的流行小說家倪匡和金庸授權，把兩人的重要大著《衛斯理傳奇》及《神雕俠侶》改編成為漫畫。金庸曾為黃展鳴寫對聯為「展奇才於畫壇，鳴藝聲於獅城」，[45] 來展示他對黃展鳴的欣賞。

黃展鳴的《神雕俠侶》得到各地認同，獲翻譯為多種語言，如韓文、英文、泰文、越南文、印尼文等，其成績也有目共睹。而黃展鳴不單在畫功上從改編小說故事而聲名大噪，也從其1999年開始連載至2018年的《天界無限》取得更大的成就。[46]《天界無限》突破港臺武俠漫畫的傳統，以女性為漫畫的主要角色，並獲得不少海內外讀者支持，使他在華文漫畫界佔了重要的角色。而2001年起，他也成立了他自己的漫畫工作室「TCZ制作社」，自行發行與出版漫畫，開始形成新加坡獨有的漫畫行業。2007年，黃展鳴更創辦「新加坡漫畫協會」，[47] 希望創造更適合的空間，讓新加坡的漫畫得以發展，與國際市場對話與交流。他曾接受訪問指出新加坡漫畫出版必須把眼光放寬，不能總埋怨新加坡市場小，其實全世界的市場何其龐大。[48]

20世紀90年代初，另一位新加坡著名的本地創意製作人及漫

45　〈神雕俠侶漫畫版〉，https://www.ylib.com/hotsale/jincomics1/hotsale.htm，瀏覽日期：2020年7月27日。

46　〈漫畫新兵老將　新書上架〉，《聯合早報》，2018年9月26日，https://www.zaobao.com/zlifestyle/trending/story20180926-894152/page/0/1，瀏覽日期：2020年7月26日。

47　〈新加坡漫畫協會開幕禮〉，http://tczstudio.com/zh/portfolio/events/css-opening/，瀏覽日期：2020年7月27日。

48　〈漫畫新兵老將　新書上架〉，《聯合早報》，2018年9月26日，https://www.zaobao.com/zlifestyle/trending/story20180926-894152/page/0/1，瀏覽日期：2020年7月26日。

畫家劉夏宗，帶領著新加坡漫畫走向一個高峰。劉夏宗原名劉霖
（Johnny Lau），畢業於美國南加州大學建築系。1990年代，他聯
同好友投資製作一系列的漫畫——《怕輸先生》（Mr. Kiasu）。Kia
是閩南話「驚」的發音，而Su則是「輸」，意思就是怕輸。閩南語
在新加坡式英語及日常生活華語中，扮演重要的角色，故不少新加
坡人都把Kiasu成為日常生活裡的口頭禪，甚至視為生活的重要意
識。[49] 2007年，《牛津英語辭典》也收錄Kiasu，與其他新加坡式英
語並列於辭典中，[50]可見該字詞在英語世界已有獨特專有的意義。
怕輸是新加坡不少國民的共同心態，也把此看作是社會生存的重要
議題。因此，在20世紀90年代初，劉夏宗創作的「怕輸先生」，便
開始他的漫畫事業。

　　劉夏宗當時發現不論是華族、印度族還是馬來族，怕輸都是
新加坡人共同的語言。大家都希望爭第一，不希望落後。於是，
他與幾位在服兵役時的好友，共同在1990年的新加坡書展發表他
們的創作《怕輸先生》，最早是得到兩極的回應。不過，1993年
劉夏宗與麥當勞合作，推出Kiasu Burger（怕輸漢堡），令怕輸
先生的形象得到更多人認識，同時劉夏宗也推出各種怕輸先生形
象的產品，如唱片、書包、鬧鐘、衣服、水杯等，之後也在1994
年推出了動畫。當時，有些畫家評論漫畫會否過分商業化，但他

49　Arthur A. Bremer, "Kiasuism: A Socio-historico-cultural Perspective," *World Anthropological Studies*, 6.4 (1988): 21-36.

50　"Kiasu is Oxford English Dictionary's Word of the Day: Other Singlish words in the OED," *The Straits Times*, Feb 11, 2015. https://www.straitstimes.com/singapore/kiasu-is-oxford-english-dictionarys-word-of-the-day-other-singlish-words-in-the-oed，瀏覽日期：2020年7月27日。

接受John Lent訪問時表示如果沒有宣傳，漫畫就不會受到大眾接受。[51]從1990年起，先後出版多輯《怕輸先生》的漫畫，得到很多新加坡人的愛戴。當2019年國際的動漫畫海綿寶寶（SpongeBob Squarepants）慶祝二十周年時，在新加坡便選擇以怕輸先生與海綿寶寶的卡通作跨界融合，以引證怕輸先生在新加坡的地位。[52]

雖然劉夏宗的漫畫受到新加坡普遍的歡迎，但劉夏宗本身也不是全身投入在漫畫行業，可見新加坡的漫畫始終未有形成一個漫畫產業，像香港、日本等地般，有著完整分工或是出版模式。但從早期翁翼到近期劉夏宗的作品，大概可以看到新加坡的漫畫變化，從單純時事與社會的反思媒介，日漸出現化為日常生活與消遣的部分。當然，這種轉變也非單線演進的，而是令新加坡漫畫走向更多面向的發展方式。不過，與其他漫畫市場不同，新加坡漫畫只是一個非主流的產業，也可以說是一個仍未成氣候的產業。

4 漫畫的政治；政治的漫畫

如上述回顧幾位新加坡戰後的漫畫家足跡與成就時，都可以看見政治漫畫在新加坡漫畫史佔重要的位置，前述的早期漫畫家無一不是報社編輯或記者，兼畫政治漫畫而出身的。其中，專門繪

51　J. A. Lent, "'Mr. Kiasu,' 'Condom Boy,' and 'The House of Lim': The World of Singapore Cartoons," *Jurnal Komunikasi: Malaysian Journal of Communication* 11 (1995): 77-78 (73-83).

52　"'SpongeBob,' Mr. Kiasu Make a Splash in Coffee Table Book," *License Global*. https://www.licenseglobal.com/books-magazines/spongebob-mr-kiasu-make-splash-coffee-table-book，瀏覽日期：2020年7月27日。

畫政治漫畫的蔡興順（Morgan Chua, 1949-2018）和王錦松，被視為這方面的重要代表。林增如從事政治漫畫的研究時，特別考慮到新加坡在獨立建國後，媒體制度如何影響著當地的漫畫所呈現的文化特徵。他引用新加坡社會學家蔡明發（Chua Beng-Huat）教授的研究與分析，認為漫畫的文化色彩均受到新加坡以實用主義（Pragmatism）作為國家建立論述的關鍵意識形態影響。因此，當社會的控制有助於經濟發展，政府自然就會迎合與應用該想法。[53] 因此，政治漫畫在新加坡會呈現更多通論式的漫畫描寫以及以運動競賽作政治議題的比喻，並且更多在於政府政策的意見為討論，而非像歐美一樣以政治立場之間的對立作為討論主題。

蔡興順1949年出生於新加坡，早年服役於新加坡空軍時，其畫作已獲得當時空軍雜誌《The Pioneer》刊登。他曾指出他的畫作深受《海峽時報》1950年代重要的政治漫畫家陳火平所影響。[54] 1970年，他加入剛創立不久的 The Singapore Herald（《新加坡先驅報》），並成為當時的插畫主編，不久該雜誌便面臨著很大的政治壓力。當年，新加坡獨立後不久，李光耀政府為了抵抗紅色媒體，於1971年決定針對媒體進行「黑色行動」（Black Operation）。1971年6月9日，李光耀前往芬蘭赫爾辛基，談論大眾媒體與新國家的關係時，[55] 嘗試說明新加坡等作為新興國家不能如當時歐美等國家

53 Beng-Huat Chua, "Pragmatism of the People's Action Party Government in Singapore: A Critical Assessment," *Southeast Asian Journal of Social Science* 13.2 (1985): 29-46.

54 "Morgan Chua interview". https://singaporecomix.blogspot.com/2008/08/morgan-chua-interview.html，瀏覽日期：2020年7月23日。

55 "Address to the General Assembly of the International Press Institute at Helsinki".

圖3　*The Singapore Herald* 1971年5月19日的漫畫（圖像由Zen Chua先生授權使用）

以自由開放的媒體政策來管理國內媒體，也說明當時新加坡在出版方面，是有著很多政治的考慮，也影響到漫畫家後來的各種選擇。1971年5月 *The Singapore Herald* 最後一期的漫畫，蔡興順便繪畫了當時新加坡領袖李光耀坐上坦克，而前方有一位代表著言論自由的小孩，正面對著該坦克，來諷刺新加坡政府對媒體的打壓。（圖3）

　　及後，立足香港的《遠東經濟評論》（*Far Eastern Economic Review*）邀請蔡興順擔任該刊物插畫主編，定期繪畫世界各地政治議題的諷刺漫畫。由於《遠東經濟評論》主要分析對象是亞洲各國，故蔡興順其中一個經常批評的對象便是李光耀，因而自此成為了新加坡少數著名的政治漫畫家，變成不少人在1970年代與1980年代認識亞洲各國政局的重要媒介。而且，他的漫畫開創了各種

文化論述與話語之風氣，例如1981年他繪畫了以美國漫畫超人（Superman）為仿作參考的香港富商李嘉誠的形象。[56]該圖背景以香港維多利亞港兩岸燈火通明，以比喻李嘉誠在香港的商業與經濟發展的影響力。（圖4）當年，李嘉誠的長江實業入主市值較大的和黃，並擊敗傳統英資置地取得市區重要地皮，獲得當時不少人的讚

圖4　FEER Super Li（1981）（圖像由Zen Chua先生授權使用）

譽。自此，香港人也從此暱稱李嘉誠為李超人。此外，香港著名的政治漫畫家尊子也承認蔡順興是最影響他的一位漫畫家。[57]

　　另一著名的漫畫作品是他於1989年天安門事件後，一系列有

56　〈「李超人」創作者：權力在我畫筆下〉，《蘋果日報》，2018年6月18日，頁A6。

57　〈尊子視為偶像：佢似李小龍〉，《蘋果日報》，2018年6月18日，頁A6。

關天安門事件的畫作，在各地報刊刊登，並結集特刊在香港出版。他的兒子憶述當時蔡興順繪畫這輯漫畫的堅持，指「父親原本在1988年退休，並打算環遊世界，因為『八九民運』決意復出，回歸《遠東經濟評論》，更計畫出一本書《TIANANMEN》（天安門）……爸爸說一定要在1989年出版，不可以等到1990年，他連星期六、日都不放假，放工回到家，他都要通頂去做……」[58] 蔡順興認為歷史很多時候會被歪曲，但當刻記錄下來，所反映的才是當時真實的一面。[59]

離開新加坡後的蔡興順，與其他新加坡漫畫家不同的是，他積極對於新加坡的政治議題表達其看法，[60] 繪畫了不少諷刺政治人物的畫作。然而，退休後淡出政治漫畫的蔡興順卻反過來繪畫了關於李光耀一生的主題以及紀念李光耀太太柯玉芝一生的漫畫。儘管他早年不斷繪畫諷刺新加坡的政治漫畫，其工作也受李光耀的決定而牽連，但他近年繪畫李光耀與柯玉芝的原因，是希望他能夠以幽默的手法，把李光耀比較輕鬆的一面呈現給社會，讓李光耀的形象能夠更立體地呈現。然而，蔡興順的漫畫成就未有得到討論及確認其地位，可能是因為大家對於報紙出版，關心的是記者採訪及編輯手法，甚少重視漫畫家的貢獻，蔡興順接受訪問時也提到漫畫家應與編輯獲得一致酬金，因為漫畫往往是作品的靈魂，文字則是作品的

58　〈「李超人」創作者：權力在我畫筆下〉，《蘋果日報》，2018年6月18日，頁A6。

59　〈「李超人」創作者：權力在我畫筆下〉，《蘋果日報》，2018年6月18日，頁A6。

60　他兒子蔡澤文憶述父親蔡興順一直對新加坡社會相當關心，作品經常關注新加坡。詳參〈旅居香港本地漫畫家蔡興順離世　政治漫畫作品回新展出〉，2018年8月1日，https://www.zaobao.com/zlifestyle/culture/story20180801-879712，瀏覽日期：2020年7月23日。

骨幹。[61]

　　談到政治漫畫家，另一位不得不提的是王錦松。2020年，在COVID-19疫情與社會運動的陰霾之下，新加坡總理夫人兼淡馬錫公司執事董事何晶也轉載他諷刺川普對社會運動雙重標準的漫畫，令他在華文世界，特別是在中國大陸為人所熟悉。其實，王錦松已經是為人熟悉幾十年的政治漫畫家。

　　1984年，王錦松服兵役後便為《聯合早報》繪畫政治漫畫。他的漫畫在新加坡與國外一直大受歡迎，但當地報刊數目較少，故王錦松可以說是新加坡當今唯一以畫時事漫畫為生的人，其漫畫就是新加坡社會與文化生態的重要寫照。據他於2008年接受《聯合早報》訪問時提到，他繪畫漫畫是面對著各種世界的戲劇變化，加上新加坡又不斷的變化，故其不斷的再造自我的漫畫。[62]他曾經表示，與其他漫畫家不同，時事漫畫既須融合記者的報導，又須結合政治分析家的遠景，亦需要有藝術家的表達能力，才能把各國的重要政治事件以單一張漫畫完成。《聯合早報》曾在2018年訪問一些新加坡街坊讀者，了解他們閱讀報章的感受。其中，他們都認為王錦松的漫畫是《聯合早報》每天不得不看的部分。有當地街坊認為「王錦松的漫畫很抽象，但你又能領會到其中的含義。我覺得畫得很到位，緊跟著時局走。」[63]可見，王錦松的漫畫無論在國際社會

61　"Morgan Chua interview". https://singaporecomix.blogspot.com/2008/08/morgan-chua-interview.html，瀏覽日期：2020年7月23日。

62　https://www.zaobao.com/special/report/singapore/zaobao85/story20080906-112180

63　https://www.zaobao.com/special/report/supplement/zaobao-95/news/story20180913-890711

還是新加坡本地都受到不少讀者的歡迎。

　　不過，如果仔細閱讀王錦松的漫畫，他在《聯合早報》刊登的漫畫大多是國際議題，甚少是與本地議題相關。[64]即使曾有本地議題，該話題主調也會帶有與政府主流論述並行的話語或是並非針對政府的管治。例如在2019年，他曾繪畫一幅有關新加坡社會不滿新加坡國立大學處理校園內一宗性騷擾案的漫畫。（圖5）然而，並未見到他同年有其他本地政治人物的諷刺漫畫。相反，報章介紹王錦松的漫畫，都是突顯他描述國際各地政治領袖的畫風與內容，而非對國內政治人物的討論。

圖5　新加坡國立大學性騷擾案漫畫（新加坡《聯合早報》王錦松提供）

64　Lim曾指出王錦松等本地漫畫家知道相關的作品不會獲得編輯接受，故更專注於國際議題。詳參 Cheng-tju Lim, "Political Cartoons in Singapore: Misnomer or Redefinition Necessary?" *Journal of Popular Culture* 34.1 (2000): 78；這一點可從蔡順興接受Mothership.sg訪問時得到補充，蔡氏指出當地編輯對政治漫畫的自我審查，導致政治漫畫發展稍緩。

　　2014年蔡順興接受新加坡網路媒體Mothership.sg（慈母艦）訪問時，曾提到："Local cartoonists love to draw caricatures of other leaders except our own. In fact, cartoons will inform our present leaders what's happening, in which the 'Yes men' grassroots failed to do so." 新加坡的本地漫畫家大多只諷刺外國政客，而忽略了本地的領袖。而事實上，漫畫是令到當時領袖可以知道社會發生什麼事情的重要媒介。

　　蔡順興離世後，新加坡的漫畫愛好者為他舉辦一次紀念展。期間，新加坡本地漫畫家陳俊強接受邀請參加對談活動時，認為蔡興順以一個亞洲人身分，用美式諷刺風格評論亞太政治，讓人激賞。尤其讓他驚訝的是，蔡興順原來是新加坡人，在香港畫論新加坡。他補充說：「是不是只有在外國才可以自由發表看法？另外，現在新加坡年輕一代已經不認識蔡興順了，畢竟政治漫畫在新加坡不是很普遍。《聯合早報》的王錦松作品很好，但很少畫新加坡。其實新加坡不是沒有題材，像是近年發生的歐思禮路事件、總統選舉，都是很好的題材。我覺得新加坡人缺乏一些幽默感，或許是不敢嘲諷自己的政治人物，覺得要畢恭畢敬才行。都什麼年代了？」[65] 這段補充不就是反映著新加坡的政治與文化脈絡，以及漫畫家在這種脈絡下的書寫面貌選擇，也解釋了漫畫發展在當代新加坡的一個重要現象。

65　〈旅居香港本地漫畫家蔡興順離世　政治漫畫作品回新展出〉，《聯合早報》，2018年8月11日，頁2。

5 東南亞的國際小國；繪本的東南亞大國

新加坡的閱讀市場，也許是礙於多種語言交流下，導致使用的文字通常不會太深奧，故相對其他讀物，文圖並茂的繪本在新加坡居然站得相當穩健，也拓展了新加坡的閱讀文化以及書店發展。2010年起，新加坡每年都會由新加坡書籍理事會（Singapore Book Council）舉辦「亞洲兒童讀物節」（Asian Festival of Children's Content），希望通過新書發表會、課程、講座等活動，推動各種童書出版、教育、創作等相關的活動，以使參觀者與出版者可以就各種「兒童讀物」的問題加強交流。新加坡書籍理事會是一個獨立的慈善機構，希望通過各種創意寫作、閱讀、繪本、翻譯及故事敘述等發展創意、想像力、原創力的元素，從而建立想像共同體（Imagine-nation）。[66]而該會定期在新加坡舉辦童書節主要目的是協助兒童對亞洲獨有的文化與環境有深入的認識，從而使這些讀物成為兒童的全人發展的重要一部分。與此同時，新加坡也能借繪本的發展，讓世界各地聚焦新加坡在文化事業上可扮演的角色及帶來的貢獻。

新加坡的教育界無論是學前或是學校教育，對於繪本都有極大的需求，故繪本是新加坡的讀物市場中，甚少有人提到其青黃不接或是顧客群不足的情況。原因是繪本作為輔有強烈教育的讀物，有

66　"AFCC Achievements," https://afcc.com.sg/2020/page/achievements，
　　瀏覽日期：2020年7月27日。

其特殊的用途，故在新加坡的社會特別吸引家長購買。新加坡有不少專門出售為兒童創作的繪本書店，例如位於福康寧附近的華文書店「童言童語」、[67] 在中峇魯的英語繪本書店Woods in the Books等，[68] 就是近年流行起來的繪本書店。有些舊式書店，也就著這樣的市場，嘗試改變經營模式，如位於武吉巴梳從舊式華文文史哲書店轉型為具特色的文青式華文書店「草根書店」，其中經常有很多繪本親子閱讀活動推廣。而位於百勝樓的友誼故事屋，就是當地歷史悠久的友誼書齋所經營的。可見，繪本的市場日益擴大。

新加坡當地也有專門出版繪本的出版社，例如玲子傳媒和名創教育出版社，與中國進口的讀物不同，這些本地華文繪本會附上拼音，又有本地色彩，吸引不少家長購買。2017年，草根書店接受訪問時提到，當年書店最多人購買的繪本是在地畫家李高豐（阿果）的《尋找》。而前文提及的「童言童語」，其實是由一間新加坡本地教育機構設立，而該機構也曾舉辦華文繪本比賽，吸引百多份作品參加，且首三獎的作品將會印刷5,000份，[69] 以當地的印刷數量來說，不是很多讀物能夠印刷的數量，可見繪本市場的容量。當地繪本家阿果也曾撰文表示新加坡的中文繪本文化圈已具規模。[70]

67　〈百力果創辦人投入逾10萬　打造本地首家華文兒童書店〉，《聯合早報》，2017年9月6日，https://www.zaobao.com/sme/news/story20170906-793142，瀏覽日期：2020年7月27日。

68　"Woods in the Books," https://woods-in-the-books.myshopify.com/，瀏覽日期：2020年7月27日。

69　〈華文童書繪本　畫出書局遠景〉，《聯合早報》，2017年10月2日，https://www.zaobao.com/zlifestyle/culture/story20171002-799713，瀏覽日期：2020年7月26日。

70　阿果：〈生生不息的繪本生態〉，《聯合早報》，2017年6月28日，頁6。

　　新加坡繪本的特色多於突顯該國特殊的環境與族群認同，像鄭婉妮繪畫的《Where's the Chimney》（煙囪在哪裡呀？），談到聖誕老人要派禮物到新加坡種種的故事，借此來讓小朋友認識新加坡的居住環境、熱帶島國的特色、甚或多族群的社區等話題，解答小朋友的疑問，這無疑是一種新加坡繪本的文化特色。

　　余廣達是新加坡的主要童書繪本作者之一，他在1998年即23歲時在英國學習插畫，後來在當地帶著畫冊尋找出版商，成功出版兩本插畫集，開始走進西方童畫世界。他回新後一方面在各院校教授藝術，另一方面進行繪本的創作。他先後出版過超過百本繪本，名列健力士紀錄。他是新加坡繪本界重要的代表，故於2019年代表AFCC擔任當年Scholastic Picture Book Award評審委員。

　　他在新加坡出版的繪本不是單純的童書，其中有不少都專門撰寫新加坡過往的故事，例如《辛苦了紅頭巾》和《辛苦了苦力叔叔》，[71]就是把新加坡過往一些小人物的歷史往事，通過繪本讓小朋友更深入認識自己國家過去的生活與社會面貌。此外，他也曾為李光耀的從政與童年畫了兩本繪本，既獲得書獎，並有超過2萬本的銷量。[72]與政治漫畫的諷刺部分不同，余廣達的政治人物漫畫更重視於事跡如何讓孩童學習的勵志故事，反映出當地的漫畫具有強烈的教育目的。

71　〈2018新加坡書展　24本華文新書　擁抱本土情懷〉，《聯合早報》，2018年5月21日，頁2。

72　〈插畫家余廣達　給歷史綵上童彩〉，《新明日報》，2016年10月29日，頁23。

　　余廣達以外，另一位繪本畫家代表就是李高豐。李高豐，又名阿果，原為義安理工學院的講師，畢業於新加坡國立大學中文系，並於英國取得童書繪畫碩士學位。阿果的繪本作品非常的多，他曾在訪問中表示，他的繪本並非單純教育性的，可是購買的是家長，故他了解到作品傳達這些信息尤其重要。而新加坡的繪本市場也隨著家長願意購買繪本，有其發展的空間。[73] 他的作品也是充滿本地情懷，例如 2016 年國家博物館舉辦了他的講座——獅城在夢裡，[74] 正是一次反映他對 80 年代新加坡各種舊事物的島國風情與共同記憶的展示。

　　阿果最著名的《尋找》，是 2016 年新加坡華文圖書獎最佳童書獎。故事講述他居住在韓國期間，通過韓國的景物而展示出各種風景中的思考的繽紛繪本。該書雖然並非以新加坡為主題，但作為一種東南亞遊人到東北亞停留期間所創作的作品，有助於讀者對世界不同角落有更深刻的認識。該書不但在華語世界大賣外，也翻譯成韓文在韓國發行。由此可見，新加坡的繪本已經日漸在國際市場得到認同，也獲得更多人的支持。[75] 阿果的作品不限於出版的繪本，他的各種商業或文化合作，令其作品有更多的機會與其他人有所接觸。例如，他曾與星展銀行合作製作了一些有關儲蓄存款的廣告。

73　〈以童心看世界——阿果與李文良說繪本〉，《聯合早報》，
　　2018 年 8 月 16 日，https://www.zaobao.com/zlifestyle/culture/
　　story20180816-883525，瀏覽日期：2020 年 7 月 26 日。

74　〈阿果講座：獅城在夢裡〉，https://www.zaobao.com/news/fukan/
　　story20160729-646925，瀏覽日期：2020 年 7 月 27 日。

75　〈阿果《尋找》在韓發行〉，《聯合早報》，2018 年 1 月 8 日，

而阿果一系列的明信片以及各種文創產品，也在草根書店裡寄賣。這些例子均反映著新加坡繪本事業的全面成長。

近年新加坡繪本也有另一種發展模式。隨著來自中國大陸的新移民日漸增加，在新加坡受中國教育訓練或與中國大陸社會文化相關聯的繪本作者也有不少。例如2000年玲子傳媒出版了中國作家九丹所繪的《烏鴉》後，在新加坡以至亞洲各地都大賣。新加坡華文出版社開始催生了大批以移民生活及際遇的華文繪本，例如《我們中國人》、《中國女子的新加坡》、《百合──中國母親在新加坡的情緣》等。[76]在這些繪本中，明顯與余廣達或阿果所撰寫的獅城故事完全不同，而這些新移民的生活就像是平行時空一樣，這些新移民的繪本正好回應這方面的市場。

與其他地方不同，族群的認同是新加坡的重要議題。2020年7月，新加坡發生了一件繪本觸碰種族議題而下架的事件。一本名為《誰贏了？》的華文繪本，涉及影射膚色較深的族裔為校園霸凌者，引起大家對種族主義的爭議討論。於是，該書在新加坡的圖書館下架，而出版社也決定停止售賣該書。[77]可想而知繪本在新加坡受到大眾重視，認為其教育功能對新加坡學童有很深遠的影響，故政府寧願把書下架，也要確保種族議題的教育傳播正確性。

76　〈從過去到未來，新加坡的華文創作遇到了哪些機遇與挑戰？〉，《新加坡眼》，https://www.yan.sg/congguoqudaoweilaisghuawen，瀏覽日期：2020年7月26日。

77　〈新加坡兒童繪本涉種族歧視，國家圖書館與出版商急下架〉，《關鍵評論網》，https://www.thenewslens.com/article/138225，瀏覽日期：2020年7月26日。

6 歷史中的漫畫；漫畫中的歷史

2019年，是新加坡開埠二百周年紀念，全國官方或民間都有不同的討論項目或紀念活動。其中，繪本與漫畫方面也有相關的出版，來紀念國家的早期歷史。劉夏宗與一些本地畫家合作，完成全新的漫畫《怕輸先生在新加坡歷史》（*Mr. Kiasu in Singapore History*），該書的目的是希望能夠吸引年輕人認識新加坡的歷史，而很多人都認識怕輸先生，儘管未必看過該漫畫，但借這個為人熟知的人物，將有助大眾認識新加坡歷史。[78]可見漫畫經常在新加坡當地被用來反思歷史的媒介。

近年，較為國際矚目的新加坡漫畫家，不得不提劉敬賢（Sonny Liew）。劉氏1974年出生於馬來西亞，小時候移居新加坡。他於2015年出版一本名為《陳福財的藝術》（*The Art of Charlie Chan Hock Chye*）的漫畫，以一位名為陳福財的漫畫家成長的故事，探討新加坡與馬來亞各地為獨立而展開的各種歷史敘事。該書在2016年取得新加坡文學獎（Singapore Literature Prize），並於2017年獲得艾斯納獎（Eisner Award），被視為漫畫工業的奧斯卡獎。該書不只是一種單純的商業漫畫，而是通過漫畫中的漫畫，展現新加坡獨立前後的各種歷史敘事的多樣性。

作者劉敬賢在書中想像陳福財成功創作各種在新馬當地大受歡迎的作品，例如只能夠用華語才能控制機械人的《阿發的超級鐵

---

78 https://www.zaobao.com/zlifestyle/culture/story20190626-967373

人》（*Ah Huat's Giant Robot*）、[79]關於太平洋戰爭與日本對戰的《136部隊》（*Force 136*）、講述李光耀與林清《一山不容二虎》（*One Mountain Cannot Abide Two Tiger*）、《入侵》（*Invasion*）與《蟑螂俠》等等。在接受漫畫學者Philip Smith訪問，被問到他受哪些漫畫的影響而決心繪畫時，他指出東西方的漫畫都有所影響，例如老夫子、The Beano、史高治叔叔（Uncle Scrooge）、丁丁歷險記（Tin Tin）等，[80]也表示手塚治虫的漫畫對他有很大的影響。[81]而事實上，在《陳福財的藝術》裡，你會看到這些劉敬賢提過的漫畫的仿作、致敬與戲作的部分。例如，在劉敬賢指陳福財創作的《阿發的超級鐵人》，就有手塚治虫的小飛俠影子；而《蟑螂俠》則有非常美式漫畫的風格。另一方面，漫畫中、英、馬來文互換，而討論的內容也經常涉及語言的問題。（圖6）《陳福財的藝術》創作的

圖6　漫畫中關於新加坡語言教育問題（圖像由劉敬賢授權使用）

79　Sonny Liew, *The Art of Charlie Chan Hock Chye* (Singapore: Epigram Books, 2015), pp. 8-11.
80　Philip Smith, "Sonny Liew Interview," *Studies in Comics* 7.1 (2016): 154.
81　Smith, "Sonny Liew Interview,"155.

背景，可以看見劉敬賢本人在新加坡多語言教育的成長，受到的是多國際互相交織的漫畫氛圍，其作品也反映如此的多樣方向。

陳福財在劉敬賢的描寫中，他出生在1938年，表面看來這一年是沒有任何意思。然而，當年是《超人》在美國出版的年份，可見劉敬賢在漫畫的描寫中，對於歷史細節與經典致敬方面，把握得非常細緻無遺。在劉敬賢關於《阿發的超級鐵人》對新加坡建國歷史的反思有很多值得深刻討論的部分，例如主角陳福財提到1955年福利巴士事件。（圖7、8）當時左翼工會發起工人罷工，希望改

圖7　《阿發的超級鐵人》福利巴士事件[82]（圖像由劉敬賢授權使用）

圖8　《阿發的超級鐵人》[83]（圖像由劉敬賢授權使用）

82　Sonny Liew, *The Art of Charlie Chan Hock Chye*, p. 66.

83　Sonny Liew, *The Art of Charlie Chan Hock Chye*, p. 11.

善工人工作環境以及增加工資，有250名巴士公司工人參與該次活動。當年4月，他們在巴士車廠閘口阻止其他司機開出巴士，以呼籲更多人參與罷工。5月12日，罷工活動升級成為一場暴亂，當時政府的警察開始驅趕示威者，期間一位名為張倫銓的16歲華裔學生被槍傷後死亡。官方往後的論述，一直強調是當時左派的工人與學生不顧該學生死活，帶同其軀體繼續遊行而導致失救。[84]但《陳福財的藝術》以當時的史料套在漫畫之中，則這種說法值得質疑。這些歷史被遺忘或忽略的部分，在劉敬賢的漫畫之中不斷的呈現出來，使讀者對國家的歷史有更全面的思考空間去了解。

除了以《阿發的超級鐵人》作為反殖思考的討論外，劉敬賢也描述陳福財創作了名為《136部隊》的漫畫（圖9），來討論太平洋戰爭期間英人、

圖9 《136部隊》漫畫的「封面」[85]（圖像由劉敬賢授權使用）

84 Stephanie Ho, "Hock Lee bus strike and riot," *Singapore Infopedia*, https://eresources.nlb.gov.sg/infopedia/articles/ SIP_4_2005-01-06.html，瀏覽日期：2020年7月20日。

85 Sonny Liew, *The Art of Charlie Chan Hock Chye*, p. 82.

在地馬來亞當地人與日軍之間的周旋故事，其中以被描繪成面目可憎的狗來代表日軍，而樣貌較正義的貓則為馬來亞本地軍人，並以猴子代表英軍成員。[85] 漫畫雖然以動物來比喻人的戰爭，但劉敬賢借此更具體地描述戰爭的嚴酷，故繪畫時也有很多與肅清有關的描述，而非隨意淡描過去。[87]

戰後，新加坡成為英國的直轄殖民地，當地的政治家開始尋求自治及獨立。1955年《林德憲法》實施，新加坡自治邦成立。勞工陣線在馬紹爾與林有福的領導下勝出第一次立法議會的大選。當時勞工陣線馬紹爾與林有福先後與英國就新加坡全面自治進行多番談判，其中林有福任職首席部長期間，對左派的打壓較為強烈，故失去了當地華裔的支持。後來，1959年的大選中，李光耀與林清祥領導下的人民行動黨取得成功，並出任自治邦的總理。林清祥是人民行動黨中傾向同情左派的領袖，而李光耀也承認林清祥是打動人心的演講者。可是，李光耀擔任總理後，與林清祥分道揚鑣，而林清祥也另組社會主義陣線（社陣），彼此之間的鬥爭更白熱化。1963年，新加坡政府展開「冷藏行動」逮捕數百人，林清祥被指涉及共黨活動而被捕。由於主流的教育與國家歷史涉及的部分論述較為單一，故劉敬賢在「介紹」陳福財的漫畫時，呈現了林清祥與李光耀由合作到分開的關係。[88] 而在漫畫中，也刻意有不少部分來介紹林清祥，甚至想像如果林清祥贏得選舉後的新加坡模樣，借以希望讀

---

86 Sonny Liew, *The Art of Charlie Chan Hock Chye*, pp. 82-85.

87 Sonny Liew, *The Art of Charlie Chan Hock Chye*, pp. 87-88

88 Sonny Liew, *The Art of Charlie Chan Hock Chye*, p. 101 & p. 174.

者能對這個官方歷史不太提及的人物有更深刻的認識，並思考歷史
的多樣與複雜性。這種以不同的偽漫畫描述新加坡建國歷史敘事的
變化，劉敬賢成功讓讀者能以更豐富的想像，來解讀國家的建國過
程與相關歷史。

　　值得一提的是，很多時候劉敬賢的漫畫所繪畫的內容，都盡量
以與人物角色相關的符
號來應對。如《入侵》
漫畫（圖10）描述林、李
兩人合作，背後是一支
火箭來對抗外敵，火箭
就是人民行動黨在新加
坡為人認識的黨徽。而
他在書中的補充，更加
令讀者明白他本人繪畫
那些「漫畫」時背後的
目的。在描述林、李二
人決裂的「漫畫」《蟑
螂俠》（圖11）時，便是
說林、李二人分道揚鑣
的事件。與其他漫畫不

圖10　《入侵》[89]（圖像由劉敬賢授權使用）

89　Sonny Liew, *The Art of Charlie Chan Hock Chye*, p. 101.

圖11 《蟑螂俠》[90]（圖像由劉敬賢授權使用）

同，劉敬賢的文字不只是對白，而是其歷史敘事及論述的關鍵媒介。

他在2017年獲獎接受訪問時，表示他希望模擬解讀陳福財的生平以及漫畫故事，借各種想像出來的漫畫來展現一種更包容的，更加體現新加坡歷史複雜性、矛盾性和豐富性，來超越正統論述。[91]他的書以英語出版後，獲得各地的正面迴響。但政府卻因為認為內容敏感，故把國家藝術理事會的資助撤回，[92]使該書在新加坡外，因而受到國際間的關注，也因而特別出版國際版，方便發行。而2019年該書亦翻譯成中文版，讓華文讀者可對新加坡有更深入的認識。[93]劉敬賢的作品不但對各種新加坡讀者熟悉的漫畫致敬，或是一種回顧漫畫史的讀物外，也是少數對新加坡歷

90　Sonny Liew, *The Art of Charlie Chan Hock Chye*, p. 174.

91　〈不同角度重述新加坡建國史，漫畫家劉敬賢：以批判性眼光接觸歷史教材〉，《關鍵評論網》，2017年9月18日，https://www.thenewslens.com/article/78963，瀏覽日期：2020年7月27日。

92　"An Alternative History of Singapore," *The New York Times*, 14 July 2017, https://www.nytimes.com/2017/07/14/world/asia/sonny-liew-singapore-charlie-chan-hock-chye.htm，瀏覽日期：2020年7月27日。

93　劉敬賢：《漫畫之王：陳福財正傳》（武漢：武漢大學出版社，2019）。

史的議題帶著批判角度的漫畫或圖像敘事作品（圖12）。劉敬賢的作品展示新加坡漫畫家均存在對社會敘述與思考的傾向，希望借漫畫作為藝術與文化的呈現。

圖12 《Eraser》講述劉敬賢本人對歷史敘事的想法 94（圖像由劉敬賢授權使用）

94 Sonny Liew, *The Art of Charlie Chan Hock Chye*, p. 232

7 總結

　　林增如在近年的漫畫評論發現新加坡的漫畫與繪本，有強烈的「個人傳記」傾向，[95] 他認為這是與新加坡的漫畫並未走上專業化有關。亞洲的漫畫市場，特別以日本與香港，都是專業的行業，繪畫漫畫是一門謀生的工作，但是在新加坡，大部分漫畫家都是業餘，在公餘時間創作，故相關的故事或是主題，都會從他們的生活感受及社會體現而產生。因此，國家的歷史或是身邊的社會事物都是這些新加坡漫畫的主要主題。與其他東亞漫畫市場不同，新加坡的漫畫未有發展成為一種社會全面的共同記憶，但是新加坡漫畫卻可讓在地國民或是海外讀者，能夠通過簡單的畫功及故事內容，掌握這個地方獨有的文化、政治與歷史脈絡。其中，政治漫畫是新加坡的漫畫最早的重要特徵，而往後的漫畫大部分都有其社會及歷史議題反思的內容，只有少量漫畫，如黃展鳴與劉夏宗等走向較為商業化的路線。

　　另一方面，繪本作為重要的教育工具，繪本家為了配合教育的需要，把新加坡中小學有意義的課題都融入在他們的繪本之中。與漫畫不同，繪本的發展在新加坡較為成熟，已日漸形成一個自身的產業。這可反映新加坡的實用主義思想在建國過程中影響甚大，家

95　Cheng Tju Lim, "Current Trends in Singapore Comics: When Autobiography is Mainstream," *Kyoto Review of Southeast Asia* 16 (2014): https://kyotoreview. org/issue-16/current-trends-in-singapore-comics-when-autobiography-is-mainstream/，瀏覽日期：2020年7月27日。

長們都會重視如何幫助兒童在「怕輸」的環境中生存，繪本的教育功能，被他們視為讓子女有更好教育的學習體驗，故大量購買繪本來作為教育用途，可見教育用途是新加坡繪本發展不可忽視的元素。

從回顧戰前到戰後百多年的漫畫變遷，可以反映在新加坡未有像亞洲其他國家與城市一樣，發展屬於當地獨有的漫畫或繪本專屬的產業，這樣促使在新加坡的漫畫與繪本著作大多是具有社會性以及教育性，較少是純商業的作品。當然，這並不是指商業作品較平庸，或是社會性作品較高尚，而是這種現象反映的不只是新加坡人對漫畫的態度，也反映著新加坡社會與文化的發展變化特徵。通過對新加坡漫畫史的回顧，敘述各種出色的漫畫作品及漫畫家的貢獻，目的並非只是針對一個單純產業進行歷史回顧，而是思考漫畫發展如何作為一個國家社會變化的對照。

第二卷

示 例

1 華人時事漫畫的初祖:《時局全圖》

衣若芬

描繪19世紀末中國和國際關係的《時局全圖》,以及類似《時局全圖》的《時局圖》經常被收錄在教科書中,呈現晚清的衰頹局勢和岌岌可危的景況。許多談漫畫史的論著也引用《時局全圖》,視為華人時事諷刺漫畫初祖。

《時局全圖》能見度很高,關於這件作品的基本信息卻仍懸而未決。本文研究得知:這件作品於1899年由謝纘泰繪成,1901年曾經刊登於美國的 *Leslie's Weekly Illustrated*。1904年左右被印製成明信片,脫離喚醒中國將被列強瓜分的憂慮,成為東方情景的紀念物。

1 前言

描繪19世紀末中國和國際關係的《時局全圖》(圖1),以及類似《時局全圖》的《時局圖》(圖2)經常被收錄在教科書中,呈現晚清的衰頹局勢和岌岌可危的景況。許多談漫畫史的論著也引用《時局全圖》,視為華人時事諷刺漫畫初祖。[1]

圖1　《時局全圖》（衣若芬攝）

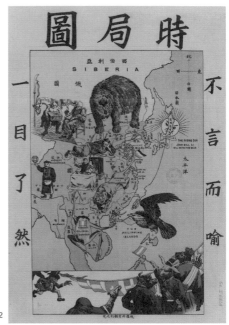

圖2　《時局圖》（法國國家圖書館藏）[2]

　　《時局全圖》能見度很高，關於這件作品的基本信息卻仍懸而未決，例如：

　　1. 圖的作者是誰？是翻譯自西方，還是華人原創？

　　2. 幾個圖像元素的比喻和指涉？有歧義的，代表英國和德國的圖像，畫的是什麼？

1　Wendy Siuyi Wong, *Hong Kong Comics: A History of Manhua* (New York: Princeton Architectural Press, 2002). 楊維邦，黃少儀：《香港漫畫圖鑑1867-1997》（香港：非凡出版社，2017）。甘險峰：《中國新聞漫畫發展史》（濟南：山東大學出版社，2018）。

2　http://catalogue.bnf.fr/ark:/12148/cb40749668z，瀏覽日期：2020年6月25日。

3. 圖的流傳過程中，產生了不同版本和名稱，例如《時局圖》、《瓜分中國圖》，和《時局全圖》有何關聯？

此外，我們也在史料中發現這張圖在英語的語境裡被稱為 "political cartoon"（政治卡通），而非 "comics"，何以有此差別？

本文擬就所查閱資料，一一解答以上問題；並且從文圖學的角度解讀《時局全圖》的圖像構成、增筆複製，以及觀看使用。

2 《時局全圖》的作者和創製年代

目前關於《時局全圖》作者的說法有兩種：

1. 謝纘泰（Tse Tsan-tai, 1872-1938）[3]。

2. 謝纘泰翻譯自西方製作，原創者不詳。[4]

謝纘泰出生於澳洲，16歲時移居香港，就讀皇仁書院。1892年和楊衢雲（1861-1901）等人成立「輔仁文社」[5]。1895年，「輔仁文社」合併入「興中會」。1903年，他和 Alfred Cunningham 合資

---

[3] 謝纘泰的卒年說法不一，此據其孫 Andy Tse 於 2018年11月6日接受《南華早報》採訪所說。見 https://www.scmp.com/news/hong-kong/article/2171070/revolution-always-mind-south-china-morning-post-co-founder-tse-tsan，瀏覽日期：2020年7月31日。劉家林：〈《時局全圖》作者小考〉，《新聞知識》，第2期（1991年），頁40-41。

[4] 上海《俄事警聞》創刊號（1903年12月15日）。王云紅：〈有關《時局圖》的幾個問題〉，《歷史教學》，第9期（2005年），頁71-75。王文將《時局全圖》和《時局圖》混為一談。其他稱《時局圖》為謝纘泰創製或翻譯的文章也有同樣情形，此不一一贅舉。

[5] 一說「輔仁文社」成立於1890年。香港《文匯報》2012年1月12日：「各界紀念香港興中會首任會長楊衢雲先烈逝世111周年、輔仁文社創立122周年大會暨香港楊衢雲紀念協會成立及首屆理監事就職典禮。」http://paper.wenweipo.com/2012/01/12/HK1201120001.htm，瀏覽日期：2020年7月31日。

創辦*South China Morning Post*（SCMP），創刊號發行於1903年11月6日，當時中文名為《南清早報》，1913年改為《南華早報》。現所見《時局全圖》黑白和彩色圖版左下方有"LITHO BY SOUTH CHINA MORNING POST"字樣。

　　1924年，謝纘泰自傳式的英文著作*The Chinese Republic: Secret History of the Revolution*（《中華民國革命祕史》）由《南華早報》出版。書中，謝纘泰提到自己在1899年7月19日設計了一幅政治卡通（political cartoon）"The Situation in the Far East"，[6] 這也是我們在《時局全圖》上看到的英文標題。如果注意到圖的左上角的題詩，會發現題詩的落款，寫的是「戊戌六月　開平謝纘泰寫於香港」，戊戌年六月初一是西元1898年7月19日。是否可能謝纘泰記錯了呢？有學者持這種看法，將《時局全圖》的創製訂於1898年。

　　不過，仔細看畫上那隻蛤蟆，背上寫的是"FASHODA"，意指1898年9月18日至11月3日，法國和英國在非洲爭奪殖民領地的法紹達事件（Fashoda Incident）。因此，《時局全圖》的創製年代應該根據畫面左下角謝纘泰中英文名字後面的記錄：1899年7月。該年7月19日即清德宗光緒25年（歲次己亥）6月12日。

　　謝纘泰《中華民國革命祕史》說這幅圖在國外許多報紙出現。他設計這幅圖旨在喚起中國人，警告民眾外國勢力即將分裂中國的

6　Tse Tsan-tai, *The Chinese Republic: Secret History of the Revolution* (Hong Kong: South China Morning Post, 1924), p. 15.

危險。他答應楊衢雲在日本印刷彩色圖版，當時楊衢雲由於第一次廣州起義失敗避居橫濱。

　　許多談到《時局全圖》的資料都說此圖首刊於1899年的《輔仁文社社刊》，筆者遍尋不著此刊物。[7]輔仁文社已經於1895年併入興中會，推楊衢雲為首位主席，1899年怎會還出版「社刊」？目前所見少數輔仁文社的史料，也都沒有出版刊物的紀錄。

　　筆者所知最早出版《時局全圖》的刊物，是1901年美國紐約出版的 *Leslie's Weekly Illustrated*。[8]圖中有謝纘泰的中英文名字和 "Hong Kong, July 1899"，圖下註明是一位中國藝術家的作品，表現俄國對中國的威脅。除了刪去中文的「時局全圖」字樣和圖說，還刪去了謝纘泰的題詩。*Leslie's Weekly Illustrated* 刊登的圖還有些細部不同於《南華早報》版，比如「浙江」的中文排成上下兩字，而非從右到左的兩字。

　　Leslie's Weekly Illustrated 刊登的《時局全圖》未詳是否為彩色版。認為此圖乃翻譯自西方的說法，來自1903年12月15日上海《俄事警聞》的創刊號。在「現勢」一欄，編者敘述：「這一張圖，叫做《瓜分中國圖》。前年有一個人從英國新聞紙上譯出來的。」所謂的「前年」，也就是1901年。又說：「翻譯這一張圖的人姓

7　此說據稱是由香港文史作家梁濤（筆名魯金，1924-1995）提出。魯金：〈中國第一張時事漫畫1897在香港面世〉，香港《明報》，1989年1月22日。

8　1901年4月6日，第92期2378號。圖參 Peter C. Purdue & Ellen Sebring, The Boxer Uprising, https://visualizingcultures.mit.edu/boxer_uprising/bx_essay02.html，瀏覽日期：2020年8月2日。

謝，是香港地方印的，五彩鮮明，上海別發洋行寄賣。」*Leslie's Weekly Illustrated*刊登的《時局全圖》如果是彩色版，可能就是《俄事警聞》依樣翻印的來源，由於圖上沒有中文畫題，於是從畫意命名為《瓜分中國圖》（圖3）。

圖3　《瓜分中國圖》（1903年12月15日《俄事警聞》創刊號）

大部分漫畫史的書都援用了《俄事警聞》的記載，附的圖卻並非原刊於《俄事警聞》的畫作，而是另一幅上題《時局圖》的作品，造成認知錯亂。《時局圖》增加和修改了《時局全圖》的內容，詳見後文。再者，由於根據的圖像沒有中文說明，《俄事警聞》描述圖中物件的譬喻時，把《時局全圖》畫的香腸說成畫的是蛇，又造成認知錯亂。

除非我們能夠找到推翻《時局全圖》是謝纘泰繪製的更多資料，或是找到他翻譯的來源，我們不能依從《俄事警聞》的說法。既然《中華民國革命祕史》的中英文版都出版了，馮自由（1882-1958）的《革命逸史》也說《時局全圖》是謝纘泰畫的[9]，何以後人不承認、不確定謝纘泰是《時局全圖》的作者？一個粗率的推論，是認為謝纘泰不會繪畫。中國刊物裡提到的謝纘泰，只說他設計

9　馮自由：《革命逸史》（臺北：臺灣商務印書館，1978），頁18-19。

了 "China" 號的飛艇，試飛成功，可惜籌措資金困難，無法正式生產。[10]

謝纘泰加入興中會，由於孫中山（1866-1925）希望楊衢雲讓出主席之位，謝對孫的言論和行為都不能接受，楊衢雲後來被暗殺，謝纘泰退出團體，沒有參加同盟會。《中華民國革命祕史》裡對孫中山多所批評，有損「國父」的形象，他對國民革命的付出未被重視[11]，以致於某些史家不願意採納他的個人觀點，一併抹煞他製圖的貢獻。[12]

3 《時局全圖》的增筆和複製

2020 年 7 月 18 日，一張 1904 年 7 月 14 日從香港寄到美國明尼蘇達的明信片[13]，以美金 156.50 元在 Ebay 網站拍賣售出。[14]這張明信片的圖像沒有畫家的名字，圖外下方印著 "The Situation in the Far East"，這正是以《時局全圖》為底本，增添內容的《時局圖》部分

10　例如《萬國商業月報》第 2 期（1908 年），頁 30-32；《小說月報》第 1 卷第 4 期（1910 年），頁 1-3；《東方雜誌》第 1 期（1911 年），頁 20。

11　謝纘泰的孫子說，他興辦《南華早報》的用意是合法購置石印機，以印刷革命宣傳文件，見本文註 1。謝纘泰《中華民國革命祕史》說他因繪畫《時局全圖》被英國殖民政府審訊。

12　近年研究晚清革命的史家重新重視香港的歷史意義，包括認為「輔仁文社」是第一個革命組。

13　明信片的郵戳顯示：8 月 18 日寄達舊金山。8 月 22 日寄達明尼蘇達。

14　https://www.ebay.com/itm/RARE-1904-Hong-Kong-China-Far-East-political-postcard-Various-Beasts-posted-HK-/193566713234?nma=true&si=bw1TZC6WUiOYCEBrGx5SQO471AQ%253D&orig_cvip=true&nordt=true&rt=nc&_trksid=p2047675.l2557，瀏覽日期：2020 年 8 月 1 日。

內容（圖4）。

和收藏於法國國家圖書館的一幅《時局圖》（圖2）相比，這張明信片沒有「時局圖」的標題和兩旁「不言而喻」、「一目了然」的中文，以及畫下方代表瑞士、奧地利、義大利等國的動物及連串的國旗。這些增加的國家顯示1899年義大利要求租借浙江三門灣和1900年八國聯軍事件，是否是謝纘泰後續之作？我們不得而知，《中華民國革命祕史》也沒有提及。

圖4　1904年寄自香港的明信片[15]

　　《時局圖》和《時局全圖》類似，熊代表俄國；太陽代表日本；香腸代表德國；老鷹代表美國；蛤蟆代表法國。受到《俄事警聞》的影響，後人以為代表德國的是蛇；代表英國的動物，因為被拉長了身軀和翹起細長的尾巴，被誤識為獅子或老虎，其實畫的還是和《時局全圖》一樣的狗。有的象徵物上加了該國國旗。此外，

15　https://www.ebay.com/itm/RARE-1904-Hong-Kong-China-Far-East-political-postcard-Various-Beasts-posted-HK-/193566713234?nma=true&si=bw1TZC6WUiOYCEBrGx5SQO471AQ%253D&orig_cvip=true&nordt=true&rt=nc&_trksid=p2047675.12557

在廣東部分加上蝦子。[16]

　　不同的是，《時局圖》增加了五個人物。這五個人物中間那位穿著清朝官服，頭頂官帽，支頰側臥，雙目低垂，像是吸食了鴉片或是沉睡，他身旁往畫面左上延伸有一張大羅網，被網住的兩個人，一個打赤膊手抬方型重物，身後立著大刀和白馬；另一個戴眼鏡，讀著寫了「之乎者也」的書。中間人物下方，一個摟抱美女的男子右手高舉酒杯，鋪了粉紅布巾的桌子上擺了佳餚美酒。再往左下方，又是一個清朝官員，右手高舉一枚放大了的錢幣。

　　《時局圖》延用了《時局全圖》的地名寫法[17]，例如稱「黑龍江」為「烏龍江」、稱「琿春」為「渾春」、稱當時的大韓帝國為「高麗」、以「伊犁」指稱新疆，英文寫作"Eastern Tuekestan"。中南半島部分標出的「東京」和「安南」則表示1887年以後（至1954年）越南被歸入法屬印度支那的情形。[18]

　　有了這張明信片作為時空佐證，我們可以確定《時局圖》在1904年已經創製，簡化版的《時局圖》被設計成明信片，二者可能都在香港印刷。

16　有的認為這蝦子代表澳門被葡萄牙管轄。如果和畫上的人物形象同觀，也可能即粵語「大頭蝦」，指粗心大意的人。曾子凡：《香港粵語慣用語研究》（香港：香港城市大學出版社，2008），頁123。朱士嘉在美國發現的《時局圖》有後人題詞，為粵語口語，其中關於蝦子的部分寫道：「唉！我好笑好嬲還有個只蝦仔，他一身咸氣重，八字須仔飛飛，枉費你中原如許大地，總系一角落藏，沒有作為！」，見《近代史資料》，第1期（1954年8月），頁7-12。可知題詞者認為蝦子指責的是廣東官員而非外國。

17　《時局圖》上「陝西」寫成「狹西」。

18　1887年10月，法國在已佔領的越南分為東京、安南、交趾支那三個區域。

4 《時局全圖》的創製文化系譜

對於初接觸到《時局全圖》的觀者，《時局全圖》的構思設計奇特，具有相當的視覺衝擊力。這樣的動物／物件喻指國家的地圖繪製，興起於19世紀中葉。描繪俄國和英、法爭奪小亞細亞地區權益的克里米亞戰爭（Crimean War, 1853-1856）期間，1854年倫敦出版的漫畫戰爭地圖（Comic Map Seat of War, 47.9×68.1 cm）畫家湯瑪斯・昂偉恩（Thomas Onwhyn, 1811-1886）就用動物代表國家——俄國是熊，英國是獅子，法國為鷹。[19]

法國畫家Paul Hadol（1835-1875）描繪普法戰爭（Franco-Prussian War）的歐洲漫畫地圖（Comic Map of Europe 1870, 28×44 cm）表現了當時歐洲各國的態度和彼此張力。其中，瑞典被畫成豹（panther），愛爾蘭是英國（婦人）牽著的貓。[20]這幅地圖後來有德國畫家Arnold Neumann（1836-1920）的歐洲幽默地圖 （Humoristische Karte von Europa im Jahre 1870, 35.56×40.64 cm）回應不同的觀點。[21]

19　GDC Titley, Thomas Onwhyn: a Life in Illustration (1811-1886) , https://pearl. plymouth.ac.uk/handle/10026.1/11855, http://www.barronmaps.com/1854-the-year-of-rock-and-droll-the-comic-map-of-europe-is-born/，瀏覽日期：2020年8月1日。艾希禮・貝登威廉斯（Ashley Baynton-Williams）著，張思婷譯：《怪奇地圖：從虛構想像到歷史知識，115幅趣味地圖翻轉你所認知的世界》（臺北：馬可字羅文化出版，2017）。

20　https://www.crouchrarebooks.com/maps/view/hadol-paul-comic-map-of-europe，瀏覽日期：2020年8月1日。

21　https://www.geographicus.com/P/AntiqueMap/KarteEuropa-neumann-1870，瀏覽日期：2020年8月1日。

圖5　1885年6月*Japan Punch*（中央研究院圖書館藏）

　　動物造型的國際地圖之外，《時局全圖》還具有19世紀幽默諷刺漫畫的調性。法國的*Le Charivari*（1832-1937）；英國的*Punch*（1841-1992, 1996-2002）；日本的*Japan Punch*（1862-1887）；法國的*Le Petit Journal*（1863-1944）；香港的*The China Punch*（1867-1868, 1872-1876）；美國的*Puck*（1871-1918）；上海的*Puck or Shanghai Charivari*——這些報刊經常刊登用動物擬人，具有隱喻象徵效果、反映時事的圖像。例如1885年的*Japan Punch*就刊登了穿韓服戴朝鮮高笠的人和代表俄國的熊、代表英國的獅子玩牌，他的身後坐著穿滿清朝服戴官帽的中國人（圖5）。

　　《時局全圖》的兩個主題：「中國沉睡」和「中國被瓜分」[22]的

22　土田秀明：〈中国近代における瓜分論の系譜〉，
　　《鷹陵史学》43（2017年9月），頁53-77。

題材屢見不鮮。例如1872年2月1日的 *Puck or Shanghai Charivari* 有一幅漫畫，畫三個階段的中國人，從過去的沉睡，到現在的初覺，而到未來看著這本 *Puck or Shanghai Charivari* 而清醒。[23] *Le Petit Journal* 1898年1月16日，就畫了英國、俄國、德國和日本準備拿刀分割寫了 "CHINE" 的中國大餅。

1843年的 *Punch* 用 "cartoon"（卡通）一詞指涉這種形態的圖像，謝纘泰也說自己畫的是「政治卡通」，對照前文的歐洲漫畫地圖，可見「卡通」和「漫畫」的含意重疊，語詞混用。漢語裡的「漫畫」又稱「連環畫」、「寓意畫」，一般是簡筆畫法。「卡通」則是外語音譯，現在偏向指角色擬人化，以兒童為主要對象的作品，比如迪士尼的卡通角色米老鼠。

20世紀初，亞洲的漫畫刊物延續 *Punch* 和 *Puck* 的風格興起，而且逐漸本地化。不像 *Japan Punch* 是橫濱的 Charles Wirgman（1832-1891）創辦；香港的 *The China Punch* 由 W. N. Middleton 等人創刊；上海的 *Puck or Shanghai Charivari* 由 F. & C. Walsh（別發洋行）發行，表現的是外來者的目光和情緒，1905年北澤樂天（1876-1955）創《東京パック》（*Tokyo Puck*）；1906年赤松麟作（1878-1953）創《大阪パック》（*Osaka Puck*），題材和內容趨於本土。在臺灣，也有《臺灣パック》（臺灣潑克），創刊於1911年

23　Rudolf G. Wagner, "China 'Asleep' and 'Awakening'. A Study in Conceptualizing A symmetry and Coping with it," T*he Journal of Transculture Studies*, Vol. 2, No. 1 (2011), pp. 4-139.

[24]；上海則有1918年沈泊塵創的中英對照《上海潑克》（又名《泊塵滑稽畫報》）（圖6）。[25]

除了法國、英國和美國等國的畫報刊登中國被瓜分的圖像，澳門《知新報》在1898年刊出瓜分中國圖[26]；日本也在19世紀末、20世紀初提出「支那分割」論[27]。美國耶魯大學法學士、英國劍橋大學國際法

圖6　《上海潑克》（衣若芬攝）

專攻的藏原惟昶，就在其1906年的《政界活機》一書中附「清國與列強」插圖[28]（圖7）。圖的結構布局類似《時局全圖》，圖中的國家

24　《臺灣日日新報》明治四十四年（1911）10月13日第8版刊登《臺灣バック》第壹號發行的廣告。《臺灣バック》後來停刊，松尾德壽於1916年在神戶再創辦，是以滑稽有趣為主要訴求的雜誌。1918年取得在臺灣發行許可，直到1936年仍出版，見《臺灣新聞總覽》頁59-60，1936年7月28日。又，國島水馬從1916年到1936年在《臺灣日日新報》擔任漫畫記者，創作「臺日漫畫」，參看坂野德隆著、廖怡錚譯：《從諷刺漫畫解讀日本統治下的臺灣》（臺北：遠足文化，2019）。

25　Hans Harder ed., *Asian Punches: A Transcultural Affair* (Springer Berlin Heidelberg, 2013). Nick Stember, *The Shanghai Manhua Society: a History of Early Chinese Cartoonists, 1918-1938,* Master of Arts thesis (Vancouver: The University of British Columbia, 2015). 吳浩然：《民國漫畫：上海潑克》（濟南：齊魯書社，2016）。祝均宙：《圖鑑百年文獻：晚清民國年間畫報源流特點探究》（臺北：華藝學術出版，2012）。

26　〈辨知新報瓜分中國圖札〉，《益聞錄》，第1759期（1898年），頁121-122。

27　日本《時事新報》1898年2月刊登列強分中國圖。

28　藏原惟昶：《政界活機》（東京：津越專右衛門發行，1906），頁142。藏原惟昶的觀點被引入中國，見李儻譯：〈中國與列強圖說〉，《中國新報》，第1卷第1期（1907年），頁157-167。

圖7　藏原惟昶《政界活機》之「清國與列強」（1906年）（中央研究院圖書館藏）

和1854年湯瑪斯・昂偉恩的漫畫戰爭地圖一樣，熊代表俄國，獅子代表英國。和《時局全圖》相同，老鷹代表美國。不同的是：老虎代表法國，狼犬代表德國，日本則是龍。

　　這些國家的象徵物是否存在造型的規律？《時局全圖》裡的代表物又是如何形成的？以下我用文圖學的方法分析解讀。

5 解析《時局全圖》

　　文圖學研究文本和圖像，《時局全圖》上有圖像文本，還有題詩的文字文本，理解畫意首先必須辨識圖像，明白圖像（能指）和代表國家（所指）的對應關係。

　　早在17世紀，俄國就以熊作為象徵物[29]，漫畫地圖和*Punch*等畫報也用熊指涉俄國，個別圖像由於傳達主旨和立場差異，而畫可愛熊、無辜熊、凶猛熊……。《時局全圖》的熊額頭有中文的「霸」字和英文的"conquest"。圖下方框裡點明的「俄」是「妄霸無恥」，直接批判。

　　如前所述，一般漫畫以獅子代表英國，《時局全圖》畫的則是鬥牛犬（bulldog），身上寫著"The Open Door" and the integrity of China，意指中國的門戶是因中英鴉片戰爭中國戰敗而被英國打開。鬥牛犬的含義，要從圖上日本部分寫的：The Rising Sun {John Bull and I will watch the bear} 得知，表示英日聯合監看俄國。John Bull源於1712年蘇格蘭作家John Arbuthnot（1667-1735）的政治諷刺小說 *The History of John Bull*。John Bull 是個平庸粗俗又脾氣暴躁的中年男子。1762年，漫畫家Sir John Tenniel在*Punch*上發表了John Bull的畫像，他身材肥碩，穿著燕尾服和背心、馬褲，頭戴低矮的禮帽，有時身邊帶著一隻鬥牛犬。[30]因此，《時局全圖》裡的鬥牛犬既是bulldog，也是John Bull，比獅子象徵英國更有貶抑譏諷的意味。

　　《時局全圖》裡的法國是蛤蟆，背上寫著英國和法國爭奪非洲的 "FASHODA"，以及 "Colonial Expansion"（殖民擴張）。英語裡的frog（青蛙）是對法國的輕蔑稱呼，謝纘泰用了英語的概念，再

29　Anne M. Platoff, "The 'Forward Russia' Flag: Examining the Changing Use of the Bear as a Symbol of Russia," *Raven: A Journal of Vexillology*, 19 (2012), pp. 99-125.

30　https://www.historic-uk.com/CultureUK/John-Bull/，瀏覽日期：2020年8月3日。

加上漢語「癩蛤蟆想吃天鵝肉」的妄想，把青蛙的形象更加醜化。

《時局全圖》用香腸代表德國。由於受限於圖中西方國家都被動物化的錯覺，即使圖像上已經寫了 "German Sausage"（德國香腸），中國觀者仍以為畫裡的那一圈是「長蟲」，也就是蛇，而蛇在漢語的語境中有陰險冷酷的意味。Keir Waddington 研究指出：1850 年至 1914 年間，基於英國和德國的競爭張力，以及對德國移民的歧視，德國香腸經常被用來喻指德國，藉食材的不安全、製作的不誠實來影射德國的侵略性。[31] 1864 年 1 月 9 日 *Punch* 刊登的諷刺漫畫，便畫了英國牛肉、法國紅酒和德國香腸。也就是說，德國香腸是對德國的汙名化。

美國的國徽裡有白頭鷹（bald eagle），《時局全圖》裡代表美國的正是白頭鷹。鷹身上寫了 "Blood is thicker than water"（血濃於水），這句始於 12 世紀的諺語有兩個相反的解釋，一是我們常說的「血緣關係重於其他交情」；另一是 "The blood of the covenant is thicker than the water of the womb"，契約之血重於子宮之水，也就是利益結合甚於親緣關係。第二次鴉片戰爭期間，1859 年 6 月 25 日，美國海軍艦長 Josiah Tattnall（1795-1871）違反中立國協議，協助英軍攻打大沽口，並且說了「血濃於水」。無論採取哪一種解釋，Josiah Tattnall 的「血濃於水」都說得通，美國早期是以英國移民為主獨立建成的國家；19 世紀加入分一杯羹的國際軍事陣營，

31　Keir Waddington, " 'We Don't Want Any German Sausages Here!' Food, Fear, and the German Nation in Victorian and Edwardian Britain," *Journal of British Studies* Vol. 52, No. 4 (October 2013), pp. 1017-1042.

也為了有利可圖。

日本的漢字國名有「太陽」的意思，對中國觀者也容易辨識；倒是對西方觀者，就需要在圖像旁邊加註 "The Rising Sun"，連繫 "Japan" 和 "Sun"。

綜上所述，我們知道圖像（能指）和國家（所指）的對應關係因文化差異而非直觀瞭然，創製者為了便於觀者理解，於是加上中英文的說明。這些中英文的說明有兩重用意，一是解釋圖像的喻指，比如圖上方框裡寫的：

熊即俄國

犬即英國

蛤即法國

鵝即美國

日即日本

腸即德國

方框置於「時局」和「全圖」中間，即畫上端的中央，作為畫題「時局全圖」的「破題」：「時局」指的是這些國家和中國的政治外交情勢。

圖像所指雖然寫得很具體，不在圖像的文化情境的話，還是存在認知偏差。換言之，就算畫者明說了各物象的代表國家，仍需要第二重用意──評議這些國家的性質，進一步讓觀者知曉畫者的立場，所以《時局全圖》的下端要畫暗示簽署條約的紙筆和進擊中國

的大砲，「文」和「武」之間，寫的是：

俄　妄霸無恥

英　保國通商

法　志拓已屬

美　念親助英

日　助英拒霸

德　無量大欲

《時局全圖》左上，是傳統中國畫的題畫詩：

沉沉酣睡我中華　那知愛國即愛家

國民知醒宜今醒　莫待土分裂似瓜

落款「戊戌六月　開平謝纘泰寫於香港」，下鈐謝纘泰的號「康如」的「謝康如印」。

齊備中英文圖像和說明，《時局全圖》結合了東西方的文化脈絡，展示了希望經由視覺印象喚醒國人的意志。

6 結語：沿襲・觀看・使用

我曾經在〈文圖學與東亞文化交流研究理論芻議〉一文中，提出文圖學與東亞文化交流研究的七個理論建設面向，即「經典

化」、「政治化」、「概念化」、「抽象化」、「本地化」、「規
範化」和「模塊化」[32]。將《時局全圖》置於這個框架思考，一樣符
合七個面向。

　　《時局全圖》有簡化版的《瓜分中國圖》和增筆版的《時局
圖》，並且成為歷史教科書裡的素材，已經顯示經典地位。圖中表
現的19世紀末國際勢力在亞洲的布局，是政治的主題。把國家形
象抽象為具有概念表徵的物質，既繼承歐洲幽默地圖和滑稽畫報的
諷刺性格，又開啟亞洲本土潑克文化的漫畫類型，規範用圖像言說
時事政務的創作傾向。例如新加坡《中興日報》1907年9月11日的
「非非」專欄，刊登滿清官員貪污腐敗，騙取海外華僑的血汗錢花

圖8　新加坡《中興日報》1907年9月11日（新加坡國立大學圖書館藏）

32　衣若芬：〈文圖學與東亞文化交流研究理論芻議〉，《武漢大學學
　　報》，第72卷第2期（2019年3月），頁101-107。I Lo-fen, "Text
　　and Image Studies: Theory of East Asian Cultural Diffusion," *Journal
　　of Cultural Interaction in East Asia* Vol. 10 (2019), pp. 43-54.

天酒地的漫畫（圖8），便將官員畫成猴子，也就是把人「動物化」，以達到嘲弄效果的模塊式作法。

以上七個面向，主要針對創作而言。對於一般觀者，《時局全圖》提供了香港視角、中國本位的觀看立場。有別於畫報的文字加圖像閱讀情形，《時局全圖》以地圖為主體，具有指示方向、便於公開張掛，乃至集體觀看的物品條件。即使晚清以來的畫報已經以圖像為主，文字從屬於圖像，作為輔助說明，翻看畫報還是個人的行為，除非畫報被攤開展示於群眾，觀者接收訊息需要理解和消化的過程。《時局全圖》的海報形式，畫外國佔據中國和東南亞，一望可見，即使不明白何以用香腸代表德國，用鬥牛犬代表英國，用蛤蟆代表法國，觀者的認知成本還是很低，因此《俄事警聞》鼓勵讀者去買來貼在牆上，教育孩子們。

至於非華人的觀者，沒有家國分崩離析之憂，《時局全圖》的意義自然有所不同。美國 *Leslie's Weekly Illustrated* 刊登的《時局全圖》沒有中文題詩和上下方框解說，只在畫底註明："How the Russian bear threatens China. – A striking cartoon by a Chinese artist, illustrating the situation in the Far East." 只提了俄國對中國的威脅，以及遠東的情況，不牽涉其他國家。連那句指美國的「血濃於水」，是戰爭中的歷史名言，似乎也對非華人觀者無關痛癢。因此，畫家的警示目的在不同的觀者眼裡並不一致，接收圖像的訊息也有所取捨。

增添了人物的《時局圖》，批判的力道甚於《時局全圖》，對華人觀者，或許真的能像畫兩側的題字所說：「一目了然」、「不

言可喻」。《時局圖》製成明信片，即使還是寫了 "The Situation in the Far East"，購買明信片的人是否會認真看待圖像呈現的遠東局勢恐怕存疑。更有可能的，是當成一種地方風土的紀念品，和華人切身的國愁家恨完全無干。

　　海報、畫報和明信片的媒介差異，形成觀者、讀者、購買者的收發信息距離。百餘年前的「沉睡」之憂和「瓜分」之患只存在於歷史中，像忘卻畫家謝纘泰，忘卻一張圖的來龍去脈，那麼簡單而理所當然。

2 糖衣古籍 × 視覺膠囊
——蔡志忠《老子說》的漫畫、動畫和彈幕視頻*

衣若芬

> 古代經典還可作為今日治世生活的箴言,減輕我們煩惱的解藥嗎?良藥苦口,用漫畫當糖衣包裹,能不能讓喜愛閱讀圖像的人群吞嚥得下?同樣的圖像,用漫畫表現和用動畫表現,效果是否相同?把動畫放上網站,觀眾的彈幕又顯示了怎樣的觀影感受?

1 《老子說》

《老子說——智者的低語》(以下簡稱《老子說》)(圖1)出版於1987年,是臺灣漫畫家蔡志忠(1948-)繼1986年開始圖繪中國傳統典籍,首部《莊子說——自然的簫聲》(以下簡稱

圖1 《老子說》封面(衣若芬攝)

---

* 非常感謝蔡志忠先生慨允使用《老子說》圖像。

《莊子說》）之後的又一力作。1989年起，他的簡體版作品風靡中國大陸，動輒銷售上千萬本[1]。蔡志忠的漫畫被翻譯成多種語言[2]，後來改編成動畫，吸引更多的讀者／觀眾。

　　蔡志忠1963年開始投身漫畫，在集英社工作期間畫過二百多部武俠漫畫。1981年製作《七彩卡通老夫子》，獲得第18屆金馬獎。積累了豐富的畫漫畫和製作卡通的經驗，衣食無虞後，他結束經營的公司，專事為報刊畫四格漫畫，作品見於臺灣、香港、新加坡、馬來西亞、日本等地。

　　1984年他出版了《大醉俠挑戰老夫子》[3]，塑造了基本的漫畫人物造型。他表示：從事古籍漫畫緣於和日本友人談起「莊周夢蝶」的故事[4]，圖畫便於理解經典。《莊子說》一推出即轟動暢銷，很快售出日文譯本版權。於是，《老子說》、《列子說》、《孫子兵法》、《六祖壇經》等書的漫畫本相繼問世，掀起看圖畫認識經典的熱潮，推動了經典的通俗普及。1999年，他獲得荷蘭「克勞斯親王獎」（Prince Claus Awards），表彰他「通過漫畫將中國傳統哲學與文學做出了從未有的再創造」。

　　近年他在大陸，與音樂、服裝、食品等產業界合作，多方經

1　陳鼓應的序文指出：蔡志忠的中國經典漫畫在大陸銷售4千萬本，至今數量更多。見《漫畫道家思想》（北京：商務印書館，2009）。

2　一說20餘種；一說《禪說》被譯成45種語言。吳宇娟：〈風華再現——以蔡志忠動畫作品對古典小說的詮釋與再創為例〉，國立臺中技術學院應用中文系編：《傳統文化與現代文化創意產業學術研討會論文集》（臺北：秀威科技，2014），頁142。

3　蔡志忠：《大醉俠挑戰老夫子》（臺北：老夫子雜誌社，1984）。

4　蔡志忠自序：〈龍的傳人應瞭解自己的文化〉，《漫畫孟子》（北京：中信出版集團，2016）。

營，有聲有色。2020年11月17日，蔡志忠在河南嵩山少林寺剃度出家，法名「釋延一」。[5]

關於蔡志忠其人及其作品的研究，目前出版的大多是他的傳記，強調他少年時便認清人生發展方向，別闢蹊徑，以初中學歷自學有成，如他自著的書名，是個「天才與巨匠」。[6]至於他出版的超過百部漫畫和近三十部動畫，被學術界關注的還不多。[7]

陸機云：「宣物莫大於言，存形莫善於畫」[8]，繪畫是以筆墨、線條、色彩為元素的空間藝術形式，文字文本之「可畫」，在於內容精於「寫景」，或長於「敘事」，便於用繪畫呈現。[9]《莊子》、《論語》、《孟子》等經典的敘事構成較為完整，也就是文本裡有時空、人物、對話、情節、觀點，畫家能夠想像情景，展示於畫面。《老子》的文字簡練，意義深遠，但是缺乏敘事性，許多境界

5　https://udn.com/news/story/12660/5023405。臺灣《聯合報》報導：「蔡志忠致力研讀中國古籍和佛書，創作出一百多部漫畫，作品以卅四種語言版本在五十九個國家和地區出版，總發行量超過五千萬冊」。瀏覽日期：2020年11月18日。

6　蔡志忠：《天才與巨匠：漫畫大師蔡志忠的傳奇人生》（北京：中信出版社，2016）。蔡志忠：《漫話蔡志忠——蔡志忠半生傳奇》（北京：三聯書店，1995）。蔡志忠：《蔡子說：蔡志忠的半生傳奇》（臺北：遠流出版公司，1993）。

7　除了少數學位論文，期刊論文的內容稍嫌簡略，例如許銘賢：《蔡志忠《漫畫四書》研究》（嘉義：國立嘉義大學碩士論文，2008）。劉怡君：《蔡志忠的「鬼狐仙怪」系列作品研究》（臺東：國立臺東大學碩士論文，2011）。安然：《蔡志忠古籍漫畫藝術研究》（西安：陝西科技大學碩士論文，2013）。陶然：〈蔡志忠的古籍漫畫〉，《東方藝術》，第2期（1994年），頁27。王偉：〈蔡志忠漫畫特徵解析〉，《藝海》，第5期（2013年），頁82-83。陳春娥：〈從視覺符號性看蔡志忠漫畫《老子說》的文化意義〉，《名作欣賞》，第36期（2011年），頁159-160。楊向榮、黃培：〈圖像敘事中的語圖互文——基於蔡志忠漫畫藝術的圖文關係探究〉，《百家評論》，第4期（2014年），頁83-90。

8　〔唐〕張彥遠：《歷代名畫記》（臺北：臺灣商務印書館，1983年《文淵閣四庫全書》本），卷1，〈敘畫之源流〉，頁2。

9　衣若芬：〈美感與諷喻——杜甫《麗人行》的圖像演繹〉，《遊目騁懷：文學與美術的互文與再生》（臺北：里仁書局，2011），頁173-198。

形態的詞語和譬喻，比如「谷神」、「玄牝」、「知其雄，守其雌」等等，用普通的語言都不見得說得清楚，何況具體畫出？《老子》的視覺呈現考驗畫家的理解和表達功力，因此別有挑戰性。

《老子說》漫畫製成動畫，我所見的有三種版本：

1. 2002年，英業達集團副董事長溫世仁（1948-2003）成立的「明日工作室」和蔡志忠合作，由甲馬創意團隊製作動畫，選取漫畫《老子說》92則中的50則製成動畫。

2. 2004年明日工作室出品《蔡志忠中國經典動畫系列全集》DVD 25部，以及《老莊孔孟》套書，包括《老子說》、《莊子說》、《孔子說》、《孟子說》的精裝書和動畫DVD、互動光碟。將2002年的50則動畫篩選組合，串連成約60分鐘的影片。

3. 香港亞洲影帶也在2004年發行了《老莊孔孟禪》DVD，有華語和粵語配音，《老子說》播放時間112分鐘，至今於網路彈幕視頻平台播映。

2 視覺膠囊

詹宏志先生為漫畫《老子說》寫的序言[10]，形容這種把古代經典畫成漫畫的做法，是為古籍加上糖衣，使得新生代的讀者容易入口而不覺得苦。如果只從暢銷的現象看，糖衣古籍的效能似乎很

10　詹宏志：〈新生代的糖衣古籍──序蔡志忠先生《老子說──智者的低語》〉，蔡志忠：《老子說──智者的低語》（臺北：時報文化，1987），頁7-8。

大；不過那只是嘗了糖衣而已，讀者的具體吸收情形如何，經過了三十年其實還難以判斷。

延續糖衣裹藥的比喻，我想借用服裝時尚界使用的「膠囊系列」（capsule collection）概念設想，稱「視覺膠囊」。文圖學的文本概念包括「文本身體」，穿在身體上的服飾同樣也透露著我們的思想、情感訊息。服飾自古以來便表徵身分、階級、財富、地位等等個人的社會符號，顏色、材質和穿著的場合構成禮節和儀式。我曾經在演講中談過文圖學和時尚的關係，本文暫且先不展開論述。[11]

膠囊衣櫥（capsule wardrobe）的說法在1970年代由Susie Faux提出[12]，1985年Donna Karan將之推廣為膠囊系列服裝，指的是基本款，具有易於穿搭的特性。在追求新變的時裝界，選取「萬變不離其宗」的基本款式好像是保守而且反潮流的作為，但是，弔詭的是，推出膠囊系列的幾乎都是時尚品牌，甚且近年來這些品牌還積極與名人或其他品牌跨界合作，膠囊系列成為新的流行趨勢。

「視覺膠囊」意指將古籍圖像化、影音化、數據化處理，不需咀嚼，容易吞嚥，而且都是「經典基本款」，對於學習和解讀古籍的作用，或許可以從網民發的彈幕觀察。本文就以《老子說》的漫畫、動畫和視頻彈幕為探討實例。

11　2018年2月10日，於新加坡城市書房主講：「尚衣流：張開文圖學的眼睛過生活」。衣若芬：〈穿粉色襯衫的總理〉，新加坡《聯合早報》「上善若水」專欄，2020年4月11日。

12　https://thatsbrass.wordpress.com/2016/01/120170/a-brief-history-of-the-capsule-wardrobe/，https://en.wikipedia.org/wiki/Capsule_wardrobe，瀏覽日期：2017年10月18日。

3 解讀《老子說》漫畫文本

蔡志忠《老子說》漫畫於1987年由時報文化出版，蟬聯臺灣金石堂書店暢銷書前十名，還曾經擠下龍應台的《野火集》高居榜首。1989年北京三聯書店出版了《老子說》的簡體字版。第二集的《老子說》，補充了1987年版的內容，1991年北京三聯書店出版，臺灣時報文化則在1993年出版。目前所見到的《老子說》因出版地區、出版主題不同，排版形式和印刷（黑白或彩色）、篇幅精略有所出入，大致有以下諸系統：

1. 《老子說》[13]
2. 漫畫道家思想[14]
3. 蔡志忠中國古籍經典漫畫（珍藏版）[15]、蔡志忠漫畫古籍典藏系列[16]
4. 漫畫中國思想[17]、漫畫中國思想隨身大全[18]

13　臺北：時報文化，1987（此後多次再版，筆者所見最近為2001年版）；北京：現代出版社，2008（全新彩版）；北京：生活・讀書・新知三聯書店，2012（新版）；北京：商務印書館，2013；臺北：喜樂亞股份有限公司，2015（彩色版）；廣州出版社、中信出版社、山東人民出版社2016年均有出版。

14　與《列子說》合輯為下冊，上冊為《莊子說》。北京：商務印書館，2009；臺北：大塊文化出版，2012；北京：海豚出版社，2013。

15　北京：生活・讀書・新知三聯書店，2012。

16　北京：中信出版社，2017。

17　北京：現代出版社，2008。

18　北京：求真出版社，2015。

5. 漫畫東方智慧系列[19]

6. 套書加動畫DVD[20]

不厭繁瑣地羅列出這些系統的《老子說》，讀者可想見此書之市場價值，尤其近年大陸的國學熱，更有推崇蔡志忠古籍漫畫地位之勢。此外，還可以從另一側面推想，近年漫畫研究逐漸興盛，除了重視大眾文化、視覺文化研究的風向，漫畫，包括與之相關的動畫產業、周邊產品的經濟效益，也是促進研究發展的動力。

本文採用的是1987年時報文化出版的《老子說》，此書版本較早，得以窺見畫家蔡志忠的編繪初衷。必要時佐以其他出版社的《老子說》。以下從全書結構、文言白話翻譯和圖像形式三方面分析。

﹝一﹞全書結構

《老子說》全書共92則，分為三個部分，第一個部分筆者稱為「序篇」，有兩則：〈生命的大智慧〉和〈老子其猶龍乎〉。第二部分有上下兩篇，即《道經》和《德經》81章。第三部分「諸子談黃老」9則，從《莊子》、《六祖壇經》等書裡關於老子的故事或與《老子》可呼應的內容，輔助讀者理解老子思想。

Scott McCloud和Will Eisner[21]都強調 "comics" 文本的連續性，

19　北京：商務印書館，2015。

20　臺北：明日工作室，2004。

21　Will Eisner, *Comics and Sequential Art: Principles and Practices from the Legendary Cartoonist* (Tamartc: Poorhouse Press, 1990). Scott McCloud, *Understanding Comics: the Invisible Art* (New York: Harper Perennial, 1994).

「連續性」建立在內容的敘事性質，《老子》擅長用類比（analogy）的言詞論說「道」的境界形態，沒有具體的人物、情節和時空背景，其中出現的「吾」、「我」也不是特定的個別第一人稱，因此，要圖繪《老子》就必須加上一些鋪墊和說明，使讀者對老子和《老子》有基本的概念。

蔡志忠的安排方式，是先從老子思想的獨特性著手，談老子和「一般人」價值觀的差別，引發讀者對這位非比尋常人物的好奇心，稱老子的思想為「生命的大智慧」。「生命的大智慧」的故事取材於《說苑·敬慎》，《說苑·敬慎》說的是老子探視生病的常摐，兩人往復論道，其中有云：

〔常摐〕張其口而示老子曰：「吾舌存乎？」老子曰：「然。」「吾齒存乎？」老子曰「亡。」常摐曰：「子知之乎？」老子曰：「夫舌之存也，豈非以其柔邪？齒之亡也，豈非以其剛邪？」

《老子說》把常摐的舌齒之喻轉化為老子向人說「柔弱勝剛強」的道理，塑造了敘述者老子，用全知觀點講述老子的故事。

「老子其猶龍」首先展示了老子在世界歷史的時代背景，二千五百年前，人類文明於希臘有泰利斯、赫拉克利特；於印度有釋迦牟尼；於中國百家爭鳴之際，出現了老子。繼而介紹老子姓李，名耳，西周末年楚國苦縣厲鄉曲仁里人，曾任守藏史。比起老子，孔子的知名度較高，取材《史記·老子韓非列傳》、《論衡·龍虛》、

《論衡・知實》等古籍裡孔子問禮於老子的記載，突顯老子勸勉孔子，強化老子的高妙超然。

有了第一個部分從歷史、地位、反常等面向勾勒出老子的大致輪廓，才進入第二部分《老子》正文，讀者就能夠基本掌握老子的觀念，繼而讓老子的學說有較大的發揮空間。到了第三部分「諸子談黃老」，用更為生動多元的故事，烘托出樣貌清晰、理路互通於其他時代及學派思想主張的老子。

於是，原來欠缺敘事性的《老子》在前有鋪墊和後有承續的組織之下，將譬喻具現，填充知識，成為經由圖像敘事的文本。

（二）文言白話翻譯

如果把文字圖像化視為一種「翻譯」，將文言文的老子相關文獻及《老子》白話／口語化，更是名符其實的「翻譯」。圖像化、白話化的兩種翻譯是《老子說》成立的根本，白話化是對文獻的解讀和對《老子》的認知，直接影響圖像化的結果。老子其人其著作，以及著作的註解詮釋存有許多歧見，蔡志忠本人畢竟並非哲學思想的專家，他如何建立對老子和《老子》的認知架構？他的翻譯依據的是什麼？

梳理過《老子說》全書，筆者發現蔡志忠的翻譯來源是王雲五主編、陳鼓應註譯的《老子今註今譯及評介》。此書 1970 年由臺灣商務印書館出版，此後多次再版。以下從異文、斷句、詮釋三方面舉例證明。

1. 異文

第十七章：

太上，**不**知有之；其次，親而譽之；其次，畏之；其次，侮之。信不足焉，有不信焉。悠兮其貴言，功成事遂，百姓皆謂：「我自然」。

「不知有之」河上公注、王弼注等皆作「下知有之」。《老子今註今譯及評介》根據的是吳澄本，意思是「人民不知道有政府或帝力」[22]。此外，本章以及其他大部分篇章的斷句和新式標點（包括文內的括號）《老子說》也遵循《老子今註今譯及評介》，例如本章有的通行本斷句如下：

太上，**下**知有之，其次親而譽之，其次畏之，其次侮之。信不足焉，有不信焉。悠兮其貴言，功成事遂，百姓皆謂我自然。

第二十五章：

有物混成，先天地生。寂兮寥兮，獨立而不改，周行而不殆，可以為天下母。吾不知其名，字之曰道，強為之名，曰大。大曰逝，逝曰遠，遠曰反。故道大，天大，地大，**人**亦大。域中

有四大，而<mark>人</mark>居其一焉。人法地，地法天，天法道，道法自然。

帛書甲本、帛書乙本、王弼注等，均將「人亦大」的「人」作「王」，下文則是「域中有四大，而王居其一焉」，《老子今註今譯及評介》採納的是傅奕（555-639）的本子，認為後文「人法地，地法天，天法道，道法自然」談的都是「人」，故而應作「人」而非「王」。[23]

第三十九章王弼注本：

昔之得一者，天得一以清，地得一以寧，神得一以靈，谷得一以盈，萬物得一以生，侯王得一以為天下貞。其致之，天無以清將恐裂，地無以寧將恐<mark>發</mark>，神無以靈將恐歇，谷無以盈將恐竭，萬物無以生將恐滅，侯王無以貴高將恐蹶。故貴以賤為本，高以下為基。是以侯王自稱孤、寡、不穀。此非以賤為本邪？非乎？<mark>故致數輿無輿</mark>。不欲琭琭如玉，珞珞如石。

「地無以寧將恐發」的「發」字，《老子今註今譯及評介》和《老子說》都作「廢」字[24]，《老子今註今譯及評介》云根據嚴靈峰

23　陳鼓應註譯：《老子今註今譯及評介》，頁116。
24　陳鼓應註譯：《老子今註今譯及評介》，頁150。

意見改「發」為「廢」。「故致數輿無輿」作「至譽無譽」，《老子
今註今譯及評介》認為「故」、「數」為衍文，「輿」通「譽」。
[25]

2. 斷句

前述第十七章的斷句方式尚無礙於解讀文義，然而有的差異較
大的斷句方式則更值得關注。例如第三十二章河上公注本、王弼注
本作：

> 道常無名，樸雖小，天下莫能臣也。侯王若能守之，萬物將自
> 賓。天地相合，以降甘露，民莫之令而自均。始制有名，名亦
> 既有，夫亦將知止，知止所以不殆。譬道之在天下，猶川谷之
> 於江海。

《老子今註今譯及評介》作「道常無名樸，雖小，天下莫能臣
（也）」，「知止所以不殆」句作「知止可以不殆」。因為三十七
章有「無名之樸」，《老子說》和《老子今註今譯及評介》都翻譯
成：「『道』永遠是無名而樸實（質）狀態」[26]，假如照王弼注，
「樸」便不是形容詞（樸實）而是名詞，是「道」的另一個指稱，
所以可以「抱樸」、「守樸」。

25　陳鼓應註譯：《老子今註今譯及評介》，頁151。
26　陳鼓應註譯：《老子今註今譯及評介》，頁135。

3. 詮釋

前述異文和斷句都會影響詮釋，有些即使文字沒有出入，但是選取的解釋不同，內涵便會不同。例如第五章：「天地不仁，以萬物為芻狗；聖人不仁，以百姓為芻狗。……」

「芻狗」有兩種解釋，一是河上公注「芻草狗畜」，王弼注：「地不為獸生芻，而獸食芻；不為人生狗，而人食狗。」也就是分別指草和狗。另一解釋是祭祀時使用，用草紮成的狗形。《老子今註今譯及評介》引述蘇轍、吳澄、林希逸等人的看法[27]，採取第二個解釋，《老子說》亦然。

再如第二十六章：

> 重為輕根，靜為躁君。是以聖人終日行不離輜重。雖有榮觀，燕處超然。奈何萬乘之主，而以身輕天下？輕則失根，躁則失君。

「輕則失根」句，王弼注本作「輕則失本」。《老子今註今譯及評介》根據《永樂大典》改為「根」。河上公章句：「輜，靜也。聖人終日行道，不離其靜與重也。」《老子今註今譯及評介》贊成此說，但「今譯」部分沒有翻譯「輜重」的意思，說：「因此君子整天行走不離開『輜重』。」[28]《老子說》也用了同樣的文句，畫老

---

27 陳鼓應註譯：《老子今註今譯及評介》，頁60。
28 陳鼓應註譯：《老子今註今譯及評介》，頁119。

子垂目獨行，沒有解釋「輜重」。

　　從脈絡上證明了《老子說》的文白翻譯來源，可以說，《老子說》不僅是《老子》的圖像化，還是《老子今註今譯及評介》的簡化及圖像化。《老子今註今譯及評介》和《老子說》互為文本，把深奧的《老子》兩度翻譯，轉化文字為漫畫，讓不同的表達媒材闡述老子的思想。

〔三〕圖像形式

　　《老子說》的主角老子長得光頭圓鼻大耳細目，高揚兩道長過臉龐的眉毛，鼻下濃密如刷子的鬍鬚，造型十分討喜逗趣。此即McCloud對漫畫的界定：畫家用簡化的線條，誇張或放大某種特徵的筆法表現人物或景象。

　　圓額禿頂的老子和蔡志忠畫的光頭神探、大醉俠同一風格，也有南宋畫僧牧谿法常的《老子圖》（圖2），又稱《鼻毛老子像》，日本岡山縣立美術館藏）神韻。和蔡志忠畫的莊子、孔子、列子、

孟子和韓非子等的基本形象類似，尤其是圓鼻大耳細目，身後一個寫了「道」字的葫蘆，葫蘆的樣子令人聯想起八仙中的鐵拐李，在莊子、列子都有相近的表

圖2　蔡志忠與牧谿老子形象比較

現，所異者，莊子和列子有圓束髮而老子沒有，列子的如刷鬍鬚像老子，圓束髮如莊子，可謂結合老莊外形。

在表現形式上，每則伊始列出《老子》原文，依內容多寡分布於數量不一的頁面。每頁面畫數格（又稱面板panel，邊框frame），少則三格，多則七格，在最後有「格外」的結語，有時結語為本則核心觀念的結合，或者把結語放在氣泡（balloon）裡，表示老子在說話。大致每則內容順著《老子》的文本次序自上而下，自右而左畫出，每格角落有編號，便於讀者閱讀。

這裡有兩點值得注意，一是自右而左的順序，和日本漫畫一樣。韓國和歐美漫畫的順序是自左而右，此順序引導著讀者的視線移動。臺灣漫畫受日本影響，蔡志忠曾經在日本畫漫畫，繪有《日本行腳》，故而漫畫格式接近日本。

此外，《老子說》的畫格彼此相連，共同邊框，格與格之間沒有溝漕（gutter）。在蔡志忠其他作品，例如《大醉俠》便有溝漕，可知《老子說》及其他如《莊子說》等古籍經典漫畫的一致無溝漕設計是漫畫家有意為之。

漫畫畫格之間的溝漕區隔了每一張單獨成立的面板，面板有如照片，凝結固定的時空和人事物。越過溝漕到下一張面板，可能就進入與前一張不同的場景，溝漕彷彿提供轉換空間，讓讀者聯想前後兩張面板的邏輯關係。《老子說》的畫格幾乎都是整齊的四方形，不像有些漫畫的面板呈傾斜或人物疊加於面板之間，《老子說》的畫格即使大小不一，還是較為穩定的動態。也可以說，因為《老子說》的重點不在起伏的劇情，前後畫格也不大需要讀者轉換

聯想，邏輯已經形成，只要依照漫畫家的圖像呈現，便得以掌握內容大要，困難的是內容大要提煉出的思想意涵。

4 《老子說》的漫畫與動畫圖像敘事

《老子說》由右向左的呈現和觀看視線移動方式受日本漫畫影響，也和中國傳統長卷和日本繪卷的表述形式有關。明瞭這樣的動線才能掌握漫畫的敘事順序，漫畫的敘事順序關聯著動畫的敘事順序。漫畫的敘事性即經由觀看的視角轉化而構成，讀者按照畫家的布排，在全知觀點或第三人稱觀點之下，從畫格的單一空間連續組合而理解時間的存在，推動情節進展。

以第一則〈生命的大智慧〉為例，總共24張畫格，第1張（圖3）開篇即以全知觀點說：「自古以來，一般的教誨都是：」然後一大（以下稱為A）一小（以下稱為B）比例懸殊的兩人相對坐，A左手執書，右手食指上指，從他的指尖延伸代表語言的氣泡：「人要表現堅強，不可柔弱……」，B瞪大眼睛聽A的指導，B的尖翹嘴形很像藤子不二雄畫的《哆啦A夢》裡的小夫。

下方第2張畫格全知觀點說：「不過，中國歷史上卻出現一位『老子』，與眾不同。」「老子」兩個字特別加上引號，顯示這是一個專有名詞。在老子還沒出場前，畫家先設計「一般人」表達普通的看法，然後老子出場，推翻陳說，使讀者產生好奇新鮮感。第2張畫格裡，老子從右邊走進AB所在的空間，AB面向前來的老子，臉上是「莫名其妙」的突兀表情。

圖3　蔡志忠《老子說》〈生命的大智慧〉之一 [29]

29　蔡志忠：《老子說》（臺北：時報文化，1987），頁11。

　　第3張畫格，老子發表和A相反的言論：「人要表現柔弱，不要剛強！……」A縱身跳起，頭旁邊圍繞點點，顯示驚訝；腳下的線條及雲朵表示速度。B則倒栽蔥，畫格裡只見到他的部分下半身和不完整的雙腿，一樣有表示驚訝的點點和表示速度的線條及雲朵。

　　第4張畫格，B跪著問老子：「一般人都認為剛強好啊！」從3到4，讀者能夠想像A離開了那個對談的空間，B跌倒了再爬起。然後老子說：「剛強的容易折斷……」在這格的頂端和靠近老子的中段有象徵莫測高深的曲線雲團。

　　下一頁畫格5至10（圖4）。延續4的曲線雲團，老子用提問的方式和B辨析「硬」和「軟」，因為是老子問，B回答，按照右先左後的次序，這一頁每一畫格的老子都在右邊，和畫格4不同，這也可以解釋4和5為何要分頁，否則會混亂。畫格7到10，老子繼續舉例說明「強」和「弱」的相對性，兩人的話語沒有放在氣泡裡，暗示他們所處的實際空間沒有變，畫面裡的大樹、小草、狂風、山水都是想像。

　　第3頁畫格11至17（圖5）。11回到5和6的場景，老子的話在氣泡裡：「一般人認為聰明好……」12的老子氣泡中有氣泡，也就是老子講話引申出的情境，兩個人（C，D）對比的財富觀。這兩個人在13被放大，讀者進入了老子講故事的空間，看C和D對話。12中的C比較謙虛不炫富，到了13，C、D兩人的位置調換，D沒有說話，只是用穿戴珠寶戒指的形象表現他在炫耀，由全知觀點解釋D的行為，C的氣泡下有圓點點，表示他在腦中想，沒有說出來

圖4　《老子說》〈生命的大智慧〉之二 [30]

30　蔡志忠：《老子說》，頁12。

圖5　蔡志忠《老子說》〈生命的大智慧〉之三 [31]

的話。C的鼻孔前有噴出的雲朵，表示嗤之以鼻。14又回到11的場景，老子轉身向B說理，雖然背景和11一樣，不過兩人的位置調換不顯重複，老子轉身帶動鬍鬚飄起，使畫面產生動態。

15接著14老子談「人想有所成就，要把智力和精力集中在一點」，老子和B進入另一個想像的空間，F在下棋，F表示他只懂下棋，其他方面不行。16和17呼應11和14，老子和B還是在同一場景，因發言順序而位置對調。

第4頁畫格18至24（圖6）。18和19繼續申述「精一」和「皮毛」。F本屬於想像中的人物，出現在18的右側，正對著老子食指所指，表示老子說的「他」就是F，這裡是「真實」與「想像」的並置。19是14以來的畫格內容總結，到了20，再用全知觀點歸納老子的見解，老子垂首拱手，表示謙和不爭。21和22，老子再舉例說明事物正反表裡都須觀照，21畫老子把頭伸進一個方框裡，如果那是個木板或布幕，觀者從正面平視應該看不見老子的頭，讓觀者透視到老子的頭，表示能看到表與裡的意思。22的視線焦點是一把向下插的巨刀，誇張的體積比老子和B都大，刺激讀者的印象。B和老子各坐在刀的兩側，從他們各自的眼光看去，看到刀利的一面和鈍的一面。21和22裡的B和老子彼此相對，顯示他們相反的看法，B在右側，表示「蒙昧」；老子在左側，表示「啟蒙」，視線由右至左，正是從蒙昧到啟蒙的過程。

最後兩張畫格總結概括老子的思想，老子在竹林裡的大石上，俯首觀看一株石塊和土地隙縫裡冒生出的植物，表達全知觀點中「迂曲轉進」的意思。植物的頂端有象徵生氣蓬勃的半圈圓點。

圖6　蔡志忠《老子說》〈生命的大智慧〉之四 [32]

32　蔡志忠：《老子說》，頁14。

24是23的近距離特寫，從23和24的老子鬍鬚飄動暗示風的方向，24的風勢較23強，連老子的衣帶也隨之水平飄起。這一張是本則的結尾，畫家設計老子的面孔朝向右邊，呼應第2畫格老子從右邊進入論述的空間，有如長卷的首尾呼應和收束；畫裡有風的動態處理，使得讀者不會由於一則的終點而停止閱讀，即使本則已經言簡意賅地概括了老子與眾不同的思想，稍強的風似乎就在掀開讀者探索的好奇心。

　　整體分析而觀，《老子說》裡文字和圖像的多重關係可概括為以下三種：

〔一〕以圖釋文，文字與圖像互為補充解釋

　　《老子》第8章：「上善若水，水善利萬物而不爭，處眾人之所惡，故幾於道。居善地，心善淵，與善仁，言善信，正善治，事善能，動善時。夫唯不爭，故無尤。」這一則有9張畫格（圖7、圖8），在畫格1之前（以下稱「畫格0」），《老子》原文下畫了垂目低首跪坐的老子，身前是一條從水裡縱躍的魚，提示本章談的是和水有關的內容。

　　9張畫格每一張都出現老子，基本上老子的姿態和畫格0的樣子相同，所異者在於低首的程度。《老子說》把「上善若水，水善利萬物而不爭，處眾人之所惡，故幾於道」的觀點化約為「水的三種特性」，畫格1到4便是將水的三種特性以三個視角呈現。視角1為畫格1和2，觀者看到老子的左側，即畫格0的樣子，畫格2是1的局部放大，老子的頭上有水邊花草和一躍一墜的兩條魚，顯示老

圖7　蔡志忠《老子說》〈上善若水〉之一[33]

33　蔡志忠：《老子說》，頁34。

圖8　蔡志忠《老子說》〈上善若水〉之二[34]

34　蔡志忠：《老子說》，頁35。

子的想像動態。畫格3老子站在岸邊觀水，黑色山體中間留白表達瀑布的形象，水流遇石，激起水花和漣漪，顯示「順自然不爭」。畫格4是老子坐石居高俯瞰，顯示水在卑下之處。這四張畫格裡的老子除了畫格3從坐姿變成立姿，位置不動，其後的畫格5到9的處理方式類似，是畫家畫不同角度的老子，觀者隨之感到空間視點的變化。圖像傳達文字內涵，文字也說明圖像的指涉。

（二）文字為圖，表現抽象概念

例如畫《老子》第1章、33章、44章、52章等，其中談到「道」，《老子》原文有的用形象的譬喻，最常見的是以水為喻，其他沒有具體譬喻的情況，《老子說》就直接用文字表達「道」，或是圖像加文字表達「有無」、「榮辱」、「無慾」等概念。

另外一種情況，像畫《老子》第11章「五音令人耳聾」，用一般漫畫常用的手法把「鏘」等擬聲字寫在樂器演奏的畫面上，表現聲音樣態。

（三）轉換畫格帶動敘事轉換，文字／話語／圖像互為文本

《老子說》裡的老子有時是敘事者，以對白輸出，或是和其他人物對話；有時是旁觀者，用老子的眼光看場景，隱喻或是畫外音表達意涵。例如《老子》第5章「天地不仁，以萬物為芻狗；聖人不仁，以百姓為芻狗。天地之間，其猶橐籥乎？虛而不屈，動而愈出。多言數窮，不如守中。」《老子說》以5張畫格分別展現文中的五個段落。第2張畫格沒有畫老子，而是帝王的形象，帝王袖

子上繪滿百姓，表達「一視同仁」之意。畫格3的風箱剖面結合天地和天地之間的空虛。畫格4的現代路標夾雜英語，顯示「多」之無益。最後，畫家還加上原文沒有的老子自言總結：「大道創生萬物，純任自然，無偏無私……。」

《老子》23章的《老子說》畫格11，畫「為政者的誠信不足，人民就自然不信任他」。一朵烏雲降下大雨，落在一個奔逃的人，旁邊加上「哇！」的狀聲詞強調此人的狼狽。配上文字，讀者知曉此人即不誠信的為政者，老子反手背於腰際，似乎對此人的下場發出「罪有應得」的心聲。

動畫是以視覺殘留的原理，繪製數張有著相似內容的圖片，連貫播放而成。和畫格框限住的漫畫不同，不但有聲音、有色彩、還有人物情節的動態。[35]

從總體風格看來，《老子說》動畫採水墨加淡彩的視覺效果，予人典雅穩重清新之感。音樂平和，不做過多高低起伏，起初輕快，進入《老子》內文後，音樂背景淡化。人物對話配音戲劇化，加以旁白口述《老子》原文和《老子說》的白話譯解。

以前述《老子》第8章「上善若水」為例，漫畫裡主體人物不移動位置的處理方式被動態取代，動畫第一景老子在木堤上觀水，畫面簡潔，天空與水藍的漸層滲透。其後分鏡轉場自然，老子彷彿被置於水幕，游魚在其中，旁述者的語速搭配平緩的背景音效，製造

---

35 Maureen Furniss, *Art in Motion: Animation Aesthetic*s (Bloomington: Indiana University Press, 2008).

柔和的觀影感受，這種「娓娓道來」式的鋪陳，使得觀者留下「道」與「水」的直接關聯印象。最後一景和第一景重複，造成環形的完整敘事結構。

可以說，動畫版的《老子說》在視覺直觀上比漫畫容易接受。雖然也有大段《老子》原文，畢竟閱讀需要以既有的文字辨識和大腦認知去和文本互動，而觀看動畫的語音聽覺能夠輔助視覺接收資訊的能力，形成視聽雙功效，圖像敘事的技巧也得以比平面漫畫更具設計感。

我們可以把從《老子》到《老子說》漫畫、動畫的文本轉譯和圖像化過程概括為如下圖示（圖9）：

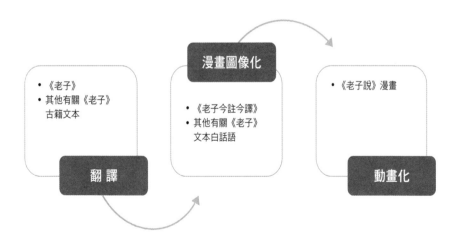

圖9　從《老子》到《老子說》漫畫、動畫的文本轉譯和圖像化過程（衣若芬製圖）

5 動畫《老子說》的視頻彈幕互動

「彈幕」（Barrage）一詞的來源有幾種說法，一是《Z Gun-dam》裡「弾幕が薄いぞ」的台詞，以及《東方Project》裡，允許子彈形成複雜圖案的模式[36]。2006年12月12日，日本ニコニコ（NICONICO）動畫的實驗性服務展開，服務起始之初，就可以輸入留言（comment）[37]，形成所謂的「彈幕」。

中國第一個擁有彈幕的影片網站為2007年6月6日開設的「AcFun」，其「最初為動畫連載的網站」，2008年3月「模仿日本影片分享站NICONICO動畫製作了帶類似字幕的彈幕式播放器」。2010年3、4月間「刷屏」所造成的彈幕泛濫[38]，導其用戶流向2009年成立的「嗶哩嗶哩彈幕網」（Bilibili，簡稱B站），B站並擁有自己的彈幕發送系統。[39]

彈幕的產生，有別於傳統影片分享屬於單一方向對閱聽者的論述，使用者（通常經過註冊的程序），擁有在影片播放同時，表達自己意見的管道。這種互動性往往可以吸引更多其他使用者參與意

36　Xiqing Zheng, "Cheers! Lonely Otakus: Bilbili, the Barrage Subtitles System and Fandom as Performance"，http://henryjenkins.org/blog/2017/6/15/cheers-lonely- otakus-bilibili- the-barrage-subtitles-system- and-fandom- as-performance，瀏覽日期：2017年10月15日。

37　https://ja.wikipedia.org/wiki/%E3%83%8B%E3%82%B3%E3%83%8B%E3%82%B3%E5%8B%95%E7%94%BB#.E3.82.B3.E3.83.A1.E3.83.B3.E3.83.88.E6.A9.9F.E8.83.BD，瀏覽日期：2017年10月16日。

38　https://zh.wikipedia.org/wiki/AcFun，瀏覽日期：2017年10月16日。

39　https://zh.wikipedia.org/wiki/Bilibili，瀏覽日期：2017年10月16日。

見的發表。但同時也構成了濫發訊息的機會，並開闢了一個使用者
間爭持己見，言論互相攻伐的空間。

　　根據2016年12月人民網輿情監測室發布的《彈幕與網絡語言
研究報告》，中國彈幕的愛好者70%是24歲以下的高中生或大學
生，像《老子說》這樣的動畫透過B站播放，便得以觀察留言顯示
的某些觀眾反應。《老子說》在B站有幾種版本，就筆者所見，是
2013年6月17日開始上網播放，觀眾約1.2萬人次，最高全站日排
行504名[40]。該視頻的副標題是「不想看古書，就來看動畫吧」，可
見其預設心態。

　　統計《老子說》的彈幕留言內容比例大致如下：

直接的正面評價	2%
偏負面評價	4%
表達懷舊情緒	2%
表達對內容畫面想法	62%
字幕、彈幕、時間軸相關評語	16%
惡搞，逗趣的網絡語言	14%

　　對內容畫面的想法例如以性暗示或性器官回應「人體哪裡最
硬？」的提問。網路語言例如「頂上去報復社會」，意為「獨樂樂

40　http://www.bilibili.com/video/av606838/，
　　瀏覽日期：2017年10月15日。

不如眾樂樂」的反面，表示「不能只有我一個人受害」，就是指內容太難看，太難懂，堅持觀看的「受害者」不要只有我一人。

　　將同站的《莊子說》和《老子說》比較，可以發現觀眾偏愛《莊子說》，把莊子捧為「男神」；即使197分鐘的《莊子說》比112分鐘的《老子說》還長，由於故事性較強，觀眾不像看《老子說》難耐。

	老子說	莊子說
長度	112分鐘，有彈幕懷疑進度條，不斷有人問還有誰在看	197分鐘，相對少數人數在問還有多少人在看
彈幕數	883條	630條
字幕	有，位置接近中間，且有錯誤，為不少人所詬病	無，有人希望有字幕，卻被質疑聽不懂人話
理解狀況	有人表示有困難	少有表示
畫風	老子的「鼻毛」被詬病	不少認為可愛、萌，「鼻毛」亦被提出，但攻擊性較低
配音	被認為有 TVB 的調調	被認為是TVB的普通話旁白，部分指出是誰配的
背景音樂	有被認為難聽	多數認為好聽

直接的正面評價	相對少	相對多，部分表示漫畫也好看，乃至有「莊子也是男神」的彈幕，連帶對蔡志忠的好評也多
懷舊	部分指出看過，是童年回憶，但有一則表示是「童年陰影」	許多人認為是童年回憶，並有人指出「如果不是這篇文被選入課本……沒那麼多人會注意到它……」
對內容的意見	討論不少，有人拿來與現在相較，在字幕所發生的爭端相對多，至有提資本論相較者	不少人提出附合，形成的討論似乎較少
考據	許多人提出紙不存在於當時，服裝、地名不對	很少看到

6 結語

我們從蔡志忠漫畫《老子說》和《老子》的互文關係，得知畫家主要參考了《老子今註今譯及評介》，將文言翻譯為白話，並根據翻譯圖像化其文本內容。漫畫的圖像敘事性顯示文本和圖像的相對現象，可概括成三種情形：「以圖釋文」、「文字為圖」、「文

字/話語/圖像互為文本」。動畫的《老子說》比漫畫更容易直觀欣賞，畫風清新穩重，呈現典雅水墨效果。

然而，《老子》畢竟不是具有完整敘事的文本，大量的譬喻和深奧的哲理無論是從文字還是漫畫、動畫，都有一定的理解難度。表面像兒童卡通的影像，卻讓觀看視頻彈幕的觀眾發出「童年陰影」的感嘆，對於接受《老子》這樣的古籍經典，無論「糖衣」如何甜美，實際本質還是苦澀難嚥的。

把古籍製成視覺膠囊，儘管苦澀難嚥，堅持看完的少數人在結尾時發出「我堅持到了最後」、「存活，簽到！！！！」、「完結撒花～」、「完了啊QAQ」、「存活確認」的自豪感和集體慶賀感，可能又預示了不可忽視的「經典款」的必要性。

3 文圖協奏曲
——臺灣繪本作家賴馬繪本中的文圖結合模式論析

莫忠明

> 在文圖學的框架下，繪本中的敘事文字，可以作為聲音文本或圖繪繪本進行呈現。圖繪文本中由視覺符號組合而成的繪畫、當中的人物肢體動作、眼神、色彩、氛圍等複雜的交錯關係，為讀者提供了遼闊的詮釋空間。是故，繪本中的文圖協作關係非常多元，文本與圖像之間的關係更是不可切割。本文將以臺灣繪本作家賴馬的作品為例，從文圖學的視角出發，探討文本如何與圖像進行結合，完成繪本的深層敘事。

本文將討論：

一、賴馬作為90年代崛起的繪本作家，其創作有何開創之處？

二、賴馬如何將文字與視覺元素進行組合，讓其讀者感受聽覺性、文學性與圖像性兼具的視聽體驗？

筆者也將提出文本與圖像於繪本中的三種互動模式：「文以釋

圖」、「圖以釋文」及「文圖交叉」，探究繪本如何帶給讀者視覺及聽覺的協奏饗宴。

1 前言

在一般約定俗成的觀念中，繪本[1]最常被視作一種兒童文學，其創作與接受在「文圖學轉向」時代已開始發生變化。繪本的藝術創作已不再是文字與圖像的純然結合。文字可以經由多重組合方式與圖繪進行交涉與互動，創造出更為多元的文本來滿足讀者群不斷提升的審美要求。繪本的讀者也不僅限於兒童，詮釋視角也能更為寬廣。故此，繪本作為一種消費產品，作者在文圖學轉向的時代下所面對的挑戰更為艱鉅。他們必須在固有思維上與時並進且推陳出新，創造出更能迎合讀者審美期待的作品。

臺灣繪本作家賴馬的作品不僅屢獲臺灣繪本大獎的肯定，更熱銷於臺灣與海外市場。尤為值得一提的是，作為一位與時並進的繪本創作者，賴馬不時對已經出版的繪本創作進行修訂，力求在創作手法與視覺效果上精益求精，以期符合與滿足讀者不斷提升的審美需求。[2]故此，筆者認為在21世紀文圖學轉向的契機下，探究賴馬

1　臺灣由於大量翻譯日文繪本，故此二者交替使用的情況更盛。新加坡讀者亦更為普遍使用「繪本」一詞作為這種藝術形態的表現，故本研究擇以「繪本」作為 Picture Book 的中文表述。本文所引用的論著，一些則選用「圖畫書」，筆者特此提出，以免讀者混淆。

2　筆者將於本章第二節，進一步介紹賴馬及其繪本創作。

繪本創作的風貌並且爬梳其繪本中的文圖創作特徵，有其開創意義。

以往，我們在探討繪本敘事時，動輒便引述蘇珊‧蘭格（Susanne Langer）關於文字是「論述性符號」（discursive symbol）及繪畫是「呈現性符號」（presentational symbol）的觀點。她認為文字作為一種「論述性符號」，便於論述思想情感及感官思維。繪畫則是通過「呈現性符號」──線條，來再現自然。故此，文字相較於繪畫，更具敘述聽覺、觸覺、嗅覺、味覺的能力。[3]

繪本作為一種文字與繪畫結合的複合型藝術，自然能夠兼得這兩種敘事藝術的特點進行多維度的敘事工作。例如，賴馬繪本創作中的敘事文字，既具備聲音性，又具備形象性，我們無法再清楚的劃分文字與圖像的敘事任務。而且，當這些具備聲音與圖繪元素的敘事文字出現在繪本中的某一頁面，再與圖繪進行敘事互動，我們需要關注他們如何被聚合，以傳達故事信息及其所帶給讀者的審美感受。若我們繼續持以單一的角度去詮釋繪本，直觀地將其視作一種單純的兒童讀物，我們將無可避免地忽略對其中的藝術特質進行探索。故此，我們應當將繪本的討論，從以兒童為中心的視角提升到一種藝術審美的高度，探索適用於現今繪本創作的觀看模式。

本文將借鑑衣若芬教授提出的文圖學研究框架以進行討論。繪本中的敘事文字可以作為「聲音文本」或「圖繪文本」來進行呈現。再者，由視覺符號所組合而成的圖繪能被視作一種「圖繪文本」，

3　Susanne K. Langer, *Philosophy in a New Key* (New York: New American Library, 1948).

它們經由色彩、線條、視角與構圖產生視覺意義。而圖繪中人物的眼神及動作，都構成圖繪中的「肢體文本」。

而文圖學中的「圖」則可以進一步劃分為三類：

1. **所有具可視性（visible）的視覺形式**：例如符號（symbol）、圖示（icon）、商標（logo）、繪畫（painting）、圖畫（picture）、圖案（pattern）、圖形（graphics）、標誌、照相、攝影、影像、線條、地圖、色彩、印刷物等視覺語言（visual language）。

2. **形象**：審美主體對客體的整體觀察、歸納、總結、凝煉而成的認知和觀念、評價。

3. **想像、意象**：抽象的心靈圖景。[4]

在這一框架下，我們不難發現，「圖繪文本」與「圖」的第三類型有所重疊。而「聲音」與「肢體」又可以被視作構成「形象」的基本元素。而「想像」和「意象」雖然不是直觀目擊，卻是集合各種文本的內化結果。因此，衣若芬教授提出，文圖學談的「文本」和「圖像」不必強加區隔，要點是被直接或虛擬地觀看，作為需要闡釋的文本。[5]但是，筆者要強調的是，這三種文本並不是單獨承擔敘事工作的。他們必須相互交涉，以完成一本繪本的敘事，以及經由感官刺激與樂趣所帶給讀者的心靈圖像。

賴馬繪本中的文字，不僅具備視覺性，也具備音樂性。其圖像

---

4 有關文圖學的論述，詳參衣若芬：〈文圖學：學術升級新視界〉，《當代文壇》，第4期（2018年），頁118-124。

5 衣若芬：〈文圖學：學術升級新視界〉，《當代文壇》，第4期（2018年），頁118-124。

中人物的肢體語言也是讀者需要詮釋的重要視覺符號。故此，繪本存在聽覺文本、圖像文本及肢體文本相互交織與互動的複雜關係。我們要如何將他們置於同一框架之下進行討論，並且爬梳他們相互之間的組合關係？本文將首先帶領讀者概觀賴馬的繪本創作歷程，再從聽覺語言以及文字圖像的角度出發，例其繪本中由圖像符號所構成的多元文本型態。最後筆者將通過文圖學的理論框架，提出三種不同的文圖敘事模式。

2 賴馬及其繪本創作

臺灣繪本作家賴馬，本名賴建名（1968-），出生於臺灣嘉義縣。國中畢業，賴馬便遷至臺北就讀臺北市私立協和高級工商職業學校專攻美術工藝科。畢業後，賴馬曾短暫進入漢聲雜誌社擔任美術編輯，負責廣告設計及美術完稿。[6]漢聲雜誌社是臺灣最早引進圖畫書的出版社，所以這份工作對於賴馬之後的繪本創作，極具啟蒙意義。

一年後，賴馬轉任臺灣《兒童日報》擔任美術編輯，繪製了七年（1988-1996）的報章插圖。這段時間，賴馬最初以本名「賴建名」進行創作，不過由於每期出版都需要大量繪製插圖，他擔心自己的名字反覆出現在報章上，會造成讀者誤解出版社僅有一位插畫

6　詳參吳宜霈、宗大筠：〈進入賴馬的圖畫書世界〉，《繪本棒棒堂》，第19期（2010年3月），頁16-31的訪談內容。

家,故而為自己起了幾個不同的「筆名」交替使用。當時的報章中,舉凡署名「馬到成」、「馬尚豪」或「賴建名」的插畫作品,實際上都出自他筆下。後來,他的同事綜合這三個名稱,以「賴馬」稱呼他,逐漸成了他進行繪畫或創作繪本時的身分,使讀者往往知「賴馬」而不識「賴建名」。

我們從賴馬在《兒童日報》期間所創作的插畫作品,也可以看到他後來的一些創作的雛型。例如,1997 年 1 月 1 日《兒童日報》〈幼兒版──看看幼兒版有什麼寶貝【上】〉中和奶奶上市場買菜的情節[7]便與其後來創作的《早起的一天》的故事設定頗為雷同。文案中提示讀者在上市場時可以告訴奶奶買些什麼菜及水果,與繪本中文圖並置地羅列市場中的各式蔬菜瓜果異曲同工,旨在教導兒童讀者指認這些日常食品。其次,其1997年4月23日《兒童日報》以漫畫形式呈現的「野狗擋路」內容中,小男孩躲避野狗的情節及插畫中的野狗形象,也類似其《我和我家附近的流浪狗》中的表現[8]。

賴馬創作兒童文學與繪本的歷程,可追溯到鄭明進、馬景賢、楊茂秀、黃宣勳等臺灣兒童文學前輩對他的影響。[9]他的繪本創作,格調上具有童趣卻不失幽默,而且通過取材於日常生活的實

---

7 原圖參考自楊玉蓉:《一個小學三年級班級閱讀教學研究──以賴馬圖畫書為例》(臺東:國立臺東大學兒童文學研究所碩士論文,2008),頁30。

8 楊玉蓉:《一個小學三年級班級閱讀教學研究──以賴馬圖畫書為例》,頁30。

9 曹俊彥、曹泰容:《臺灣藝術經典大系‧插畫藝術卷:探索圖畫書藝術色彩森林》(臺北:文化總會,2006),頁120。

例，容易使讀者產生共鳴。在創作工具的使用上，賴馬擅用蠟筆進行繪畫，使圖畫更具層次感，顏色也相對鮮豔。這些效果使圖繪呈現飽滿的氛圍與情緒，使讀者在觀看繪本時感受強烈的視覺衝擊，瞬間被帶入故事所呈現的世界之中。

值得一提的是，賴馬不僅僅創作繪本中的插圖，亦親自操刀繪本中的文字故事。由於兩者皆由賴馬一人包辦，他在藝術創造過程中，既是文字作者也是插畫家。相對於文字、繪畫分由兩位作者獨立完成，賴馬能更自由地設置與調配文字與圖像之間的組合關係，從而表達他所要傳遞的議題。迄今，賴馬共出版了14部繪本作品，其中12部為自編自繪型的繪本著作[10]。這些作品創作題材多元，鮮少重複涉及同個議題。

同時，賴馬也非常重視繪本作品中的合理性與邏輯性。他認為兒童其實是相當銳利而直接的，如果繪本中的某個地方「不連戲」或是樣子改變了，他們較於大人更容易察覺。[11]故此他在進行創作時，非常重視細節的經營，並且依循非常嚴謹的程序。他的創作過程主要可以分為三個階段，依次為：

10　賴馬「自編自繪」型的繪本著作指那些文字與圖繪都由賴馬一人操刀的作品。賴馬迄今創作的14部繪本作品中，有12部為此類，詳參圖表2。賴馬也曾與其他作者合作出版繪本，例如與楊麗玲共同創作《胖先生與高大個》及與太太賴曉妍合著其最新著作《朱瑞福的游泳課》。然則本文聚焦於賴馬自身的創作風格，故僅探究其自編自繪的繪本作品，僅此提出，以曉諭讀者。

11　詳參朱沛緹：《臺灣兒童圖畫書風格分析：以賴馬自寫自畫的作品為例》（臺北：臺北市立教育大學碩士論文，2007），頁97。

第一階段：
紀錄想法

將構思先用鉛筆記錄
下來

第二階段：
文字分段

將文字分段，並排出
字型大小與文字編輯

第三階段：
繪製圖像

繪製每一頁的圖繪，
製作成樣書，並且不
斷修訂

（莫忠明製圖）

　　賴馬繪本中的題材、角色、背景與物件都是經過長久以來觀察感受世界及生活環境所得的成果。以其《早起的一天》為例，故事的情節來源於某天不經意早起時看到清晨的景色而得到靈感。為了更精確地具象清晨的感覺，他特意好幾次早起，實際觀察破曉及日出時的景色。[12]

　　在人物塑造方面，賴馬喜歡以動物角色作為故事中的主角。在其「自編自繪」型的作品中，除了《金太陽銀太陽》及《我和我家附近的流浪狗》以外，其他大多都以動物角色作為故事主角。這些動物角色往往是賴馬在動物原型的基礎上進行加工的產物，有時甚至結合兩種動物的特徵，故而不易分辨其原型。賴馬認為，相較於人類，動物角色在創作上，無論是色彩或是線條的運用都具有更多元的可能。而且，這些特點都有助於烘托故事的情緒與氣氛。

　　綜上所述，我們不難發現賴馬的作品在滿足兒童讀者的期待方面，下足功夫。然而，令人頗感意外的是，尚未結婚時的賴馬曾表示：

12　詳參王秀絹：《賴馬與陳致元自寫自畫圖畫書之研究》
　　（臺南：國立臺南大學碩士論文，2008），頁37。

　　「我的創作並不是為了兒童而創作的」、「自己的腦海中有這個想法，而這個想法也很適合小朋友閱讀，我就開始創作了」[13]

　　據筆者觀察，賴馬婚後所創作的作品在主題上出現明顯的變化。他早期的一些作品取材自家喻戶曉的民間傳說，例如《射日》及《十二生肖的故事》，兩者均在保留經典故事精神的同時，進行文字與圖像結合的文藝再造；另一些則是原創的生活故事，例如《我變成一隻噴火龍了！》及《帕拉帕拉山的妖怪》等。不過，我們觀察他2010年以降所出版的新作，諸如《生氣王子》、《愛哭公主》等，便會發現內容上普遍涉及親子互動，明顯受到婚後育兒經驗的影響。賴馬自己也在《生氣王子》的創作後記中坦承，該故事啟發自每天與孩子鬥智的過程。[14]

　　賴馬對於創作的堅持與盡善盡美，亦反映在他一邊出版新作，再一邊修訂過去的作品以供再次出版。其《帕拉帕拉山的妖怪》一共修訂再版了四次；處女作《我變成一隻噴火龍了！》修訂再版了三次。

　　其次，賴馬創作的另一個特點是，他會根據主題在後環襯中增添教育性內容，增加閱讀的趣味性與知識性。例如，在《早起的一天》的後環襯中，賴馬增添了家庭樹，讓兒童熟悉家庭成員的稱謂。此外，《十二生肖的故事》的後環襯中列有十二生肖的年份列表，供讀者參考自己的生肖。

13　曹俊彥、曹泰容：《臺灣藝術經典大系‧插畫藝術卷：探索圖畫書藝術色彩森林》，頁29。
14　詳參賴馬：《生氣王子》（臺北：親子天下股份有限公司，2015），頁39。

　　賴馬平均每年出版一本繪本，產量誠然不多，但他卻是兒童文學創作比賽的常勝軍。舉凡臺灣兒童文學的重要獎項，如國語日報牧笛獎、中華兒童文學獎、新聞局圖畫故事類小太陽獎[15]、好書大家讀最佳少兒讀物獎、聯合報「讀書人」最佳童書獎、福爾摩沙兒童圖畫書獎、金鼎獎等，賴馬都榜上有名。臺灣大型實體書店誠品書店、金石堂；網絡書店「博客來」，暢銷排行榜亦常見賴馬的蹤跡。他的首部繪本作品《我變成一隻噴火龍了！》，1995年便榮獲第一屆「國語日報兒童文學牧笛獎」圖畫故事組的「優等獎」，並於1996年正式出版面世。據筆者觀察，賴馬與太太賴曉妍合作的最新力作《朱瑞福的游泳課》於2018年7月2日上市不到一個月，便在網絡銷售平台「博客來」售罄，其受歡迎程度可見一斑。

　　目前，賴馬的不少優秀著作亦被譯成英文、韓文、日文、泰文、義大利文等多國語言，以面向更多國際讀者。於筆者所處的新加坡，賴馬的創作也備受矚目與肯定。其創作《十二生肖的故事》曾於2014年，獲新加坡教育部推選為適宜低年級學生閱讀的讀物，被納入「新加坡教育部課程規劃與發展司華文組──小學華文輔助讀物推薦書目」。[16]

15　臺灣行政院新聞局1996年發起「小太陽獎」鼓勵，是肯定兒童讀物的最高榮譽。有關細節，詳參邱各容：《臺灣兒童文學史》（臺北：五南圖書，2005）。

16　詳參2014年新加坡教育部課程規劃與發展司華文組──小學華文輔助讀物推薦書目，見 https://www.moe.gov.sg/docs/default-source/document/resources/files/chinese-supplementary-readers-primary.pdf，瀏覽日期：2018年5月7日。

縱觀以上，賴馬的繪本創作，從題材、構思到實際出版都是極
具邏輯性及縝密思考下的產物，反映出他於創作上的苦心經營與腦
力的反覆激盪。故此，筆者認為在21世紀文圖學轉向的契機下，
探究賴馬繪本創作的風貌並且爬梳其繪本中的文圖創作特徵，有其
開創意義。筆者將本文所討論的繪本作品羅列於以下圖表之中，方
便讀者參照。

序號	書名	版本	備註
1	《我變成一隻噴火龍！》	臺北：親子天下股份有限公司，2016	-
2	《我和我家附近的流浪狗》	臺北：信誼基金出版社，2018年	-
3	《帕拉帕拉山的妖怪》	臺北：親子天下股份有限公司，2016	-
4	《慌張先生》	臺北：親子天下股份有限公司，2016	-
5	《金太陽銀太陽》	臺北：親子天下股份有限公司，2018	青林2001年及2004年版本稱為《射日》，2012年和英出版更名《金太陽銀太陽》
6	《早起的一天》	臺北：親子天下股份有限公司，2016	-

7	《十二生肖的故事》	臺北：親子天下股份有限公司，2017	-
8	《猜一猜我是誰？》	臺北：親子天下股份有限公司，2016	和英2002年初版時稱為《現在，你知道我是誰了嗎？》，2016年由天下出版時易名為《猜一猜我是誰》
9	《禮物》	新竹：和英文化，2011	初版
10	《愛哭公主》	臺北：親子天下股份有限公司，2014	初版
11	《生氣王子》	臺北：親子天下股份有限公司，2015	初版
12	《勇敢小火車：卡爾的特別任務》	臺北：親子天下股份有限公司，2016	初版

表1　本研究所討論之文本及其版本

　　本研究將從文圖學的視角出發，以賴馬作為21世紀繪本作家的代表，探討他如何以文字與圖像作為繪本基本構成元素，開創出多元的敘事文本，帶給讀者全新的視覺與感官體驗。

3 繪本多元文本的敘事特徵

　　賴馬的繪本創作歷程可以追溯至上世紀90年代。即便有些作品已創作逾十年，他仍舊堅持對其進行再修訂出版，給予讀者全新的視覺印象與感受。而且，若參考賴馬近五年的繪本創作，我們便會發現他的繪本不再僅僅是單純的敘事文字與圖像的融合。他通過多元的視覺意象的結合，以及巧妙地嵌入聲音元素，例如大量使用擬聲詞、口訣及兒歌於繪本敘事中，為作品注入了更鮮活的生命力，在提供讀者視覺體驗之餘，同時也增添了聽覺享受。

　　他在文字與圖像創作上的巧思與獨具匠心，可以藉由文圖學對於文本的三種分類進行爬梳與歸納。

〔一〕聲音文本

　　我們都知道聲音是人類最初用以溝通的媒介，文字則多用於書面記錄。聲音與文字之間的關係，則是符號經由社會化，約定俗成後的結果。然則，任何由文字符號組成的文字形式，若缺少了讀者的「閱讀」行為，便將淪為符號系統堆砌而成的文段而已，毫無意義可言。

　　一般觀念認為，學齡前四至七歲的兒童[17]，由於尚未熟諳閱讀文字的方法，對於世界文明亦尚未儲備足夠認知，因此將繪本視為

17　詳參 Carol Lynch-Brown, Carl M. Tomlinson 著，林文韻、施沛妤譯：《兒童文學：理論與應用》（臺北：心理出版有限公司，2009），頁109。

兒童認識與把握世界的不二法門。這樣的觀點假設圖繪較於文字更容易理解，所以兒童需要圖畫書，也喜歡圖畫書。[18] 故此，在這一觀念主導下，日本圖畫書之父松居直、臺灣學者林真美及郝廣才均認為，繪本中的文字必須交由成人代勞，以「口傳」的形式將繪本「念」給他們聽。兒童經由聽覺語言，瞭解故事所表達的概念與情節，雙眼則「專心讀圖」。[19] 筆者亦肯定繪本作為一種兒童把握世界秩序的入門閱讀物，及親子共讀繪本對兒童的積極作用。然而，筆者認為目前大多推廣繪本閱讀的專家及學者都強調「朗讀」這一傳播手段所給予讀者的聽覺美感，[20] 這一倡議有必要再作進一步的釐清。我們首先必須意識到的是，並非所有讀者都是具備飽滿的聲音情感，能夠通過自己的聲音撼動兒童的聽覺感受的朗讀高手。松居直在他的論述中建議，為孩子朗讀繪本的聲音應該來源於父母而非「罐頭聲音」。他的倡議背後，是希望親子共讀成為親子交流與

---

18 培利‧諾德曼（Perry Nodelman）否定成人假設孩童能憑直覺了解圖像訊息及圖畫可以自動被兒童理解的觀點。他認為成人認為兒童比大人更屬視覺取向，其實是受到皮亞傑認為幼小孩童會以較具體的方式思考所影響。詳參培利‧諾德曼（Perry Nodelman）著，劉鳳芯、吳宜潔譯：《閱讀兒童文學的樂趣》（臺北：天衛文化，2009），頁328-329。

19 林真美認為，兒童由於天生感覺敏銳，他們透過聲音，捕捉到繪本中，靜態圖繪的律動和感情。詳參林真美：《繪本之眼》（臺北：天下雜誌，2010），頁144-145。

20 學者劉鳳芯認為，繪本中的文字除了說故事外，因其指涉讀者（implied reader）大多為兒童的關係，除了篇幅不宜過長，更要求大聲朗讀（read aloud）時，具有音樂性與韻律性的聽覺效果。詳參劉鳳芯：〈臺灣之圖畫書批評語言與討論語彙〉，收錄於《第四屆兒童文學與兒童語言學術研討會論文集》（新北市：富春文化，2000），頁315-316。另外，學者林真美提出了「演奏繪本」的觀點。她認為，當成人使用他們的聲音，為孩子將繪本的文字「演奏」出來，可以讓兒童徜徉在繪本所提供的語言大海，並識得「語言」的趣味和魅力。她進一步提出，由於兒童在語言方面的理解與成人不同，他們通過全身感受，而非大腦。所以當他們豎起耳朵聽成人為他們念繪本時，總能很快的融入當時的情境，並讓自己所有的細胞隨著聲音感情起舞。唯其如此，他們能夠非常自然地掌握語言的意義與美感。如此一來，孩子們不僅體驗到故事的意義和美感，也因為說者的表情、聲音、語調，品嚐到「如音樂般的表現」。詳參林真美：《繪本之眼》，頁160-161。

互動的樞紐。另一方面，由於家長的聲音是孩童所熟悉的，故此在朗讀時更能夠加強孩子對繪本內容的接受度。[21]是故，他的出發點是從兒童的接受度的角度出發的。這便與劉鳳芯認為兒童大聲朗讀繪本時要具有音樂性與韻律性的聽覺效果的倡議有所不同。在筆者看來，朗讀確實是傳播故事情感的極佳途徑，不過我們對於繪本作為聽覺語言的要求應該回歸到其文學形式本身。換言之，文字符號在被組合以進行敘事時，就應該照顧到「好聽」、「好讀」、「好念」等特質。

在文圖學的視角下，任何用於記錄、表達與溝通的「聲音」都是一種可以被詮釋的文本。故此，筆者意欲從文句形式的聲音性及其表現形式作為一種意象文本的角度，來詮釋繪本中的聽覺語言藝術。即，將繪本視作一種不受客觀表現因素影響的藝術形體，無論朗讀者的情感飽滿與否，閱聽人無論是朗讀或默念，都能感受到敘事文字中的不同節奏、韻律性及音樂性，以達到一種感官的刺激。

閱讀賴馬的繪本，我們便會發現，賴馬也擅長利用饒富韻律的語言組合形式，使文字能夠牽動讀者的觀感思維，從而感受文字所要傳遞的情感內涵。筆者將從以下三方面討論其敘事文字如何作為一種聽覺語言藝術：

1. 長短句的使用

賴馬擅於在繪本中運用長短不一的句式，使讀者在閱讀時感受

---

21 松居直著，鄭明進譯：《幸福的種子》（臺北：臺灣英文雜誌社有限公司，2000），頁18-25。

一種或疾或徐的敘事節奏。所謂節奏，就是以靜態的畫面表達動態的心理感受效應。[22] 讀者在閱讀短句時感到急促、明快之感，而閱讀長句時則感到緩和。[23]

　　觀察《慌張先生》中主角慌張先生的口頭禪：

　　「糟了！糟了！來不及了！」

　　閱讀這個句子時，由於停頓點較多，而且句子都以「了」（lè）作結，漢語發音中的第四聲調給人「又短又快」之感，故而營造出了一種緊張的氛圍。

　　另外，慌張先生在趕路時，不時提醒自己：「快點！快點！」，兩個短句的使用，也有效地烘托出該頁想要帶出的緊張之感。

　　還有，愛哭公主在粉紅派對上大哭時的畫面，敘述文字寫道：「愛哭公主<u>坐著哭</u>、<u>躺著哭</u>、<u>趴著哭</u>、<u>滾來滾去</u>，<u>一直哭</u>，哭聲愈來愈大。嗚哇！」[24]

　　這段句子以3、3、3、4、3的短語結構，描述愛哭公主哭時的樣子。前面三個短語「坐著哭、躺著哭、趴著哭」都是以三個字組成

22　簡紅蓮：〈兒童圖畫書節奏的結構要素探究〉，《出版廣角》，第2期（2013年），頁61-63。

23　賴玉釵：〈審美視閾與文本唱和歷程及反應：以兒童賞析繪本之審美愉悅為例〉，《藝術學報》，第88期（2011年），頁135-160。

24　賴馬：《愛哭公主》（臺北：親子天下股份有限公司，2014），頁22-23。

的短語單位，閱讀時便有了連續急促之感，構成了一種穩定的敘事
節奏。但是，後來「滾來滾去」的四字短語結構，打亂了先前由連
續的三字短語組成的敘事節奏，然後又回到一個三句短語，彷彿製
造了一種哭泣時，長短不一的聲響，通過聲音增添了故事的張力。
另外，「哭」與「去」韻母都押韻，不僅使句子兼備韻律性，韻母
「u」（ㄨ）的聲音也類似哭泣時「嗚」的聲響，饒富意境。

2. 擬聲詞的使用

擬聲詞，又稱為「模聲詞」、「象聲詞」、「狀聲詞」，這是
模擬大自然的聲音而造出的詞彙。[25] 漢語語言學學者竺家寧在討論
擬聲詞時指出，在中國文學史中，擬聲詞的應用成為了重要的文學
手段，幾乎每種文體中，都可以找到大量的擬聲詞。她認為擬聲詞
能使描寫更逼真、生動，強化了文學的韻味。[26] 賴馬在繪本中同樣
運用了大量的擬聲詞，使繪本的敘事過程呈現了一種「眾聲喧嘩」
的熱鬧氣氛。其創作《勇敢小火車：卡爾的特別任務》就是一本充
斥著文字發出聲音的繪本。故事中，無論是火車、森林、蝙蝠、小
鳥還是軌道都有專屬於它們的聲響。這些聲響通過擬聲詞來呈現，
而且賴馬在選用上也力求貼近真實的物體所發出的聲音，力求喚起
讀者的熟悉感，拉近讀者與文本之間的距離。

文中當火車媽媽溫蒂不能出任務時，小火車卡爾還沒出現，其
鈴鐺聲「噹！噹！噹！」先與讀者會面。這個聲響亦接近火車行駛

25　詳參竺家寧：《詞彙之旅》（正中書局，2009），頁8。
26　竺家寧：《詞彙之旅》，頁8。

時與軌道接觸時發出的聲音，讓有搭火車的經驗的讀者見其文如聽其聲，仿若身臨其境，也帶來了火車正在移動的真實感。

還有一幕，當卡爾小火車即將越過黑森林到下一個目的地時，賴馬也用「莎！莎！莎！」來模擬風吹樹擺時，樹葉摩擦發出的聲音。文中寫道：

> 「要先經過黑森林……」
> 是一片又高又濃密的森林。
> 「莎！莎！莎！」樹被風吹過一直搖晃。
> 還不時傳來一些古怪的聲音…… [27]

緊接著這段文字的跨頁是森林內部的畫面。樹木交錯生長，單從肉眼，我們無法感受樹木搖曳時的姿態。[28]不過，通過賴馬在畫面上加入的「呱呱」、「咕咕」、「喳喳」、「嘎嘎」等模擬大自然生物的擬聲詞，彷彿使這片靜態的森林被賦予了盎然的生命力。賴馬將文字散布在畫面各處的作法，也試圖營造了聲音從不同角落傳來之感，使讀者彷彿置身於森林當中。

筆者也發現，在賴馬所有的繪本中，擬聲詞的使用方面其實也有其固定性。例如，《金太陽銀太陽》的銀太陽、《猜猜我是誰？》中的小朋友及《十二生肖的故事》中的貓，睡覺時的打鼾聲

27　賴馬：《勇敢小火車：卡爾的特別任務》（臺北：親子天下股份有限公司，2016），頁11-12。

28　賴馬：《勇敢小火車：卡爾的特別任務》，頁13-14。

均用「呼嚕～」模擬。筆者以為，單聽這個擬聲詞，我們心中也似乎浮現出上述人物打鼾時身體的律動性。郝廣才認為，文字是有聲音、重量與外型的符號。[29] 若我們觀察「呼嚕～」這個擬聲詞並嘗試將它唸出來，唸「呼」時，讀者需要吸氣，念「嚕」時則需要吐氣，用於模擬打鼾時一吸一呼，身體上下起伏的模樣，故而格外傳神。

3. 口訣、兒歌的使用

口訣與兒歌一般上極具韻律及節奏感，容易使讀者記憶。兒童心理學家吳淑玲認為，三到六歲的孩子面對心理上的困難時，家長可以通過分享「魔法」（口訣）的方式，來協助孩子克服困難。她指出，通過常唸口訣的方式，可以消除孩子心中莫名的恐懼和無助。而且，採用這種與孩子分享「口訣」或「魔法歌」的解決之道，比直接說教的方式更有用，並且能延續到孩子12、13歲。[30、31]

值得一提的是，口訣與兒歌的應用往往是協助故事中的人物轉換情緒而被挪用至繪本之中的。而且，讀者往往在閱讀歷程中，經由敘事文字、圖像與聲音符碼的牽引，經歷與故事人物相同的情緒起伏。當故事抵達高潮時，經由「口訣」與「魔法歌」的節奏帶動，讀者的情緒必定也受到同樣的影響。

29　郝廣才：《好繪本如何好》（臺北：格林文化，2006），頁56。

30　詳參吳淑玲：《繪本與幼兒心理輔導》（臺北：五南出版社，2001），頁84。

31　這三個故事都被賴馬註明為合適3-6歲親子共讀，7-10歲自己閱讀。故此，將這些口訣與魔法歌用於繪本敘述的做法，可見賴馬的別具匠心。

賴馬在其創作《勇敢小火車：卡爾的特別任務》及《愛哭公主》運用了口訣，《生氣王子》則使用了兒歌。

（1）口訣

賴馬首次於創作中使用「口訣」這一表現手法，是在其《愛哭公主》的創作中。由於愛哭公主搞砸了皇后為自己精心安排的粉紅派對，心裡感到懊悔不已，故而想再辦一次派對。皇后媽媽擔心下一次派對又發生讓愛哭公主不開心的事，使她又大哭搞砸派對，便決定傳授她「不哭咒語」。

「不哭咒語」如下：

深呼吸，123，
怪怪東西看不見，
哭哭臉變笑笑臉。[32]

後來，皇后應公主的要求，為她舉辦了第二次派對，不過這次是黃色派對。不料，派對中，竟出現一頂藍色帽子。公主發現藍色帽子後，其他動物都擔心公主會像上次粉紅派對一樣大哭大鬧，「不哭咒語」便即刻派上用場。公主唸誦之後，又恢復了笑容 。[33]

據筆者觀察，賴馬在口訣的創作上，絕不馬虎。通過「怪怪」、「哭哭」等疊字的運用，及兒童所熟悉的可愛用語如「笑笑

32　賴馬：《愛哭公主》，頁28。
33　賴馬：《愛哭公主》，頁35-36。

臉」，賴馬製造出一種哄逗易哭情緒的親切氛圍。在日常生活中，疊字的使用，往往給人一種親暱之感。最後兩句對稱且押韻的七字句，使其具有明快、爽朗的節奏感。經由閱讀，文字的「聲音」帶領讀者在感官上與故事的氛圍一同轉換，由先前擔心愛哭公主淚崩時的緊張氣氛轉至後來繼續快樂派對的歡愉氛圍。

有了《愛哭公主》中的首次試驗，賴馬進一步將口訣的使用應用於他後來的創作《勇敢小火車：卡爾的特別任務》。故事中，由於火車溫蒂發生故障，小火車卡爾自告奮勇挑戰出大任務，協助媽媽送貨。面對從未走過的更長路程，卡爾心裡難免緊張。故事中，當卡爾要穿越黑森林、暗隧道及跨過跨海大橋時，他便以媽媽教過他的口訣來為自己打氣。這個口訣如下：

一二三四五六七
慢慢呼吸別慌張
巨人騎士鐵金剛
我是不怕小勇士[34]

口訣配合上述三個情境，於繪本中三次出現。每一次運用，都有效地協助卡爾克服內心中的慌張情緒，使他豁然開朗。結構上，上述口訣的第二句及第三句，句末都以ang（ㄤ）作為押韻。聽覺上，ang 韻母聽起來顯得鏗鏘、飽滿有力，唸誦時容易給人一種氣

34　賴馬：《勇敢小火車：卡爾的特別任務》，頁11。

勢磅礴的雄壯感。在意象的選用上，賴馬選擇的是大部分兒童熟知的「英雄代言體」，諸如巨人、騎士、鐵金剛。這些「英雄意象」往往給兒童一種毫無畏懼、強大的印象。故此，這個口訣提供了敘事氣氛的轉折，經由文字意象及聽覺意象的結合，口訣在唸誦時所造就的雄壯意境，不僅僅對於故事人物的心理產生影響，讀者在閱讀過程中，經由文字與圖像的帶入，同樣也會受到感染。通過反覆聽到或唸誦口訣，孩子也會不自覺得到詢喚，認為這些口訣或魔法歌真的有助於他們變得勇敢、不生氣或不想哭。在韻律的帶動下將這些口訣與兒歌記憶起來，並應用在自己的日常生活中，讓它們在繪本以外的空間亦有積極的延續性。

（2）兒歌

為克服繪本敘事文字單調乏味的問題，賴馬也借助兒歌的音樂性來帶動書本的情緒轉變。兒歌是韻律性與節奏性強的文字體裁，一般上也容易記憶。在《生氣王子》中，「不生氣魔法歌」是帶動故事情緒轉變的重要主題曲。賴馬刻意在後蝴蝶頁中提供「不生氣魔法歌」的曲譜[35]，意味著他是要讓兒童邊讀繪本，看到歌詞，邊高聲歌唱的。

這首兒歌首次出現於故事中，是當艾迪和國王前往遊樂場卻發現不得其門而入，憤怒的情緒到達臨界點的時候。老鼠爸爸為了緩解他們的憤怒情緒，向他們介紹了「不生氣魔法歌」，最終使兩人的憤怒情緒得到撫平並且揭開了一系列艾迪與國王呼應歌詞「你讓

---

35 詳參賴馬：《生氣王子》，頁40。

一步，我讓一步」所做出的生活行為上的改變。[36]

　　筆者嘗試分析曲譜後發現，「不生氣魔法歌」的首句「真生氣，真生氣，快噴火了嗶嗶嗶。」曲調比較凝重，韻律感不太強，烘托出艾迪王子與國王生氣的情緒。第二句「閉上眼，放輕鬆，生氣按鈕關起來。」開始到最後一句「你讓一步，我讓一步，快樂天使又回來」，曲調則明顯地從急促轉變為輕快，牽動演唱者隨著歌詞轉換心情。筆者認為，這是賴馬在文字敘事上的重要突破，使《生氣王子》除了兼具文字與繪畫的藝術美感外，又被賦予了多一層的音樂審美樂趣，讓讀者兼收視覺與聽覺美感。

〔二〕文字圖像文本

　　繪本中的文字與圖像其實就呈現意義上，都是被讀者觀看的對象。而且，文字在繪本中不僅是作為一種聽覺意象而存在，它往往也是視覺圖案的一部分。故此，文字在繪本中所承載的意義，除了自身的字面意義之外，有時候也是極具形象性的文字圖像文本。Joseph Schwarcz 在其著作，*In Ways of the Illustrator* 中討論了插畫家如何在圖畫中安排文字，使其成為視覺意象的一部分。他將此視作一種有趣的遊戲，反映人類對於自己所發明的溝通系統的著迷。[37]

　　我們可以從兩方面來理解文字作為一種視覺意象所發揮的敘事功能：

36　賴馬：《生氣王子》，頁20。

37　Joseph H. Schwarcz, "The Textless Contemporary Picture," in *Ways of the Illustrator: Visual Communication in Children's Literature* (Chicago: American Library Association, 1982), p. 65.

1. 聲量的大小

由於敘事文字在畫面中是作為一種較為平面（flat）的視覺呈現，作者可以經由其外型的打造，讓其能夠和圖像一樣傳達視覺訊息。文字的視覺大小，往往與其所要表達的聲量有關係。例如《愛哭公主》頁19-20中，愛哭公主在粉紅派對上發現了一個黃色氣球。[38] 畫面以幾個體態逐漸擴大的愛哭公主，由左至右呈現在讀者眼前，形成了一種視覺張力。敘事文字表達哭聲的擬聲詞「嗚哇！」的「哇」刻意在畫面中被加大，與其他字體一樣的文字相比，顯得更具視覺衝擊力，使讀者有「見文字而聞其聲」之感，彷彿聽到了哭泣聲由小變大的轉變。這與畫面中，同樣以由小變大呈現的「愛哭公主」形象相符，造就了一種視覺感官上的平衡感。

不過，值得一提的是，賴馬用文字營造故事中聲音大小的做法，其實也是他後期逐漸建立的風格。他2011年出版的《禮物》從未改版，可以讓我們一窺他早期創作的面貌。這一版本頁21-22的情節中，我們發現九條蛇為小豬們準備的喇叭所發出的「叭叭叭」聲響，並沒有像他後來的作品中那些作品一樣，以大小不一的字體，來表現聲音的大小，整體的風格也相對的樸實。[39]

2. 輔助故事中的律動或情緒與氛圍的表達

賴馬在《帕拉帕拉山的妖怪》中使用文字，將視覺導向滾落山的白豬魯魯。在頁1-2的跨頁裡，賴馬在描繪白豬魯魯從山上滾下

38　賴馬：《愛哭公主》，頁19-20。
39　賴馬：《禮物》（新竹：和英文化，2011），頁21-22。

來時，也讓敘事文字「滾、滾、滾、滾」呈現倒反或以不同的角度傾斜。[40]這種不規則的文字排列方式所呈現的律動感配合畫面，呈現一種字面意義與形象上的雙重意義。讀者在閱讀這些文字時，頭也需要側著看或倒著看，彷彿也感受到了滾下山的感覺。

在《我變成一隻噴火龍了！》的故事中，阿古力嘗試了許多方法，仍舊無法解決自己一開口就會噴火的問題。在身心俱疲之下，他突然大哭起來，畫面上的文字被安置在畫面的左邊，與較大的阿古力並置，造就了一種平衡的視覺結構。同時，「嗚哇」二字除了顏色與大小同一般敘事文字不一樣外，賴馬也以波浪線條來建構這個文字，使這個文字更具「透視」的深度，同時亦試圖通過文字的線條烘托一種大聲哭泣聲，聲波波動的感覺，大大的烘托了故事的氛圍與情緒。

〔三〕肢體語言文本

賴馬藉由描繪動作未完成前的某一瞬間，以向讀者暗示動作性，讓觀眾去想像動作完成的樣子或動作所表現出的動感。例如，賴馬在《慌張先生》頁21-22的跨頁中，他就以彎曲的左腳，還有手腳擴張成圓弧型的姿態來描繪慌張先生趕往表演場地的畫面。慌張先生的肢體形成一種彷彿自由翻滾的圓弧形動作線，表達他彷彿像滾一樣快的速度。賴馬用刮的手法所繪製出的動作線（action

---

40　賴馬：《帕拉帕拉山的妖怪》（臺北：親子天
　　下股份有限公司，2016），頁1-2。

line）也有同樣的效果——賴馬反覆畫出兩三個手臂及腳部的動作的線條，由這些線條帶領觀者自行填補期間的空間，想像一種有連續性的行走動作 。[41]

　　同樣的，觀者一般會想像畫面中的線條超過所畫出的長度，而自行完成畫中的線。例如在《勇敢小火車：卡爾的特別任務》頁16-17的跨頁，左頁是卡爾幻想的黑暗隧道，由於從未穿越過森林，故此左邊的隧道是暗黑色，右邊的隧道則是色彩鮮豔的，反映他還未進入隧道前的緊張心情，與對於暗黑隧道的心理投射。而當觀者看到火車進入隧道，便會隨著從左到右的故事發展線，想像火車進入隧道。接著，讀者隨右頁左上角的文字的指引，知道卡爾進入的森林並不可怕，原本聽到的「啪！啪！啪！」的聲音，實際上只是幾隻蝙蝠與小鳥。故此，這一頁隧道的輪廓與左頁類似，只是相較之下，呈現出一片色彩鮮明，充滿線條圓潤的花草樹木的隧道。[42]這樣的畫面與左頁形成強烈的對比，但是讀者在唸誦完「口訣」之後，視線隨著卡爾火車車身所帶動的線條，與他一同勇敢地進入隧道，並且連結到翻頁後左頁開出隧道的火車。[43]

4 賴馬繪本中的文圖結合模式

　　培利‧諾德曼（Perry Nodelman）認為：「一本圖畫書至少包

41　賴馬：《慌張先生》（臺北：親子天下股份有限公司，2016），頁21-22。
42　賴馬：《勇敢小火車：卡爾的特別任務》，頁16-17。
43　賴馬：《勇敢小火車：卡爾的特別任務》，頁18-19。

含三種故事：文字講的故事、圖畫暗示的故事，以及兩者結合後所產生的故事。」[44]不過，在他看來「關於文字屬於線性而圖像屬於空間性的想法太過簡單。」[45]他堅信文字與圖畫均具備獨立說故事的能力，而這一點事實上在諸多繪本大家的著作中早已得到印證，筆者無意贅述。然則，依筆者淺見，繪本中文字與圖像的制約互動關係，是作者的一種刻意經營，其目的是給予讀者一種文字與圖像結合的感官審美樂趣。

我們由上一節的討論中也可以察覺，賴馬的繪本作品，尤其那些近期出版的著作如《愛哭公主》、《生氣王子》及《勇敢小火車——卡爾的特別任務》，視覺符號所構成的不同文本，有著交錯的合作關係。繪本意義的產生，正是由於這些不同文本的聚合所造就的結果。

繪本中的敘事文字，可以作為聲音文本或圖繪繪本進行呈現。再者，圖繪文本中由視覺符號組合而成的繪畫、當中的人物肢體動作、眼神、色彩、氛圍等複雜的交錯關係，實際上為讀者提供了遼闊的詮釋空間。

為了將繪本中的不同文本集合於一個整體的框界來做更為全面的把握，筆者提出以下三種文圖協作模式：

---

44 詳參培利‧諾德曼（Perry Nodelman）著，劉鳳芯、吳宜潔譯：《閱讀兒童文學的樂趣》，頁268。

45 詳參培利‧諾德曼（Perry Nodelman）著，楊茂秀、黃孟嬌、嚴淑女、林玲遠、郭鍠莉譯：《話圖：兒童圖畫書的敘事藝術》（臺東：財團法人兒童文化藝術基金會，2010），頁53-54。

1. 以文釋圖

2. 以圖釋文

3. 文圖交叉

上述三種協作模式中的「文」，包括了我們在前言中提及的「聲音文本」、「肢體文本」與「圖繪文本」。而「圖」除了繪本中具可視性（visible）的視覺形式，例如符號（symbol）、圖示（icon）、商標（logo）、繪畫（painting）、圖畫（picture）、圖案（pattern）、圖形（graphics）、線條、地圖、色彩、印刷物等視覺語言（visual language）之外，還包括了我們在閱讀繪本著後，對繪本的整體觀察、歸納、總結、凝煉而成的認知和觀念與評價，以及最後繪本視覺物件所造就的心靈圖像等。文圖視角下的「文」與「圖」，不特別區分，要點是被直接或虛擬地觀看，作為需要闡釋的文本。[46]

在第一和第二類組合關係中，我們能夠從文或圖中找到各自詮釋的依據。然則第三種組合關係中，文與圖並未有直接的關連，而是一種接力來完全敘事的結合模式。

〔一〕以文釋圖

在「以文釋圖」模式下，「文」是作為「圖」的一種詮釋的依據。我們可以針對賴馬的作品延伸出以下兩種「以文釋圖」的組合模式：

---

46 衣若芬：〈文圖學：學術升級新視界〉，《當代文壇》，第4期（2018年），頁118-124。

1. 聲音文本 × 文學文本（文）[47]作為圖繪文本（圖）的詮釋依據

羅蘭巴特認為文字對於圖像具有「錨定／下錨」（anchoring）的作用。在他看來：

語言只是單純、簡單地協助我們認識景物裡的元素與景物本身……文本引導讀者在意象眾多可能的意指（signified）中做選擇，使它能夠避免這些，接受那些；它常常像「無線電遙控指引」（teleguiding）一般，通過精巧的發送訊息，將讀者導向事先選擇好的意義上。[48]

所謂「下錨」，簡言之，就是為圖繪的解讀設定方向，好讓讀者能夠把握繪本圖繪所要指向的觀點。筆者於前文中提及，賴馬的圖繪創作是自身對於日常生活進行圖像性消化後的藝術產物。故此，繪本中的視覺符號皆是他將社會文化符號進行編碼（encoding）行為，將之轉化為「鋪陳空間」的成果。讀者在閱讀繪本時，則需根據自己的經驗或從自身幾類的文化寶庫中索取鑰匙，來進行文化解碼以得出意義。但是，對於任何一個文本的解讀，往往都是因人而異的。而且某些視覺符碼是具有雙重意義的。例如，紅色在一些文化中代表「停止」，若與我們的經驗與感官做聯繫，又可能聯想至血，故而為我們帶來強烈、興奮甚至憤怒的感覺。讀

47　繪本中的文字由於需要被念誦的特質，故亦可被視作一種聲音文本。

48　Perry Nodelmen, "Words Claimed: Picturebook Narratives and the Project of Children's Literature," in T. Colomer, B. Kümmerling-Meibauer, & C. Silva-Díaz (Eds.), *New directions in Picturebook Research* (New York: Routledge, 2010), pp. 11-25.

者與作者的社會背景未必相近、文化涵養也不盡相同，是故讀者在詮釋這些文化符碼時，也未必能符合作者心意。因此，如果要更為精確地把握作者在說故事時所要傳達的真正旨意，我們往往需要繪本的文脈來取得意義。如此一來，文字對於圖繪的「錨定」作用極其重要。

依筆者觀察，文字被安置於跨頁中的不同位置，會直接影響讀者對於圖繪的解讀。若文字被放置在圖繪之前，或於跨頁圖繪的左上角，其扮演的角色類似於電視新聞主播向觀眾播讀的導語。這樣的導語未必詳述所有內容，但提供觀眾有關該新聞的重點，其他細節得由觀眾自行觀看新聞畫面來掌握。同樣的，置於圖繪之前的敘事文字，一般提供讀者接下來故事情節發展的概要或關於時空背景的信息，為讀者接下來詮釋畫面，提供一些背景知識。另外，若畫面出現於文字之前，讀者的視線必定先被圖像吸引，自己先進行詮釋。故此，當文字被安排於圖繪之下或者翻頁處之前，一般是為了肯定讀者觀看畫面後所產生的印象，或是對該圖繪進行總結。

在另一種情況中，置於圖繪後的文字，也有喚起下一張圖的作用。以《早起的一天》為例，讀者一翻開正文的部分，映入眼簾便是一幅以鳥瞰視角所捕捉的城市景象。[49]通過賴馬安排在頁面左上角的敘述文字：「今天早上，天都還沒亮呢！」讀者便知道畫面中的主色調為何設定為藍色，這主要是要刻畫破曉前的天色與朦朧的氛圍。

49　賴馬：《早起的一天》（臺北：親子天下股份有限公司，2016），頁112。

　　再者，在同本繪本頁25-26的跨頁中，我們發現無論是左頁還是右頁，文字都被放置於圖繪的下方。讀者的視線首先會觀看圖繪再觀看文字，左頁中賴馬特別將小珍珠的叔叔和爸爸繪成較大的比例，以吸引讀者的目光。若讀者沒有仔細觀察前幾頁的細節，必定不會留意其實小珍珠爸已經在先前所描繪的情節之中出現了，穿著的是同一件襯衫與打著同一條領帶。故此，放置於頁面下方的文字就有肯定或糾正讀者在閱讀時所做出的詮釋的作用。這時，讀者必然會產生疑問：小珍珠的親戚皆聚集在她家中的目的是為了什麼？此時，讀者在好奇心的驅使之下，翻開下一頁尋找答案，故此文字亦有喚起下一張圖的作用。

　　賴馬的另外一本繪本作品《猜一猜我是誰？》，便是一本從開頭至結尾，文字對於圖繪需要扮演主導性「錨定」作用，故事才能成立的繪本。故事內容記敘某村三十三個「小孩」參與一日遊，從早起準備到結束一天的過程。讀者若單獨閱讀文字創作，無法獲取足夠的信息解碼書名上發出的提問——即猜出故事的主人翁。故此，讀者若要在閱讀這本繪本後產生全盤的意義，就必須綜合「圖繪文本」所提供的信息。但是，尤為值得關注的是，這本繪本的頁與頁之間，實際上並沒有直接的連貫性。每一跨頁彷彿呈現一張出遊照，捕捉某個定格畫面。

　　以《猜一猜我是誰？》頁11-12、頁13-14、頁15-16的跨頁內容為例，前兩張跨頁是由不同人物的定格畫面拼湊而成的。目的在於通過動物群像，讓讀者指認與細數參與故事的所有動物。第三張跨頁則描繪了不同動物聚集在火車站外的場景。[50]讀者在翻閱繪本

時，彷彿是在觀看一部由不同相片（圖繪）組成的蒙太奇影片，需要通過旁白（文字）的指引，才能知道畫面捕捉的是什麼場景。即便全文採取第一人稱的視角進行敘述，但讀者讀至文末，這個敘述者的身分卻不明確。賴馬在敘事文字中編入數字遊戲，文中以數字12為最大數，隨著故事的推展而逐漸遞減，要讀者根據文字敘事的暗示，在文中找出這名敘述者。敘述者更於文末拋出：「現在，你知道我是誰了嗎？」搭起召喚讀者積極參與的「召喚結構」（inventing structure）[51]，召喚讀者參與，揭開謎底。這本繪本中的敘事模式得以順利進行，得仰賴文字的錨定，否則讀者根本無從得知敘述者是誰，也無從搭起兩個跨頁之間的聯繫。經由文字的敘述，讀者才能知道前兩頁實際上是孩子們出遊前各自進行準備時的定格畫面，第三張跨頁則是孩子們要坐火車出遊前的場景。故此，繪本中的文字，除了錨定圖繪的內容之外，也協助連接圖與圖之間的時空轉變。

在上述的例子中，每一跨頁上的敘述文字基本上能與圖繪內容直接對應，讀者讀文即可識圖。但是，當構成跨頁的圖繪元素較為複雜與文字敘述不能完全對應時，讀者就得進行更深一層的視覺解碼。而這個時候，該頁的文字便能為讀者框定詮釋範圍及角度。例

---

50 賴馬：《猜一猜我是誰？》（臺北：親子天下股份有限公司，2016），頁11-16。

51 「召喚結構」可吸引讀者投入更多「創作力」以詮釋、想像並彌合其間差距，暗示欣賞者可對文本中任何未曾論及或說明不足之處加上個人補充或猜想，繼而回應作品之召喚。

如，在《生氣王子》頁13-14的跨頁中，賴馬使用極為陰霾密布、暗沉的藍色作為這一跨頁的背景色調。其漫無邊際的暗色調，予以讀者一種陰沉感。乍看之下，讀者彷彿會覺得，這種陰霾氣氛好像是暴風雨來臨的前夕，或是臨近夜晚了。實際上，這幅圖的重點在於通過陰沉的天氣烘托人物的內心情緒。如果沒有文字的提示，我們看到陰沉的天氣，很可能會以為艾迪王子和國王是在爭吵至接近天色將暗的時候才出門，又或者當天途中的天氣不佳。我們很可能不會將陰沉的氛圍與人物的情緒做連結，也不會進一步得出陰霾的天氣就是艾迪王子和國王心境的投射。是故，文字有引導我們感受繪畫的作用，有助於我們了解作者所要帶出的更為深層的意義。

2. 聲音文本對圖繪文本意義的再現與深化

我們在前文討論賴馬敘事文字中的音樂性時，分析了其《愛哭公主》中的「不哭咒語」、《生氣王子》中的「不生氣魔法歌」及《勇敢小火車——卡爾的特別任務》形式上的音樂特徵，及其如何成為一種聲音意象，協助故事的敘事。

以《生氣王子》為例，艾迪王子與國王幾經波折之後，終於來到了遊樂園。可是，由於兩人錯過了遊樂園的售票時間，又剛好在遊樂園外巧遇住在皇宮旁的老鼠一家人歡樂的遊玩，聽著他們說遊樂園實在太好玩了，艾迪王子與國王兩人的情緒這時又達到了臨界點。畫面中的艾迪與國王臉貼著臉，而且兩人的膚色都已經分別呈現出粉紅色及鮮紅色的膚色。[52]這兩個顏色在這本故事書

---

52 詳參賴馬：《生氣王子》，頁20。

中，分別對應的是故事人物生氣及很生氣的情緒。就在這一時刻，故事已經發展至敘事高潮，賴馬特意安排老鼠一家人向艾迪王子與國王傳授「不生氣魔法歌」。讀者翻到下一頁便看到了老鼠一家人手舞足蹈地演唱「不生氣魔法歌」，當讀者的視線往右移動，便會發現跨頁四分之三的畫面，都被覆蓋上了讓人與熱情這強烈情緒做聯繫的紅色。[53] 但是這時艾迪王子與國王的鼻子不再打結也不再上揚了。在後面的故事中，「不生氣魔法歌」不斷的出現，為後半段的故事創造了明朗的敘事氛圍。艾迪王子與國王兩人也受到這首歌曲的影響，做出相應的改變，讓兩人之後的相處更為融洽。故此，「不生氣魔法歌」的出現，提供了故事人物情緒轉折的媒介。這一點在讀者深究賴馬安排於版權頁上的曲譜時，便會得到再一次的印證。

筆者在前文中就「不生氣魔法歌」的曲譜進行分析發現，這首兒歌前半部的曲調比較凝重，韻律感不太強，但有效地烘托出艾迪王子與國王生氣的情緒。歌詞的第二句直至最後一句，曲調則明顯從急促轉變為輕快的旋律。可見，這首兒歌作為一種聲音（音樂）文本，在聽覺意象上，讓人感受到心情從急促到緩和的情緒轉變。這恰巧與繪本故事的敘事節奏不謀而合：一開始兩人互不相讓所致的凝重氣氛，到後來經由不生氣魔法歌的薰陶，個別在生活中讓步，至結尾時故事的氣氛已經相當明朗。故此，讀者在閱讀文本時，心情已經隨著故事的情節而有所起伏，到了文末，兒歌又再一

---

53 賴馬：《生氣王子》，頁21-22。

次讓讀者感受到這種情緒變化，顯著加強了故事的敘事性。

當讀者第二次閱讀繪本時，每一次遇到「不生氣魔法歌」的出現，若以歌唱的形式來詮釋，便能在旋律的帶動下，隨著故事情節發展，感受到更為強烈的感官刺激。

〔二〕以圖釋文

繪畫比文字更容易傳達描述性的訊息。培利・諾德曼曾提出，文字能夠把豐富的敘事資源帶進圖畫書（繪本）裡——正因為文字傳遞訊息的方式和圖畫非常不同，才能夠改變圖畫的意義。[54] 基於上述同樣的理由，筆者認為繪畫也能夠延伸文字的敘事能力。故此在「以圖釋文」的模式下，「圖」是作為「文」的詮釋依據。在賴馬的繪本中，我們可以找出三種「以圖釋文」的敘事方式：

1. 圖像元素（圖）作為敘事文字的詮釋依據及意義上的補充

賴馬的作品諸如《生氣王子》、《愛哭公主》及《我變成一隻噴火龍了！》等都以情緒作為創作主題，故此無論文字與圖像都要能夠反映相應的情緒特色。但是，為顧及繪本文字要求避繁求簡的特質，形容上又不能顯得過於繁冗，以致消磨讀者的閱讀意志，賴馬在情緒的文字描述上需要點到為止，並將複雜的情緒表現交由讀者的視覺經驗來把握。

以生氣情緒作為主題的《生氣王子》為例，筆者嘗試單獨將

54　培利・諾德曼（Perry Nodelman）著，楊茂秀、黃孟嬌、嚴淑女、林玲遠、郭鏗莉譯：《話圖：兒童圖畫書的敘事藝術》，頁290-291。

《生氣王子》的敘述性文字列出來時發現，單靠文字我們無法理解
或者構建出艾迪王子的形象，文字的許多情緒也都顯得過於單薄。
但是，通過圖繪的具象，讀者便能對於艾迪的形象有了清楚的把
握。另外，賴馬也在不同的頁面中安插了背景人物以增添故事的趣
味性。這些人物往往缺席於敘述文字中，但都在故事情節的推展上
扮演關鍵角色。故此，讀者唯有通過這些背景圖像對於敘述文字的
補充，才能掌握故事的全貌。

　　另外，在《生氣王子》中，賴馬使用漸進式的語法結構來描述
艾迪生氣時的不同狀態。例如：

　　艾迪王子心情不好的時候會瞪著眼。

　　艾迪王子不高興的時候，會把耳朵蓋住眼睛。

　　艾迪王子生氣的時候，會漲紅臉。

　　艾迪王子很生氣的時候，鼻子還會打結。

　　艾迪王子非常生氣的時候，還會大吼大叫。[55]

　　但是，如此淺顯的語言無法帶動敘事上的張力。故此，賴馬利
用彩色所帶來視覺衝擊，呈現這種不同情緒的情態與肢體語言，從
而顯著增強了敘事效果。這些色彩所對應的情緒，也在這本繪本中
形成固定形式，並在後來的故事情節中，成為用於暗示情緒狀態的
肢體語言符號。這讓賴馬在進行文字敘述時，可以省略對於情緒的

55　詳參賴馬：《生氣王子》，頁 1-4。

著墨，直接以畫面來表現，使文句更為精簡。

我們且看《生氣王子》頁25中的敘事文字：

餐桌上。

「你先把這些蛋吃完。」

「嗯……

好，吃完這些蛋，我要吃棉花糖巧克力蛋糕。」

「可以。」

他們很快的吃完早餐。[56]

書中的這段文字顯得有些單調，也稍嫌有些過於點狀及平淡。我們或許能在爬梳前後文關係後，得出這是兩人在「不生氣魔法歌」的薰陶之下而做出的生活改變。但是，作者所要表達出父子倆在互相讓步的融洽氛圍，是我們單從文字的敘述無法得知的。故此，這種額外的信息，便需要透過繪畫來展現。

再如頁31-32的跨頁所描繪的內容，文字敘述了國王在遊樂園中遊玩了哪些設施，例如「摩天輪、天鵝船、海盜船、嚇嚇叫自由落體、咕溜溜滑水道、鬼屋……」

但是我們無法得知他們在遊玩時的情緒和狀況。故此，賴馬運用了「異時同圖」的結構，從左至右呈現艾迪王子與國王在遊玩時的場景，一方面推展故事時間，另一方面將所有情節清楚地具象於

---

56 賴馬：《生氣王子》，頁25。

同一跨頁。賴馬的圖繪中也畫了他們遊玩「旋轉飛機」時的情景，這是文字描繪中沒有的。這也是一種圖像對於文字的補充及情節的延伸，同時在圖繪中尋獲文字中沒有書寫的內容，也能激起讀者繼續閱讀的動力。

另外，賴馬的《金太陽銀太陽》及《十二生肖的故事》皆以經典歷史傳說故事作為創作藍本。不過，據筆者觀察，《十二生肖故事》中的文字篇幅不長，文圖配置的比例也相當平均。反之，《金太陽銀太陽》的敘述文字篇幅偏長，圖像往往也直接反映圖像內容或烘托氣氛。但筆者也關注到，賴馬在其中幾頁，將敘事文字安排在頁面左邊或右邊的白色背景中， 而在敘事文字中穿插示意的插圖，輔助7-10歲的兒童自己閱讀。[57]例如，《金太陽銀太陽》頁30-31的文字敘述了靈鳥建議巫婆帶領村族人一起唱歌、舞蹈讓美妙的歌聲喚出金太陽。金太陽聽到了美妙的歌聲回到了天上，讓大家的日常生活又得以如常的情節。[58]在跨頁的配置上，文字佔跨頁四分之一的版面，其餘的部分則通過繪畫再現文字所敘述的內容。賴馬在完成關於村民們唱歌跳舞情節上的文字描述時，也在冗長段落間安插了圖像。這樣的做法出現在好幾個跨頁中。依筆者推斷，讀者在第三人稱視點下，被動的接受敘述文字所提供的情節發展，或許已然感覺沉悶。故此，賴馬的這一手段是為了將讀者的注意力

---

57 賴馬在《金太陽銀太陽》天下二十週年紀念版的封底註明合適3-6歲親子共讀，7-10自己閱讀。
58 賴馬：《金太陽銀太陽》（臺北：親子天下股份有限公司，2018），頁30-31。

短暫的轉向圖繪，透過插圖的節奏，舒緩故事的情節，邀請他們通過解讀圖像對於文字的接敘，提高他們的參與感。故此，這種圖像對於文字的接力，實則是為了緊抓讀者對繪本故事的興趣，另一方面也造就了圖文接力的敘事節奏。

2. 肢體文本（圖）作為文字（文）的詮釋依據及意義上的補充

繪本中，故事人物的肢體語言能夠直接反映他們當下的情緒，相對於文字的表述更為直接。故此，賴馬所塑造的人物肢體語言，其神情、一舉手、一投足，都是可以被解讀的對象。例如，《愛哭公主》講述一個易哭的鱷魚公主的故事。她本名叫「愛咪公主」，但由於常因為一些小事而大哭，身邊的朋友們都對她不敢恭維，結果給她取了「愛哭公主」的外號。久而久之，人們也忘記了她「愛咪公主」的本名。這個故事一共有兩個高潮。第一個高潮出現在皇后為愛咪公主辦的粉紅派對。粉紅派對上出現了一個黃色氣球，結果導致愛咪公主十分不悅。當下，參與派對的動物們都驚呆了，愛哭公主大叫道：「那個黃色的東西是什麼？」[59]讀者若單看文字無從得知「愛哭公主」之所以驚呼是因為「那個黃色的東西」讓她感到興奮、詫異或是憤怒？讀者唯有透過圖繪中所描繪的肢體語言才能得知她當下的情緒。在這一跨頁中，愛哭公主在「異時同圖」的結構下出現了五次。我們可以由觀察她每次出現時的表情、手勢及走路的方式推斷，黃色氣球讓她感到不耐煩與不悅。同時，我們也能從愛咪公主身邊的其他動物的眼神、情態及肢體動作得知，她們

59　賴馬：《愛哭公主》，頁17-18。

都非常害怕她哭，故此有些倉皇逃走、有些不知所措，有些嘴角向下彎曲、有些則摀著嘴巴。愛哭公主身旁的蛇更是捲曲了尾巴，透過尾巴頻密捲曲的肢體線條透露其不安與惶恐的情緒。試想，這些細節若交由文字來描述，便會顯得過於瑣碎，也不容易在一個文句段落中包含那麼多內容，故此交由圖繪來呈現會更為合宜。

其次，這本繪本的文字以第一人稱的視角來進行敘事，由於敘述者寄居於故事人物的視角來進行敘事，故事的場面效果會大幅度減弱，故此人物與背景之間的關係需要由文字來呈現。[60] 例如，在《我和我家附近的流浪狗》敘事文字中提到「捕犬隊」捕捉流浪狗們的場景時，小男孩是在場景中缺席的，故此敘事者需要透過轉述鄰居阿毛哥哥的經歷來表達流浪狗被捕捉時可憐的情況。繪本第17-19頁的情節描述了小男孩聽到故事後嚇得說不出話來，這一情景是流浪狗與小男孩互動關係轉變的重要情節。[61] 賴馬試圖通過流浪狗的遭遇，重新建構流浪狗在小男孩及讀者心中的形象。然而，敘述文字本身不足以讓讀者感受到流浪狗的可憐，而且由於小男孩在捕捉現場是缺席的，故此，為了克服文字在視角上的限制，賴馬得通過繪製流浪狗被捕捉時的神情及肢體狀態來補充文字敘事上的不足，使讀者能夠從畫面來感受一種身臨其境、感同身受的感覺。

3. 圖像（圖）為圖繪文本（文）設定創作基調

賴馬的繪本往往瀰漫著一種幽默的基調，這種幽默的基調除了

60　徐岱：《小說敘事學》（北京：商務印書館，2014），頁319。
61　賴馬：《我和我家附近的流浪狗》（臺北：信誼基金出版社，2018），頁17-19。

在文字上的反諷特徵，還有在畫面上的經營。賴馬對於繪本圖繪中的細節特別講究，也往往將自己與家人繪製於繪本中。

　　例如，在《帕拉帕拉山的妖怪》中，當白豬魯魯向其他村民訴說自己在帕拉帕拉山上遭遇妖怪的事蹟時，跨頁中四分之三的畫面是由村民們驚慌失措的表情堆砌而成的。[62]仔細觀看圖繪的讀者便會發現，賴馬將自己安置於畫面的右下角。畫面中的動物群眾，突然出現一個被繪製成有豬鼻子的人類，帶給讀者一種視覺上的衝擊。這種創作形式，與後設文學作品頗為類似，強調作者的「自我意識」。同時，亦由於賴馬的形象出現於畫面之中，給人一種荒謬及啼笑皆非的感覺。於此同時，賴馬也為讀者製造了一種他自己也在聆聽故事的錯覺。

　　另外，在《生氣王子》中，我們也發現賴馬將自己繪製於頁27-28背景中第二棟建築物的二樓。這裡的他和版權頁上作者簡介的形象是相符合的，都是以穿著蜘蛛俠的服裝作為造型。[63]而且，最有趣的是，若讀者仔細觀察便能發現他在紙上繪製艾迪王子的形象。這裡就呈現出了一種三重的觀看模式：讀者之於繪本、繪本人物之於讀者，還有賴馬之於艾迪與國王。我們故此可以推斷，賴馬之所以保留了與版權頁作者簡介的相同插圖形象，是為了強調其作者的身分。《生氣王子》的故事，亦強調了繪本創作藍本的依據性。

62　賴馬：《帕拉帕拉山的妖怪》，頁15-16。
63　賴馬：《生氣王子》，頁27-28。

〔三〕文圖交叉

上述兩種文圖互動模式，主要出現在並置於同一頁面或跨頁的文字與圖繪的互動，其中一種表現媒介擔任主導位置，另一種則負責補充及強化敘事的意義。故此，兩者之間是通過文圖兩種藝術表現形式的融通來完成故事敘事。

然則，在賴馬的繪本中，同一跨頁中的文字與圖像未必呈現同樣的內容，讀者如果要把握故事所要傳遞的隱含信息，則必須自行針對兩者進行解讀，有時要從不同頁面汲取線索，從而找出關聯性，才能得出作者所要傳達的意義。我們將這種敘事模式稱為「文圖交叉」模式。我們亦可以將這種結合模式細分為三種類型：

1. 連續交叉敘事

我們可以再以《生氣王子》為例，說明文字與圖像連續的交叉敘事關係。以頁5-6以及頁7-8的兩個跨頁為例：前者中，讀者的視線從跨頁左邊開始游移，首先會看到牆上顯示7點50多分的時鐘，之後隨著視線繼續移動，我們就會看到文字寫明接下來圖繪所描述的時空背景。通過繪畫的呈現和文字的錨定，我們便能得知，故事發生的時間是在某個星期六的早上，而當天艾迪王子賴床了。接著，隨著讀者的視線往下、往右移動，便能看到國王拉著艾迪王子起床的情境。從這一跨頁之前的幾幅圖，讀者已經累積了關於故事的一定先驗知識。他們看到了被繪製成粉紅色的艾迪，就能和前一頁所錨定的生氣王子的形象產生聯繫，知道他此刻非常生氣。這一幕中，國王首次於繪本中亮相，他的膚色被繪製成紫色。眼尖的

讀者或許會很快聯繫到，前文中艾迪只有在「不高興」時才會變成
紫色，這頭較大隻的大象或許非常不高興。隨著文字寫道「原來艾
迪的爸爸也很愛生氣！」[64]，讀者先前的假設得到呼應，這隻大象
的確生氣了，而且就是艾迪王子的父親——國王。

　　當讀者進一步翻動頁面，視線轉移到下一頁面時，首先會看到
置於頁上的文字。文字中介紹了國王為艾迪王子準備的美味營養早
餐，如「番茄起司三明治、洋蔥鮪魚雞蛋捲、五穀牛奶燕麥粥、什
錦蔬菜沙拉、香煎荷包蛋、紅蘿蔔鬆餅、鮮榨柳橙汁……」但生氣
王子一點都不買單，因為他更想吃棉花糖巧克力蛋糕。結果，國王
和艾迪王子又發生了爭執。文字中也描述了艾迪王子生氣時的肢體
動作，「他用耳朵蓋住眼睛」[65]，閱讀至此，讀者僅僅獲取的是關
於艾迪王子的情緒，而他生氣的緣由是因為不喜歡國王為他準備的
早餐。關於國王的反應，我們唯有將視線往下移動，看到一個暗紫
色的國王，才知道國王比起前一頁的膚色更深，隨著時間的推展，
他應該是更為不高興了。當讀者的視線游移到跨頁的右邊，賴馬
透過白色的背景顏色來表達空間的轉換，還有強化兩人的情緒的表
現。讀者同樣會先看到文字，知道接下來的矛盾緣由是因為出門的
穿著。讀者通過文圖相間的閱讀方式，還有眼前雜亂的畫面，可以
看出賴馬除了刻意通過色彩，也透過布局上的巧思，進一步帶動兩
人情緒的激化。

64　賴馬：《生氣王子》，頁6。
65　賴馬：《生氣王子》，頁7。

　　在另外一些作品中，賴馬將繪本結尾的敘事工作交由圖像來完成。例如，《慌張先生》故事的結尾，賴馬借用了電影「斯丁格」（stinger）的創作手法，來製造一種滑稽的感覺。故事中，當慌張先生在一陣慌張之下趕到表演會場卻發現自己記錯了表演日期。賴馬利用了大片的深褐色背景來襯托他置於右頁的左中央，透過背景的透視，引導讀者聚焦他錯愕的表情，作為一種極具戲劇張力的表現手法。[66]故事的敘事進行至此，讀者會以為故事已經來到了尾聲。但是，頁31-32的跨頁是一大片米色背景，賴馬在畫面的下方繪製了六個無邊框的連續畫面。畫面沒有搭配任何文字，故此敘事者的聲音是缺席的。[67]筆者唯有通過畫面中所呈現的連續動作，以及累積自繪本正文的故事情節，來揣摩畫面所呈現的意義。畫面中繪製了一位郵差先生來送包裹。讀者能夠從服裝推斷來應門的是慌張先生。由於郵差先生送來的禮物會震動，嚇了慌張先生一跳，他當場倒在地上，構成了一種滑稽的戲劇效果。另外，讀者要到了第四個小圖才知道送來的禮物原來是鬧鐘，而且經由郵差的對話框所框定的人物，再經由繪本先前文脈的錨定，我們才可以得知，送鬧鐘的人是先前出現在劇場的舞台經理。故此，賴馬在文末安排這種呈現方式，事實上已經是一種文圖接力的敘事。但是，若要詮釋這一組連續圖，讀者得通過從繪本的前文中尋找線索，又是一種圖像文本（圖）藉由從前文本（文）提供的線索來傳達故事信息，亦可

66　賴馬：《慌張先生》，頁29-30。
67　賴馬：《慌張先生》，頁31-21。

以算是文圖交叉敘事的一類。

2. 放射性交叉敘事

在這一類模式中，繪本畫面中所呈現的敘事文本都散落在頁面的不同角落。讀者無法通過畫面理出一個明確的視覺順序，感覺從哪個圖框開始說都可以說得通。故此，稱之為「放射性交叉敘事」。

例如，在《帕拉帕拉山的妖怪》的情節中，村民們由於擔心受到白豬魯魯所說的妖怪傷害，故此急忙想盡辦法做好預防性的準備。在頁 17-19 的跨頁中，主要的敘事文字出現在畫面的左邊，但是關於村民們為了避免「妖怪」的侵害紛紛忙著進行預防性準備的敘事則交由以放射式的方式呈現的圖繪來交代。[68] 為了幫助讀者錨定這些圖像的詮釋範圍，賴馬也在圖像搭配一些輔助性的文字，使得畫面彷彿發出了許多能夠傳達信息的「聲音」，而且從哪裡開始看都能夠串連故事。讀者在閱讀這一跨頁時，視線從左向右游移，一般會先閱讀左邊的敘事文字，然則需要通過綜合畫面所呈現的不同內容以獲取該跨頁所要向讀者呈現的內容。

3. 分頁交叉敘事

在這一種文本的結合關係中，故事中的情節發展往往在先前的跨頁中就已經埋下伏筆，文字往往只交代「結果」，讀者若僅僅閱讀文字是無法把握、推展情節發展的導因，而必須從前幾頁的圖繪中尋找線索。

68　賴馬：《帕拉帕拉山的妖怪》，頁 17-18。

　　例如《愛哭公主》中的第二次敘事高潮是當愛哭公在黃色派對中，又發現了一頂與黃色主題不符的藍色帽子。故事進展至頁33-34的跨頁中，敘述文字才描述這一情節。[69]閱讀至此，讀者必定好奇藍色帽子為何會出現在黃色派對之中。亦如賴馬一貫的風格，他喜歡在圖繪的細節中安置一些不容易被發現的細節，若讀者在讀圖時沒有仔細端詳，便不會發覺其中的玄機。

　　事實上，這頂藍色帽子的來歷在頁29-30圖繪中便已經有跡可循。[70]這一跨頁以整片的黃色調作為背景，但是卻在距離讀者視線最遠的背景中安插了一個小動物帽子飄走的情節。讀者在頁33-34所遇到的疑惑得追溯到頁29-30才能尋得線索，以形成故事的脈絡，這便是筆者提出的文圖分頁交叉敘事模式。

5 總結

　　本文通過文圖學的研究視角，將賴馬的繪本創作放置於「文圖學轉向」的語境中，探討其作品如何經由不同文本的組合，以圖像作為再現，將不同的故事呈現於讀者眼前。本文首先概述了賴馬繪本的創作歷程，再從聲音文本、圖繪文本以及肢體文本三個角度探討其繪本中的開創性。最後提出了三種文本與圖像的融合模式，探討賴馬經由巧思，完成每一本繪本的敘事。

69　賴馬：《愛哭公主》，頁33-34。
70　賴馬：《愛哭公主》，頁29-30。

　　筆者在討論的過程中發現，賴馬繪本中的文字是為朗讀而設計，故此可以被視作一種「聲音文本」來做詮釋。他在句式上發揮巧思，以長短句來控制敘事節奏的快慢，使用疊字結構、兒歌或口訣來烘托故事情節中的情緒，或作為一種烘托故事情緒的媒介。筆者也發現，這些音樂元素除了帶動敘事的節奏，也加強了故事的意境，增強敘事效果。筆者認為，本章將敘事文字作為一種聲音文本來詮釋的視角上，在一定程度上填補了繪本學界關於敘事文字討論上的空白。在文圖學的視角下，文本與圖像的對應關係不作刻意區分，故此筆者也探討了賴馬如何使用文字作為一種圖像元素來勾出了繪本中所傳達出的「聲音」意義，還有文字作為視覺元素可以如何被加以編定作為一種烘托故事氛圍的敘事符碼。最後，筆者也討論了圖繪中，人物的肢體語言如何幫助讀者詮釋繪本中的情節，以及人物的肢體動作如何帶動視線的移動，並且在繪本中產生動態導向，使圖像視覺符碼能夠突破時空限制，推展故事情節的發展。

　　在討論賴馬繪本創作的開創性的基礎上，筆者進一步於第四章中討論賴馬繪本文圖融合的問題，並且提出了「以文釋圖」、「以圖釋文」及「文圖交叉」三種文圖融合模式。筆者發現，由於賴馬對於繪本細節的重視，以及對於創作手法的不斷精益求精，其繪本中的「文圖」融合不再滯於單純的「文字」與「圖像」的結合。「文」與「圖」的組合方式更為多元，使它們能以更多元的藝術形態參與繪本的敘事。故此，筆者在每一種文圖融合模式下，進一步歸納出更多不同的互動方式。例如，在第一種融合模式下，「文」是作為「圖」的一種詮釋的依據。聲音文本×文學文本（文）可以作

為圖繪文本（圖）的詮釋依據；聲音文本（文）也可以作為圖繪文本（圖）意義的再現與加強。再者，經由第三種融合模式的討論，筆者也發現，賴馬繪本中文本與圖像之間的互動關係也不局限於相互意義上的補充，他們在一本繪本的敘事中所扮演的角色，亦可以是相互接力且相互激發的。賴馬繪本中的「聲音性」與「視覺性」兼備的特質，也使故事的敘事線跳脫傳統的線型敘事框架，讀者可以從不同角度觀察，或者針對不同細節進行爬梳，以得到關於繪本所要傳達的內在意義。讀者得到的感官刺激所引發的意識活動，更加提升了讀者對賴馬繪本的理解，大大增強其敘事效果。

綜上所述，本研究透過大量分析賴馬自編自繪型的繪本創作，展示了「文圖學轉向」時代動力下，繪本創作的創新與變異，並且通過借鑑文圖學方法論、提供了一個適用於未來繪本研究的討論框架。文圖學的研究方法，討論了文本與圖像之間的關係，但不將文本與圖像的對應關係進行刻意的區分，故而能夠兼容不同藝術表現形態於同一框架中進行討論。本研究僅討論聽覺藝術、文學藝術與圖像藝術在繪本中的互動與結合。然則，未來繪本創作的發展必定更加多元，而這種研究框架的兼容性，必定能提供更為多維的思考面向。最後，本文作為文圖學視角下的首個繪本研究，筆者希望能夠藉此拋磚引玉，在提供後來學者一個深入討論繪本的框架的同時，廣邀同好共同完善與深化這一視角對於繪本的應用與討論。

4 港漫的全球在地化
——甘小文漫畫文圖構築的香港文化*

羅樂然

甘小文是著名港漫家，他的作品以簡單的線條與滑稽表述手法，並加上風趣的對白通過戲仿、嘲弄、惡搞等形式及突顯描寫主題的繪畫方式，呈現文與圖的互動，成功在香港社會吸引大眾關注。

本文以甘小文的漫畫《至GOAL無敵》為例，說明他如何通過足球的概念將香港的社會與文化脈絡、全球社會發展的動態等，與漫畫的主題高度結合，引起大眾共鳴。相關分析反映甘小文的畫作如何顯示港漫的獨特性，即以其獨特表述方式詮釋全球文化與本土社會間的關係。

1 引言

現代意義的漫畫在1830年代的歐洲開始誕生，一般學界視瑞士籍的作家 Rodolphe Töpffer（1799-1846）所創作的連橫圖，[1]為現代漫畫的始祖。漫畫文化亦通過跨越國境的印刷文化，如報章、雜誌等，在19世紀末或20世紀初傳播到東亞地區。無論在中國，還

是日本當地的報紙或雜誌，都可看到翻譯或國人開始仿照的漫畫作品刊登。雖然在某種定義上，一些漫畫作品早於19世紀以前於中國與日本流通，但是漫畫從藝術層面，轉化為大眾文化廣泛流傳，則是濫觴於西方文化傳入東亞地區的時代。

　　不少學者對漫畫的定義已有豐碩的成果，但有一點特別值得注意與說明。范永聰在研究香港的《新著龍虎門》時提到：「『漫畫』內最重要的元素是『圖像』，這些『圖像』應該是獨特、誇張的，最好隱含諷刺、幽默，藉以表達意見、傳遞訊息及抒發作者的情感。」[2]漫畫與其他圖像媒介的區分，如石子順造所指：「漫畫以廣大的讀者為對象，強調作品的淺顯易懂，使讀者不必經過專業訓練就能很快進入狀況。」[3]從此可見，漫畫在社會傳播期間，大部分大眾的閱讀感受大體為一致的，社會均有相同的感受與共識。因此，研究漫畫與其他文學或文圖作品的不同之處在於漫畫不只限於了解創作者的觀感與背後的創作動機外，也基於漫畫以社會普羅大眾為主要對象，從而了解讀者的回饋與漫畫創作之間的關係。

　　蕭湘文以傳播學為角度的漫畫研究中，特別指出漫畫傳播的要素包括（一）傳播主體：漫畫家、出版社與讀者；（二）傳播管

＊　非常感謝作者甘小文先生允許本書採用《至GOAL無敵》各期多組圖像！

1　Jeet Heer & Kent Worcester, *A Comics Studies Reader* (Jackson: University Press of Mississippi, 2009), p. 3.

2　范永聰：〈港漫中的廣東文化形象：民俗文化之傳承與現代詮釋——以《新著龍虎門》為例〉，文潔華編：《香港嘅廣東文化》（香港：商務印書館，2015），頁53。

3　石子順造著，謝民福譯：〈日本現代漫畫小論〉，《書評書目》，第75期（1979年9月），頁34。

道：網絡媒介、行銷活動與回饋媒介；（三）傳播元件：漫畫文本；（四）傳播情境：政策法規與社會團體；（五）傳播效果等方面。[4]而當中的漫畫傳播的情境以及主體在本文中有其特殊的意義，亦即除了漫畫家外，讀者或社會大眾如何感受及回應也是漫畫與社會之間互動的重要關鍵。無論任何種類的漫畫都需要放置在某種社會的脈絡下討論，才可了解其圖像與文字之間所產生的相關話語及文化效果。

　　香港漫畫家甘小文，原名甘健文，是一位香港漫畫界的另類奇葩。他的影響力也許不如其他的著名漫畫家如黃玉郎或馬榮成等，有著非凡的成就，或不少人大多只形容他是一位在漫畫工業轉變過程生存與蛻變的香港漫畫家，但是他的漫畫值得我們深入了解其畫功與香港社會之間的關係。香港學者吳偉明曾在其研究中形容甘小文為「市井幽默」，[5]而甘小文為人最熟悉的成就，是在當時的港漫的大集團玉郎集團旗下的一本周刊式漫畫集《玉郎漫畫》中擔當其中兩版的《太公報》主筆。[6]《太公報》與同期的其他漫畫不同的地方，是全篇都以惡搞、粗鄙及不雅的方式來引起讀者的關心與興趣。他曾以「柑」、「蕉」、「桔」、李」、「碌柚」等水果組成一段看圖識字以諧音表述廣東話的著名粗口笑話。[7]（圖1）自此，他

4　蕭湘文：《漫畫研究：傳播觀點的檢視》（臺北：五南圖書，2002），頁30-35。

5　吳偉明：〈日本漫畫對香港漫畫界及流行文化的影響〉，氏著：《日本流行文化與香港》（香港：商務印書館，2015），頁173-174。

6　范永聰：《我們都是這樣看港漫長大的》（香港：非凡出版，2017），頁80。

7　〈太公愛不文 甘當麻甩神〉，《蘋果日報》，2015年11月11日，https://hk.lifestyle.appledaily.com/lifestyle/special/daily/article/20151111/19367378，瀏覽日期：2017年12月7日。

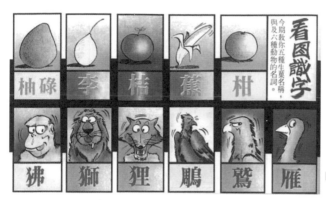

圖1　看圖識字（圖像由作者提供）

的搞笑形象被香港的漫畫界定型下來。其中，他在1997年開始自資連載足球漫畫《至GOAL無敵》，被視為香港體育漫畫最成功一例。除了《至GOAL無敵》外，他的一些畫作如《奔走行》、《黃飛鴻笑傳》、《一本大便》等一直被視為香港的日常生活的反應與回饋。他以滑稽與香港日常相關的話語及社會環境設計了各種場景、對白以及漫畫的特色，吸引了大量本屬於主流武打漫畫的漫畫迷購買。時至今日，甘小文創作的角色不只限於漫畫之內，在不少空間與場合仍可見其蹤影，如廣告、遊戲或報紙等，可見與一般港漫在社會的定位截然不同。

衣若芬早年研究題畫文學時，將其研究心得延伸至各種文學或文本中的文圖之間的關係，亦通過各種文圖關係的案例，近年提出「文圖學」的學術視角去了解文字與圖像。她認為：「『文圖學』的文，包括廣義上各種文體的文學，過去統稱為『詩』。然而，二十世紀以來，書寫形態和生產工具樣式繁多，未必皆符合文學性，也

未必具有詩意，只能說是文字或文字的組合。『文圖學』的『圖』
（image），過去統稱為『畫』，如今含括所有影像、線條、印刷等
視覺藝術。『文圖學』關心『詩畫關係』、『詩畫比較』、『詩畫
互文』，還涉及生產機制、社會網絡、政治訴求、消費文化、心靈
思想等課題。」[8]

　　衣若芬也把視角從文學轉移至報紙廣告，發現文字與圖像的互
動關係，經常成為20世紀初商家行銷推廣的手段。她的研究引發
了漫畫等文圖互動的書寫形態，其實不只是可用作單純的圖像所投
射的視覺藝術，而是它背後如何建構或反映社會與文本的關係，以
及大眾文化現象等課題，而香港漫畫正是最為合適的案例。不少研
究港漫的學者都不約而同提出，香港漫畫是作為香港本土聲音的反
映。[9] 在1960至1970年代，為抗衡新興的娛樂──電視節目競爭，[10]
漫畫業大多取向與流行電視劇或電影的課題進行創作，加上李小龍
的功夫片取得成功，[11] 故漫畫也一面倒的以功夫、打鬥、黑幫等課
題為主要的創作話題。因此，不少香港的漫畫亦從1970年代起，
被香港社會標籤為不良意識、暴力血腥、「教壞細路」的代名詞。

8　衣若芬：〈「文圖學」與東亞文化：1920-30年代虎標永安堂藥品的報紙廣告〉，《臺大東亞文化研究》，第3期（2015年10月），頁162-163。

9　Jeffrey Mather, "Hong Kong Comics: Reading the Local and Writing the City," *Wasfiri* 32: 3 (2017): 79-86.

10　1957年香港政府容許英國公司麗的映聲（Rediffusion）設立當地甚至大中華地區首家有線電視台，被視為香港電視娛樂的開端。不過，有線電視始終依賴經濟條件較佳的家庭才會願意付出租用電視服務。直到1967年，電視廣播有限公司（Television Broadcasts Limited）的成立，普羅大眾購買電視後便可以觀賞免費的節目。當時香港大眾在電台廣播、電影、漫畫以外，電視節目成為了更多人的娛樂選擇。因此，電視廣播的普及化也使漫畫業的策略有明顯的改變。

11　范永聰：《我們都是這樣看港漫長大的》，頁36-37。

[12] 不過，朱維理指出「放諸香港，漫畫展示社會實況的內容也體現了它的平民性。戰後香港成為了國共兩黨爭持的地方，故此漫畫被認為須要站在『愛國家愛人民』的立場，以詼諧方式揭示政治及社會的黑暗。《華僑日報》甚至認為『漫畫是一種題材重於一切的藝術，它必須描寫具有社會意義和政治性的題材，否則這種藝術的意義就不是在我們所說的意義範圍以內』。」[13] 因此，香港的漫畫並不會脫離現實，反過來是更貼近香港本地社會的一舉一動以及社會時事，[14] 港漫無論以什麼主題出發，它們大多離不開香港的社會脈絡。因此，本文希望探討甘小文漫畫的文圖互動，特別是在1997-1999年出版的《至GOAL無敵》，說明漫畫如何成為讀者與社會文化之間認知的載體，通過興起於西方的漫畫文圖詮釋與表述形態中，說明了香港漫畫如何塑造了香港社會一代的本地想法與文化現象。

2 香港漫畫變遷與甘小文的「另類」創作

漫畫是二戰後香港社會主要的大眾娛樂與文化，香港漫畫工業亦是在相近的年代所形成的。香港在1945年戰後一方面在冷戰氣

---

12 朱維理：〈社會治安、保護青少年與香港漫畫「不良讀物」的形象：兼論《小流氓》與《龍虎門》主題轉變之緣由〉，《文化研究＠嶺南》，第55期（2016年1月），頁1-43。

13 朱維理：〈社會治安、保護青少年與香港漫畫「不良讀物」的形象：兼論《小流氓》與《龍虎門》主題轉變之緣由〉，頁5。

14 像2016年牛佬主編的《古惑仔》第1973期的封面便以主角陳浩南以「啤酒」與川普慶賀他當選新一任美國總統。此例可說明漫畫不脫離社會脈絡。

氛下面對世界兩大陣營之間的角力，而另一方面成為國共內戰的避
難所。無論是無依無靠的低下階層，還是帶著資本而來的企業家，
都聚集在香港這一塊不屬於兩方的殖民地。礙於韓戰的爆發，香港
無法再維持轉口港的工業，而歐洲等地急需大量重建必需品，故一
些從北方而來的資本在香港紛紛成立工廠，作為歐洲重建的日常品
重要後援。一些工廠在香港不同的區域成立，同時來港避難的低技
術工人成為廉價的勞動力支援了如此的行業。自此，香港在戰後蛻
變為一座位處亞洲的新興工業城市。[15]

　　由於工人長時間在工廠工作，但收入低微的娛樂選擇甚少，漫
畫是其中一個主要能夠消費的娛樂選擇。因此在50-60年代一些從
中國南下的漫畫家引發大家閱讀漫畫的興趣。[16]香港的漫畫在70年
代以後更加固定在香港低下階層所關心的話題為創作的主題。70年
代香港社會有著各樣不安，而衍生的漫畫也與流氓、黑社會、打鬥
相關。漫畫與香港其他的大眾文化一樣，也同樣受到華南武俠風氣
的影響，武打成為了最主流的課題。像1969年開始連載的黃玉郎
的《小流氓》與1971年連載由上官小寶創作的《李小龍》便可說明
如此情況。[17]

　　在1980年代，受日本漫畫的創作方式影響，通過《龍虎門》
取得極大成功的黃玉郎將港漫進一步工業化與集團化。他先合併原

15　饒美蛟：〈香港工業發展的歷史軌跡〉，王賡武編：《香
　　港史新編》上編（香港：三聯書店，2016），頁393-443。

16　黎明海：《功夫港漫口述歷史（1960-2014）》（香港：三
　　聯書店，2015），頁10-12。

17　黎明海：《功夫港漫口述歷史（1960-2014）》，頁13-14。

來與他競爭的上官小寶的漫畫公司，壟斷了香港的漫畫行業。關
於香港漫畫的研究，像范永聰半自述的角度觀察港漫在近數十年
的變化，[18]以及黎明海出版的《功夫港漫口述歷史1960-2014》，
以口述歷史的方式紀錄香港漫畫，都不約而同指出在80至90年代
取得莫大的成功的港漫，大多以武俠與技擊打鬥為主要的對象。這
種形象的產生亦緣於自大眾接觸各種娛樂媒介以後，大部分的娛樂
資訊，像電影、小說等都以武打相關。例如電影中的不同時代的黃
飛鴻、[19]李小龍在嘉禾拍攝的一系列電影；金庸、古龍、梁羽生等
在報紙一直連載的武俠小說等，都是香港的主流文化象徵，也是外
人眼光最常認識的香港認知。如吳偉明在研究日本的香港情況的研
究，也特別指出「日本流行文化及傳媒的香港形象充滿東方主義
（orientalism）的凝視及懷舊情懷，它們想像中的香港是個龍蛇混
雜的『東洋魔窟』或『魔都』，那裡的男性皆懂功夫，女性皆穿旗
袍，充滿不可思議的奇人奇事……」如此以武俠與功夫為主的香港
文化形象，大多是日本在接觸香港文化的媒介，均與武俠有相關。
因此，港漫很多時候均被視為武俠與打鬥漫畫的代名詞，像《龍虎

18　除了《我們都是這樣看港漫長大的》，范永聰也撰寫過〈「港漫」中的廣東文
　　化形象：民俗文化之傳承與現代詮釋——以《新著龍虎門》為例〉探析《新
　　著龍虎門》如何作為港漫的例子，呈現香港與廣東的地方文化。關於此，詳
　　參范永聰：〈「港漫」中的廣東文化形象：民俗文化之傳承與現代詮釋——
　　以《新著龍虎門》為例〉，載文潔華編：《香港嘅廣東文化》（香港：商務
　　印書館，2014），頁52-80。

19　麥勁生他提到黃飛鴻這位我們所知有限的武術家，通過了廣播劇、電視、電
　　影等媒介流播，形成了今天香港生活裡的重要Icon，也是香港武術電影的重
　　要Icon。關於此，詳參麥勁生：〈黃飛鴻Icon的本土再造：以劉家良和徐克
　　的電影為中心〉，載文潔華編：《香港嘅廣東文化》，頁81-99。

門》、《醉拳》、《中華英雄》、《鐵將縱橫》、《天子傳奇》、《風雲》，甚至是《古惑仔》等，都與武打元素不可分開。

　　如此單一化的漫畫雖然在80至90年取得很大的成功，但是在90年代有衰退的跡象，一方面是單一化的題材無法吸引更多讀者。另一方面是漫畫面對著互聯網及更多種類的多元化大眾文化挑戰。於是，漫畫家亦不斷尋求各樣的可能性以滿足新的需要以及延續港漫在社會的影響力。

　　其中，甘小文的經歷正好說明港漫的轉變甚至顯示出是港漫的獨特本土性。甘小文在武打為主流的漫畫世界中突圍而出，以笑話漫畫在漫畫界獲得更多的知名度。甘小文接受黎明海的訪問時提到：「我很喜歡說笑，喜歡玩。同期漫畫界也開始轉型，由黃玉郎的風格轉到馬榮成那種很精細的繪寫。頭髮要一條條的畫。在我個人而言，我不能做這種太精細的漫畫，所以選擇一些比較粗枝大葉的漫畫風格。那時我以個人興趣為主，不太理會回報。讀者對我的漫畫沒有即時反應，既不是讚賞，也不是批評，就是沒有回應——這是最差的狀況，因為你不知道自己做得如何。但只要繼續做下去便會知道別人的反應。」[20]這種與精細形式的技擊漫畫不同的甘小文創作，也使甘小文本人說自己是另類的漫畫家。他說：「在香港我也算是個另類漫畫家。其實日本的同類作品我也看很多，而且也受其啟發，好像白井（儀人）的幾格漫畫及短篇都十分精彩……我倒要肯定日漫對我的影響。我常看日漫，見到有好笑的橋段也會參

20　黎明海：《功夫港漫口述歷史（1960-2014）》，頁393。

考。」[21] 因此，甘小文在參與漫畫創作後便一直走著與技擊漫畫殊不相同的路。

甘小文自言是小時候與一般的小朋友一樣購買時稱「公仔書」的漫畫書，其中黃玉郎的作品是他十分喜愛的。[22] 後來他加入上官小威協助畫畫，並因此有機會代替麥敏中續寫《朱先生 And 八姑》和《小軍閥》等漫畫。（詳參表1）在1982年自行出版第一本《精英漫畫》後便加入了玉郎集團。

首刊年份	作品
1979	小軍閥（代筆）
1979	朱先生 and 八姑（代筆）
1982	精英漫畫
1984	武林小子
1985	魔君
1985	歷劫奇人
1985	太公報（載於玉郎漫畫）

21 吳偉明：〈日本漫畫對香港漫畫界及流行文化的影響〉，氏著：《日本流行文化與香港》，頁173-174。
22 黎明海：《功夫港漫口述歷史（1960-2014）》，頁392。

1989	壽星仔背頁漫畫
1989	四格漫畫大全
1990	深水泰山
1991	笑王
1995	一本大便
1995	廁文化
1997	至GOAL無敵
1998	忽然不文
1999	搞笑版火武耀揚
1999	阿癲佬（至GOAL無敵外傳）
2000	大力與小如
2000	黑金剛
2000	兵器超人
2000	R洲國家杯
2001	尿是故鄉黃
2001	黑金剛

2001	沉淪記
2002	世界水杯後篇——世界GOAL星足球隊
2002	笑夠死
2002	散打無敵
2003	皇家馬嗲利
2003	笑鑊甘
2004	笑能死
2004	九彩至GOAL無敵
2004	甘三國無雙
2012	鐵將四仔
2012	小流文
2016	大神們的武林
2017	奔走行

表1　甘小文漫畫列表 [23]

甘小文在1984年加盟漫畫界龍頭的玉郎集團後，便獲得了成功的機會，開始參與結合多位漫畫共同參與的漫畫雜誌《玉郎漫畫》，甘氏主責的專欄是《太公報》。《太公報》的受歡迎程度，當時的版頭以惡搞的形式註明：「買《太公報》送《玉郎漫畫》。」據范永聰指：「《太公報》絕對是意識不良的，報上出現的大量人名、地名、物件、事件，以及至一些堪稱『無厘頭』之極的文字，都與人體器官、兩性關係及粵語粗口相關……」[24]漫畫家趙汝德在一次訪問中對甘小文的成就有以下的評價：「甘小文非常厲害，他對整個笑話行業（漫畫）有很大影響。很大程度上周星馳也是這樣跑出來，因為甘小文是無厘頭文化的鼻祖，據聞周星馳也是汲取了甘小文的創作，才有『飲啖茶，食個包』這些語句。」[25]由此可見，甘小文在香港漫畫界被固定為笑話漫畫的始祖，甚至是對整個行業有極深遠的影響。

　　《太公報》是甘小文推向成功的重要作品，以報為名實際上仿效報紙有不同的專欄，容許不同內容以排版的方式展現。在《太公報》有如尋人啟事、電影廣告或是一些四格漫畫，包羅萬有的資訊與內容則以報紙內容雖然不一定屬於甘小文原創，但甘小文的圖文配合卻成為了大家印象深刻的渠道。以《太公報》的看圖學字為例，他以奔、走、行三種一般人步行的方法再配以一幅漫畫說明三

24　范永聰舉隅如「近藤周現」、「灰膠鞋」（配圖的確是灰鞋一對）、「奔走行」（畫三幅圖描繪奔跑、走動、慢行三種動作）。關於此，詳參范永聰：《我們都是這樣看港漫長大的》，頁81-82。

25　范永聰：《我們都是這樣看港漫長大的》，頁168。

種步行方式的分別。（圖2）表面上這並沒有什麼特別有趣之處，但如將之放在香港本土文化便立刻可心領神會了，因為奔走行在粵語是男性性部位稱呼的諧音。故甘小文的漫畫創作有著濃厚的香港草根味道與文化觸覺。

圖2　看圖學字——奔走行
（圖像由作者提供）

粵語的諧音當然是甘小文最常採用的表述方法，另一方面他所用的題材也是香港本地讀者最有共鳴的話題。同樣是表面毫無特別的三種「動物」：龍、虎、豹，但將三種動物連接起來就是在華文地區甚為出名，在1984年出版的香港著名成人雜誌之一——《龍虎豹》。（圖3）

在當時仍屬保守的社會，甘小文通過簡單的線條與文字的應用，將香港讀者當時本地所流行與關心的課題、用語以及文化現象都放入在自己的創作之中。除了《太公報》外，往後他出版或與人聯合創作的作品（《大力與小如》和《鐵將四仔》等）也都有如此的傾向。這其實

圖3　看圖學字——龍虎豹
（圖像由作者提供）

說明甘小文的創作對象是以香港社會為閱讀群體，但是更願意將香港的文化特色以漫畫的方式表露無遺。而閱讀他最賣座及最成功的作品《至GOAL無敵》，更能呈現出這種想法。

3 《至GOAL無敵》與香港文化與社會

甘小文的創作特色是不只限於某種課題，而是不斷嘗試新的題材作為漫畫的主題。1997年《至GOAL無敵》便因此而創作出來。世界運動賽事的直播開始於1980年代末期，1996年，香港有線電視投得英超的播映權，以每周衛星直播2-4場的形式讓香港的觀眾收看，自此英超不再局限於英國國內，也通過直播成為了全球的體育運動。香港的本地足球發展雖然受到直播的影響，導致本地職業足球經歷了一段冰河期，但是大眾對足球的熱情與關心沒有因此而消減，大家的興趣投入在更激烈的歐洲賽場之中。甘小文的《至GOAL無敵》便在此熱潮與氣氛下出版。《至GOAL無敵》（圖4、圖5）的故事以1990年代末期的社會背景下開展。

在第二集的序言指「全球股市出現大熊市，各地指數急挫。各上市球會出現骨牌效應，紛紛倒閉，部分球員生活變得潦倒。」（如圖6）1997年出版的《至GOAL無敵》可算是回應社會問題的代表作。香港在回歸過後，立刻如其他亞洲國家一樣面對著由亞洲金融風暴帶來的社會衝擊，故事的開端亦把現實生活不太受影響的世界級球星塑造成香港的市民一樣，成為失業大軍的一員。漫畫描述他們如何在被迫接受潦倒生活後，逐步投入足球運動，以回復各自

圖4　《至GOAL無敵》第一期封面
　　　（圖像由作者提供）

圖5　奄烈治與超級魔鬼隊球員（圖像
　　　由甘小文授權使用）

《至Goal無敵》VOL. 2
超級魔鬼

全球股市出現大熊市，各地指數急挫，骨牌效應，各上市球會紛紛倒閉，部份球員生活潦倒。一代巨星奄烈治振臂一呼，招納重組11名勁旅〈超級魔鬼〉，展開了足球新秩序。一頁世界足球新秩序。

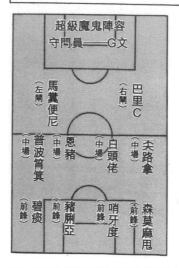

圖6　故事介紹與奄烈治帶領的超級魔鬼
　　　隊陣容（圖像由甘小文授權使用）

昔日的色彩。

漫畫開端的各個球員都在各種典型的香港中下層行業裡工作，如碧痰以賣飛機欖（Aeroplane Olive）維生；[26] 奀路拿在港式茶樓裡賣點心（圖7）；恩豬、森莫麻甩奴等則做賣藥黨，以說明當時1997年的社會與經濟條件並不理想，故不少人都需要轉行或尋求

圖7　奀路拿（戲仿1990年代著名法國球員David Ginola賣點心的畫面）（圖像由甘小文授權使用）

26　飛機欖又名甘草欖，是由甘草、橄欖、鹽等醃製而成的街邊小吃。因小販以欖型的容器，以拋擲上唐樓的三、四樓等層數的買家，故有飛機欖之稱。David Beckham（碧咸）在足球場上成名的是在球場中圈附近笠射龍門而成名，故甘小文筆下的碧痰便將Beckham的「笠射」與飛機欖拋擲方式混合而談。據潘麒智的研究，他曾於2009年訪問的郭鑒基是飛機欖的發明者。潘氏的文章可具體說明飛機欖與香港之間的故事。關於此，詳參潘麒智：〈停泊在小巷的回憶——飛機欖伴我們走過的七十年代〉，《文化研究@嶺南》，第19期（2010年7月），頁1-15。

圖8　漫畫裡出現的球員名字（圖像由甘小文授權使用）

各種可行的工作機會繼續在社會生活。（圖8）漫畫以此為背景，把漫畫的故事與現實環境高度結合，也使當時讀者對漫畫的內容與故事發展有更深刻的投入感。

　　甘小文在80年代的《大公報》時，已喜歡通過粵語的諧音或以身體特徵來創作角色或漫畫的用語。在《至GOAL無敵》中，一些球星的香港譯音便被甘小文大書特寫，像英格蘭最著名的球星David Beckham在香港譯音為碧咸，則被改為碧痰、智利的進攻球員Iván Zamorano（森莫蘭奴）被稱為森莫麻甩奴，一些球員的名字像Ronaldo Luís Nazário de Lima（朗拿度）被稱為哨牙度、Alan Shearer（舒利亞）被稱為豬腒亞、Paolo Cesare Maldini（馬甸尼）被稱為馬冀便尼。（圖9）球員的名字以粵語諧音設計，讓懂得粵語的漫畫迷得以會心微笑，以及拉近與香港之間的關係，但是在香港以外的讀者則不會有著相同的認識與感受。

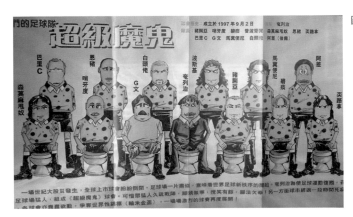

圖9　球隊名單及名字（圖像由甘小文授權使用）

　　《至GOAL無敵》的圖像有強烈的時代感，雖然以足球為主軸，但漫畫的脈絡沒有離開香港的社會與政治議題，像圖中戲仿朗拿度的哨牙度因足球市道差勁導致失業，故需與女性拾荒者爭奪汽水罐以換取收入。（圖10）香港的城市環境，拾荒者是香港在現代化的過程展示貧窮問題的城市表徵。[27]所以，對讀者來說，這些場景對於世界級球星當然是荒謬，但是場景內的行為是每天在生活不多不少的可感受到的畫面。漫畫與現實社會保持極接近的關係。

　　甘小文的漫畫與黃色話題、粗口密不分開外，甘小文喜歡將不雅的題材，特別是與如廁文化、洗手間等放在漫畫裡。這也許是洗手間，特別是公眾廁所是平民必須經歷的體會。甘小文描寫超級魔鬼隊的球員們所居住的宿舍是一間男性公眾廁所（圖11），讀者可以

27　徐斯筠：〈被社會邊緣化的群體——香港拾荒長者生存狀態研究〉，《香港人類學》，第6期（2012年），http://www.cuhk.edu.hk/ant/hka/vol6/HKA_TSUI.pdf，瀏覽日期：2017年11月16日。

圖10　哨牙度與阿婆因拾荒爭執（圖像由甘小文授權使用）

圖11　球隊住所（即廁所）（圖像由甘小文授權使用）

圖12　戲仿香港黑社會新春期間送年桔的情景（圖像由甘小文授權使用）

此想像現實公眾廁所的環境衛生，從而能夠想像到球隊的條件及能力，讀者亦可從此感受到一種現實與漫畫的對比感，也能將漫畫與現實保持接近的距離，在香港讀者的語境下，有更豐富的想像與認知。（圖12）

　　《至GOAL無敵》得以被視為社會的回饋從銷量可看得出來，其一它以精裝本雙週刊形式推出市場，共連載超過54期，平均銷

量達到2萬冊。[28]在當時的薄裝漫畫為主流的港漫市場實屬一次成功的銷售方式。而甘小文在接受黎明海的訪問時曾提到:「寫搞笑漫畫較簡單,成本也較低。我的原意只為餬口……誰知《至GOAL無敵》大賣,能讓我多吃一頓夜宵。」[29]他特別在訪問提到因此而搬進愉景灣,可見當時《至GOAL無敵》為甘小文賺得不少。[30]

而《至GOAL無敵》雖然不像《キャプテン翼》一樣可以影響到足球員投入足球運動,但是甘小文卻因社會對足球的興趣,他筆下的簡單線條的人物獲得了不少商業機會。他指《至GOAL無敵》為他帶來了不同種類機會:「適逢世界盃熱潮,賽馬會、國美電器和百威啤酒覺得《至GOAL無敵》的人物適合他們用作宣傳或製作Figure(人偶)、旅行袋或水樽,於是向我買下人物版權。我一直希望出版足球漫畫,想不到變了商品,當時並不知道可以有這條靠漫畫副產品的出路。」[31]在2006年的一次報道提到「本港於03年賭波合法化,翌年馬會希望物色一名球星插畫師繪畫宣傳海報。碰巧他(甘小文)多年前出席港台節目訪問,認識現時擔任有線電視足球評述員的馬啟仁,當時替足智彩任宣傳工作的馬,即時想到找他畫海報。結果他筆下的球星宣傳海報,遍布全港數以百計投注站

28　〈妙筆畫出球星百態 甘小文否極泰來「足球熱潮救咗我」〉,《蘋果日報》,2006年5月3日,https://hk.news.appledaily.com/local/daily/article/20060503/5886304,瀏覽日期:2017年12月9日。

29　黎明海:《功夫港漫口述歷史(1960-2014)》,頁397。

30　黎明海:《功夫港漫口述歷史(1960-2014)》,頁396。

31　黎明海:《功夫港漫口述歷史(1960-2014)》,頁397。

圖13　中環車仔麵店的甘小文所繪外牆（圖像由作者提供）

內外。」[32]賽馬會的投注站是遍布全港各地，故甘小文為足球博彩而製作的宣傳品也定期在香港各地展示。甘小文的圖像至今仍獲得商家垂青，像中環某「車仔麵」麵家便送請甘小文繪畫外牆，[33]除了一些甘小文著名的人物及香港政治人物外，像蛋治奧和碧痰等《至GOAL無敵》人物仍然被收進這幅外牆畫作裡面。（圖13）由此可見，甘小文的足球創作是一種帶有無比的熟悉感，吸引商家採用，亦容易讓社會大眾瞬間聯想相關的回憶。《至GOAL無敵》裡的球員不是鼓勵年輕人投身足球運動的榜樣，而是把大眾與記憶相連結的媒介，也許是Pierre Nora所提出的「記憶所繫之處」（lieu de

32 〈妙筆畫出球星百態 甘小文否極泰來「足球熱潮救咗我」〉，《蘋果日報》，2006年5月3日，https://hk.news.appledaily.com/local/daily/article/20060503/5886304，瀏覽日期：2017年12月9日。

33 〈甘小文畫麵舖外牆 哨牙珍陪你喫車仔麵〉，http://gameover.com.hk/?p=321728，瀏覽日期：2017年12月8日。

memoire）。[34]

　　吳俊雄、馬傑偉、呂大樂在2006年出版《香港‧文化‧研究》的文集時，曾指出香港的本地文化研究有「平民是焦點」的傾向：「文集的文章堅持由微觀出發，研究焦點集中日常生活各個範疇，包括追尋茶餐廳、分析英文名字、閱讀漫畫、貼近歌迷、翻弄市井精神，視察街頭抗爭、尋找女性足印，甚至連回望歷史，都強調在主流史象尺度中屬於『無關痛癢』的生活點滴……但我不少論者誤以為文化研究就是流行文化研究，而流行也者，就是歌、影、視以及潮流、商品、消費，並以此批評文化研究是趕新潮、嘩眾取寵……但我們所重視的，不是浮面的時尚，而是貼近平民百姓的生活與感情結構。我們關心普及文化，不是偷取明星光環，而是在分析庶民習性。」[35]所以不只是甘小文的《至GOAL無敵》，其他港漫作家的書寫與創作，他們都不約而同地，貼近香港社會。所以，《至GOAL無敵》所書寫的足球雖然不是令年輕人更熱忱於足球事業的漫畫，但承傳著港漫的獨特性，以足球為題，卻以社會反映為主調，因此該漫畫成為香港讀者經典的港漫作品之一。

　　歐洲的賽場通過直播技術，香港社群安在家中可欣賞頂尖球員的賽事。一些著名的歐洲球壇參賽的球員成為了香港本地社群在

34　Pierre Nora提出的研究是強調一些物質與非物質的實體是社群的象徵性遺產。這些被甘小文創作的漫畫球星，正是90年代香港大眾社群的共同記憶，彼此之間因甘小文的創作產生不同種類的記憶，與歷史之間互相糾纏。關於Pierre Nora的研究，詳參Pierre Nora, "Between Memory and History: Les Lieux de Mémoire," *Representations* 26 (1989): 7-24.

35　該文後來被收錄為朱耀偉的《香港研究作為方法》一書中。詳參吳俊雄、馬傑偉、呂大樂：〈港式文化研究〉，朱耀偉編：《香港研究作為方法》（香港：中華書局，2016），頁166-167。

1990年代的共同回憶。甘小文的漫畫無意亦無可能創造年輕人追夢的理想，但是卻回應著社群感受。1997年以後，香港無論是在文化與經濟層面都受到不同程度的挑戰，甘小文世界球壇漫畫化於香港大城小事，為人熟悉的世界級球員與本地市民生活無異，一同面對著各樣問題。這種漫畫的想像轉移使得甘小文的《至GOAL無敵》成為了1990年代最不一樣的港漫作品，也毫無保留地呈現著香港人90年代的生活與體會。除了《至GOAL無敵》外，他的其他漫畫也有如此傾向，使得閱讀者能夠從其漫畫感受與體會在社會所面對的挑戰與困境。

4 結論

漫畫是在地社會中最容易讓大眾接受及最反映當代想像的文化媒介。漫畫的形態、內容及繪畫的重點，大多以在地社群對事情的關心與了解所形塑。甘小文不是像黃玉郎在香港取得極大名氣與成就的漫畫家，也不像馬榮成在藝術成就高於市場收益的漫畫大師，但他卻是最接近社會與本土的漫畫家。甘小文的線條不能與上述的漫畫家相比，但甘小文的繪畫方式卻能夠將香港人最感興趣，最引發笑點共鳴的內容加以強化。甘小文的漫畫必須配合他的字句，並非因為漫畫角色的對白對劇情有著重要的影響，而是他的漫畫需要用他設計的字句與對話才可懂得甘小文背後想展示的笑話。

2020年下半季，有香港政治團體抗議深水埗一所商場。他們的抗議理由是商場展示由香港漫畫家林焜祥所繪畫的年輕女性形象

圖14　甘小文的商場外牆漫畫[36]

過分裸露、不雅和淫穢。於是，大批漫畫家以自己的畫風在網絡仿作林焜祥的作品，並在多方的協調下，該商場決定同時掛上甘小文仿作漫畫，來回應政治團體的抗議。（圖14）大眾認為甘小文的仿作的「姣婆四」與「哨牙珍」並不是討好的女性，但同樣繪畫成性感

36　照片由友人Bryan Yiu先生提供，特此鳴謝！

少女，卻成功幽大眾一默，讓大眾有機會重新思考性感、裸露、淫穢在社會的定義。[37]社會對林焜祥甚至很多香港漫畫家也不認識，但是甘小文筆下的角色一出現，大家就會對本地文化更關心，各種文化情懷也再次流露。

　　本文從近年流行的文圖學理論出發，強調現代日常生活裡的文與圖之間的互動，以香港的漫畫家甘小文的創作為例，說明他如何把漫畫創作與香港的日常生活百態通過文圖之間的互動與闡釋，呈現出來。甘小文雖然是香港漫畫的特例，[38]但他卻是充分利用漫畫的特性，將香港的本地文化以其創作的角色與不同種類與主題的漫畫呈現出來，而在文圖學理論持續發展的往後，更多不同的漫畫不再只是作為大眾文化看待，而是作為重要的文獻材料讓我們更認識社會大眾的想法與社會環境。

37　〈西九龍中心「換畫」行動細節曝光 原創者林祥焜：幽大家一默〉，《香港01》，https://www.hk01.com/18%E5%8D%80%E6%96%B0%E8%81%9E/540252/%E8%A5%BF%E4%B9%9D%E9%BE%8D%E4%B8%AD%E5%BF%83-%E6%8F%9B%E7%95%AB-%E8%A1%8C%E5%8B%95%E7%B4%B0%E7%AF%80%E6%9B%9D%E5%85%89-%E5%8E%9F%E5%89%B5%E8%80%85%E6%9E%97%E7%A5%A5%E7%84%9C-%E5%B9%BD%E5%A4%A7%E5%AE%B6%E4%B8%80%E9%BB%98，瀏覽日期：2020年11月24日。
38　近日，甘小文接受香港電台《香港故事系列——我們的漫畫家》節目范永聰博士訪問，訴說他多年的漫畫生涯。詳參〈我們的甘小文〉，https://www.rthk.hk/tv/dtt31/programme/hkstories47/episode/713900，瀏覽日期：2020年11月24日。

5 寵物、權力、消費：
文圖學視角下寵物漫畫的隱喻
——以漫畫《霸道總裁喵》為例

孔令俐

現代社會中人與寵物的關係日益密切，這種現象也反映在流行文化的生產與消費中。2014年，英國漫畫家Tom Fonder創作的一部以寵物為主人公的網路漫畫「商務貓的冒險（The Adventures of Business Cat）」逐漸在網路上流行。主人公「總裁喵」是一個貓首人身的商業大亨形象，身居高位的他時常如寵物般撒嬌任性，同時配合上節制而有序的職場空間，使情節產生一種充滿悖論的非合理化趣味。本文試圖在英式冷幽默的敘事方式與寵物經濟熱的時代潮流之間，探討這部系列漫畫所反映出的人類與寵物的關係以及背後權力問題的隱喻。這種關係早已不再是「主人」與「玩伴」的格局，反之，寵物如何「施展」權力，使得主人與寵物時常在身分互換的遊戲中建構自身。

1 引言：含混的主角

這是美國一家知名寵物日托中心Citizen Canine在其網站首頁中展示的一段話，內容是一位寵物主人Dot. S的「用戶體驗」：

> "My dogs are so happy when they realize they are going to CC. They can't wait to get through the door and forget all about me! The staff all clearly love my dogs. The peace of mind I have knowing that my dogs are safe 'well-cared for' exercised, and happy while I'm out of town is invaluable."

在中國上海，樂托寵物俱樂部（LEPET CLUB）也提供相似的寵物日托服務，並且號稱這是五星級的寵物度假村，寵物在此可享受到全方位的貼心服務。以上僅通過兩則現實中的事例刺激我們關於寵物消費和動物權力的思考，以及背後所蘊含的人與動物關係的隱喻。本文試圖通過流行文化中的一部網路漫畫為視角切入對此問題的探討。

2014年，英國漫畫家Tom Fonder創作的一部以寵物為主人公的漫畫，並為之命名為「商務貓的冒險（The Adventures of Business Cat）」系列，開始以網路連載的形式陸續在其網站上發布。2016年，這部漫畫以《Business Cat: Money, Power and Treats》為名集結成短篇漫畫集開始發售，中文譯本《霸道總裁喵：金錢、權力、貓糧》在2017年也隨之問世（周高逸譯，北京聯合出版公司出版）。

這部充滿巧思又迎合當代話語的漫畫自連載開始便受到相當程度的歡迎，特別是愛貓人士的熱捧，目前在Facebook的網站上已有超過21萬的粉絲追蹤和點讚。作者Tom Fonder是一位狂熱的貓咪愛好者，他基於自身飼養寵物貓的經驗與觀察創造了這部漫畫的主人公「總裁喵」。同時，因為Tom父母曾經均從事獸醫工作的關係，使得動物在他的工作和生活中具有十分重要的地位。

　　《霸道總裁喵》這部漫畫反映出作者對於現代社會中寵物與人關係的反思。傳統意義上，寵物可以被看做是個人隨從的一部分，無論是身體還是心理上，都是與寵物的擁有者（owner）具有親密關係的生物。[1]段義孚（Yi-Fu Tuan）也曾指出，「雖然兩者（寵物與主人）之間因為相互陪伴而產生的熟悉感和情感依賴會隨著時間的推移而增加，但是人類因為擁有所謂『餵養』『照拂』的權力，而使得其對寵物的喜愛始終籠罩在一種揮之不去的權力的優越感之下。」[2]然而，這樣的權力結構在漫畫《霸道總裁喵》中展現出徹底的顛覆，在情節的虛構下，「照拂」和「餵養」並非是人類權力的展現，而是對總裁喵權力的妥協和服從。總裁喵的生活和工作需要員工們的悉心照料和妥善安排才能得以順利開展，員工要定時為總裁投放貓糧，準備換洗衣物，同時解決這位頑主不時提出的任性而不合理的要求。

　　本文試圖以「文圖學」的視角對這部漫畫進行解讀，「文圖

1　Yi-Fu Tuan, Dominance and Affection: *The Making of Pets* (Yale University Press, New Haven and London, 1984), p. 162.

2　Yi-Fu Tuan, *Dominance and Affection: The Making of Pets*, p. 163.

學」的「文」指的是「文本」（text），包括聲音、肢體、圖繪形成的「聲音/語言文字」（sound / language text）、「文本身體」（textual body）、「文字／文學文字」（word / literary text）和「影像文字」（image text）。文圖學的圖像（image），則是從可視性（visible）的形式表現上講。除了傳統認為的繪畫（painting）、圖畫（picture）之外，還包括符號（symbol）、圖示（icon）、商標（logo）等視覺語言（visual language），以及攝影、影像、線條、印刷物等。漫畫是文本與圖像的組合，文本與圖像相互指涉、補充，共同構成整體，正是文圖學的研究物件。[3]在本文中，除了漫畫本身所呈現的圖像敘事之外，其主題背後所指涉出的身分隱喻和建構亦是一種社會話語和文化消費的文本，引發我們對於當下社會的宏觀思考。

2 形象移情與敘事反差

漫畫中的「總裁喵」是一位擁有貓首人身的商業大亨形象，他儘管坐擁和掌管著價值數百萬的公司，但是其頑皮的貓咪性格卻無時無刻不體現在重要的工作場合。與一般漫畫中所塑造出的「可愛」「容易相處」的寵物形象相比，Tom Fonder畫筆下的總裁喵則是以「不易相處」「難以捉摸」和「極度情緒化」的相反性格被建

3　衣若芬：〈糖衣古籍×視覺膠囊：蔡志忠繪《老子說》的漫畫、動畫和彈幕視頻〉。本書第二卷第二章。

構出來。這些古怪性格被安插在一個職場中身居高位並掌握權力的商業大亨身上時，又消解掉了人物設定錯位所造成的不適感。漫畫通過擬人化（anthropomorphism）的方式使讀者對總裁喵和可愛寵物之間建立一種移情聯繫，從而賦予總裁喵如人類一般多元的情感神經，如情感依賴，自責難過，意氣用事，搞惡作劇等。同時，又以動物化（zoomorphism）的手法指涉總裁喵的生活正是人類在現代城市秩序中的經歷。通過這兩種方式的不斷切換暗示總裁喵形象建構中的不穩定性。

　　在這本漫畫集的開頭，即是對主人公——總裁喵「生平」的介紹。作者為這位主人公塑造出一個倒三角型的體態輪廓來表現其擁有的高大身材和強壯肌肉，指涉其性感又多金的年輕男性形象。然而，空洞的眼神和扁平化的面部五官又打破了讀者想像中的真實感，預示著這一形象的虛構性。另一方面，總裁喵的生平正如人類職場中的精英人士一樣，擁有漂亮的履歷背景，他的一系列紀念影像說明了這一點：3歲時，總裁喵已身穿畢業服，手握學位證書，從大學畢業，積累了文化資本，進而成為其獲取社會地位的憑證。6歲時，總裁喵完成了經濟資本的積累，他所展示的證書中正是以一張極簡的美元鈔票作為符號，抽象出讀者認知中所有財富的象徵。8歲時，是總裁喵與其員工的親密合影，這時，他的公司運營順利，初具規模，擁有核心員工數名。這些紀念相框下標記的生理年齡則實指出總裁喵的寵物特質，因為在漫畫中，文字具有「無可媲美的明確性」。[4]即便影像所傳達的資訊預示著多種可能，但文字所扮演的角色被看作一種理性標準和確切的表達，將讀者由視覺想

像拉回真實。

　　總裁喵的形象一經發布便贏得諸多漫畫粉絲的喜愛，要歸功於一種「反差萌（gap moe）」的趣味。[5]反差，顧名思義，即是人物有時會表現出與其預設形象完全不同或相反的言行舉止，從而與讀者的心理預期產生差異。身為商界精英的總裁喵的性格本應是十分高傲的，但是他卻時常不顧身分場合，對員工「撒嬌賣萌」以達到「貪玩」的目的，這些行為與其身分顯得格格不入。動物學家 Knorad Lorenz 早在 1943 年便將人類對可愛形象的反應總結出一套程式化的特徵，即有「一個大大的腦袋，大而低垂的眼睛，鼓起的臉頰，短粗的四肢以及略顯笨拙的動作等。」[6]然而，總裁喵的形象既缺少「大而低垂的眼睛」和「鼓起的臉頰」，也因作者的簡筆特徵而缺少生動的面部表情，還帶有一種事不關己的冷漠。除此之外，他還有著成人男性的身體和暗示性吸引力的體態。但是這些特質卻同樣激起了讀者對總裁喵與可愛的寵物貓產生審美的聯想，Moreall 指出可愛是一種視覺化的呈現，當我們想到這個語彙時，我們的大腦便會浮現一系列相關事物或行為的視覺形象，而並非一種感覺，聲音和味道。[7]因此，總裁喵可愛一面的表達並非是作者

4　Scott McCloud 著，張明譯：《製造漫畫：揭示卡通、漫畫和圖形小說敘事技巧的秘密》（北京：人民郵電出版社，2010），頁 30。

5　雖然「萌」以及「反差萌」是以在日本 AGC 領域這種青年的亞文化中流行起來的，並且其在使用中有較複雜的派生含義，本文僅探討在最為基本的含義和使用語境，即與「可愛」一詞類似。 參看吳明：《萌：當代視覺文化中的柔性政治》，《文藝理論研究》，第 3 期（2015 年），頁 61-68。

6　關於對「可愛「概念的定義和梳理，參考 *The Aesthetics and Affects of Cuteness* 一書。

7　John Morreall, Cuteness, *British Journal of Aesthetics*, Vol. 31, No. 1 (January, 1991), p. 39.

改造其形象而產生的效果，而是通過讀者的想像完成移情的過程。因讀者從最初的人物介紹中已經對總裁喵的寵物特質進行了心理預判，之後藉助這種業已形成的認識，將會把總裁喵的行為與寵物貓的真實形象，產生一種影像的疊加。無論是大眼睛，毛絨的外表等可愛的生物特徵，亦或是輕巧的身軀和靈活的動作，都將會以加乘的效果塑造出讀者心中的總裁「貓」，而並非如漫畫圖像中所示，抑或是將這些行為安插到年輕英俊的人類男性身上。讀者觀看的漫畫的效果，取決於他是否對畫作中的情節具有參與感和移情想像，從而使現實世界中的形象與漫畫中的人物互換，完成整個故事的審美過程。

　　無論是將總裁喵最大程度地擬人化，還是在漫畫中突顯出他作為寵物的特質，都充滿了人類對寵物的移情和想像，其中既有對「他者」的凝視，還表現出人類將自我置換成一種特定的社會角色，投射出人的自身慾望和心理傾向。作為一部網絡漫畫，與傳統的紙媒漫畫相比，總裁喵的形象更容易與當下的跨媒介文化實踐形成互動。有不少網友自發地對總裁喵進行角色扮演（cosplay）並將照片發布上網，網友們帶上自製的總裁喵面具，穿戴上富有商業氣息的西裝領帶，擺出符合總裁身分的動作架勢，這些參與者的初衷無非是想要跳脫日常行為的枯燥，或嘗試以動物化的方式感知世界。對於模仿總裁喵的網友來說，他們在這場角色轉換的過程中獲得的更多地是一種心理的愉悅，觀看和模仿的行為本身為他們帶來了移情的滿足感和經驗置換的新鮮感。而角色扮演這種文化實踐背後本身已經暗含著一種體現身分認同和價值取向，在這個扮演「他

者」的過程中，既有對自我身分的放棄，也有對虛擬人物某種特質的內化。

3 場景轉換與身分建構

漫畫中故事場景的展現不僅是為了驅動情節發展的需要，亦是塑造人物形象的關鍵要素。一般意義上認為，寵物是人們生活中的伴侶，而日常生活中主人與寵物的故事往往發生在家庭場域，如經典的美國漫畫《花生》（PEANUTS），《加菲貓》（Garfield）等。漫畫中的主角──寵物貓或寵物狗──同樣具有高度的擬人化特徵，但是與其互動的人物大多是家庭成員或是兒童。即便走出家庭場所，進入到城市空間中，也會以街道、公園等比較休閒且沒有明顯象徵意味的空間作為場景，從而在家庭之外為故事的情節發展創造新的動感和刺激。

《霸道總裁喵》的故事以職場為主要場景，這處具有高度秩序感的空間，往往也是一處不允許有寵物或是動物活動的場所。而總裁喵因為被作者塑造成一位職場精英的形象，從而使辦公場所成為總裁喵日常活動的合理地點。地理空間的層次和類別也規範了在此發生的社會行為，[8] 這就意味著職場中的總裁喵應該如其他上班族一樣遵守職場的秩序和行為規範，甚至對精英階層來說，有一套更

8　邁克‧克朗：《文化地理學》（南京：南京
　　大學出版社，2003），頁62。

加嚴格的準則。然而，總裁喵的行為卻總是打破這種規則，為他的身分定位提供多種可能的維度。

對於家庭來說，寵物與人類即便有著馴養和被馴養的關係，但基本上也維持著類似家庭成員一般相對平等的關係，或是更多情感上的雙向依賴。而職場是一處等級秩序非常嚴格的場域，甚至是拍照、著裝都體現出人物地位和身分的區別。 在漫畫中，雖然是以影像為載體傳達資訊和進行敘事，但其中卻以肢體文本聯結出人物的親疏關係。例如漫畫的開始便以一張合照交代了故事中人物的地位，佔據著最中心位置的總裁喵顯然掌握著最核心的權力，他旁邊的兩位穿著相對正式的特德和珍妮特是高層人士，他們與總裁之間有著更多的互動，再稍微外延的，穿著相對休閒，則是普通職員的代表。照片中，總裁喵將手搭在兩位備受信任的高層人士的肩膀，不僅表明他在這段關係中具有較高的支配權，而且這種姿勢也象徵總裁喵試圖營造一種看似「平等」的關係，以顯示他們之間的情感聯繫和親密性。然而，親密感正是現代社會中所逐漸降低的，職場中的親密和平等，一旦失去權力的秩序，也意味著情感紐帶的斷裂。職場的環境也為總裁喵施展權力提供了合理化的空間，同時預示著家庭場域之外，寵物與主人的地位不再遵循著固定的模式，而是趨向另一種可能。

總裁喵與人類員工的關係是曖昧而難以界定的，正如Tom Fonder為其中一個情節所設寫的標題：生活的艱難就在於，有時你不得不在被壓折胸骨和被解僱之間做出選擇。（Sometimes in life you have to choose between a crushed sternum and unemployment.）

特德和總裁喵外出開會，因酒店房間緊俏，兩人不得不入住同一房間睡覺。就寢時分，總裁喵趴到了特德的身上，準備入睡。這時，兩人不僅已經打破了職場中的上下級關係，甚至跨越了朋友之間的安全距離，這是主人與寵物親密關係的呈現。特德當然抱怨自己被總裁喵的壯碩身軀壓得「不能呼吸」，而並非是覺得自己的安全區域受到了冒犯。然而總裁喵仍然毫不理會，甚至以一種撒嬌的態度對特德說：「噓──睡覺了，別說話。」當一種行為被套上「不得已」的藉口，除了權力的捆綁之外，也有一種包容的情感力量。特德對於總裁喵的縱容，顯然並非全是出於被解僱的擔心。

除了職場的空間外，總裁喵所住的豪宅（luxury mega cat condo）也體現出其權力和財富的象徵和運作。這處豪宅其實是一處專屬的貓跳台，對於人類訪客來說，這一建築物也許形狀怪異，令人驚愕，但是他卻是總裁喵理想樂園（playground）的實體呈現。這一細節隱喻著人類社會中理想居所之於個體家庭的意義，我們所居住的房子不僅是提供飲食起居的一處地方，而是一種權力和財富的象徵，更是這所房子的擁有者及其家人所共同打造的他們心中的理想世界（idealized world），包含著他們的個人偏好和對理想生活的期望。[9] 所以，來到總裁喵豪宅拜訪的人類客人，都要適應主人的生活偏好，吃蜘蛛，用貓便盆如廁等，即便這樣的款待會讓客人感到尷尬和不適，但其顯示的是一種對權力的服從和妥協。同時，總裁喵在辦公區域的專屬用品，無論是總裁專用衛生間，貓糧

9　Yi-Fu Tuan, Dominance and Affection: *The Making of Pets*, p. 166.

碗，抑或是配有私人秘書的福利，都暗示著以金錢以及所消費物品對於人物身分的建構，同時彰顯著他的權力。

　　地理空間的分類方式是以其背後象徵的社會地位為依據的。一個有序的地理空間，對什麼事情應該發生在什麼地方做出了一系列的道德和文化方面的判斷。[10]總裁喵作為身居高位的商業精英，他以合理化的身分出現在辦公大樓、商業酒會、頒獎典禮、高級餐廳等具有鮮明階級區分的場合。其中一個情節便是發生在作為消費空間的高級餐廳中，總裁喵與客戶們共進晚餐，並盛讚這裡的餐點堪稱極品。作為這家餐廳的常客，連餐廳的服務人員都熟悉總裁喵個人的用餐偏好。當服務人員為總裁喵送上餐點時，即便是一罐貓糧，也要有精緻的擺盤和與之相配的不菲價位。充滿悖論的是，高級餐廳是不允許寵物出入的，作者試圖通過地方的性質來建構總裁喵的權力和財富。之後，另一相反的情節對照出這種身分的暗示。總裁喵因為經營不善而使公司的財政狀況急轉直下，遭遇破產，他不得不轉讓公司，拍賣豪宅。Tom Fonder 將總裁喵的故事創作到第二階段，同時將標題改為了「普通貓的歷險記（The Adventures of Regular Cat）」。[11]當總裁喵不得不尋找住宿的地點，打算入住酒店時，店員卻以「寵物禁止入內（No Pets）」的理由拒絕了他的要求，這與之前在高檔餐廳的待遇產生了天壤之別。總裁喵失去了權力和金錢的光環，也就意味著失去了建構其身分特權的支撐，他不

10　邁克・克朗：《文化地理學》，頁 62。

11　http：//www.businesscat.happyjar.com/comic/hotel/

再是被特別關照的物件，而被劃歸到「禁止入內」的範圍。消費場所對人物身分的界定是否如此無章可循，還是權力和金錢在其中扮演更加關鍵的要素，在消費時代的語境下，這兩種要素不僅充當衡量階級的尺規，也成為定義物種的要素。

當代城市中的空間充滿著象徵性和隱喻，金錢與權力在城市空間中的運作依然明顯。「富人的世界是光明的和安全的，而與此相對的是城市裡窮人黑暗的地下世界。」[12]貧與富的對比是城市的生活特徵之一。總裁喵變成了普通貓的時候，他被迫住在了城市的一處堆滿垃圾的角落。當他試圖在新的環境中建立秩序，以平等的原則維持關係，與新的生活夥伴們（流浪貓）確立互不侵犯的交往邊界時，他發現這些努力和訴求都是徒勞的。總裁喵所在的環境影射出城市的無數黑暗角落，野貓則象徵城市中無家可歸的窮人或閒散的城市遊民。這處角落往往用來存放垃圾，同時，也伴隨著無法擺脫無序感，混亂以及不平等。無論是職場空間，還是城市景觀，空間轉換的目的使我們體驗和建構出自身不同的身分和觀看的物件。

作者在塑造總裁喵的形象時勢必考慮到其充滿悖論色彩的性格，因此他通過對場景與環境的細節描摹使讀者感受到情節中的真實，以強調其客觀性和增加讀者的參與感。總裁喵和珍妮特在通信時會使用gmail郵箱和skype網路電話，英國電視頻道「動物星球（Animal Planet）」的標誌也出現在漫畫中「最富有總裁寵物頒獎禮」的現場直播中。這些真實細節增加了聲音的體驗，視覺的觀

12　邁克・克朗：《文化地理學》，頁65。

感，日常的經驗等一系列客觀熟悉的元素，轉換成一種更加複雜但是卻貼近生活的資訊傳遞給讀者，從而增加對現實世界的思考。

4 動物本性與「馴化」的遊戲

　　總裁喵的形象雖然是作者虛構和拼貼的，但是貓的動物屬性卻在總裁喵身上表露無遺。芭芭拉・漢娜在對動物的心理學研究中指出：「貓是家畜中馴化程度最低的動物，其馴化史約四千年。貓對人敬而遠之的態度可能是它的本性所致，它們不完全屈從於我們及不完全和我們生活在一起。」[13]貓的這些生物屬性讓人產生一種疏離感和難以取悅的權力落差。與狗常以忠犬和溫暖治癒的形象不同的是，貓的生物屬性卻時常表現出對人類控制感的掙脫和人寵關係的重建，它們甚至表現出「驚人的獨立性，並且還是殘忍而狡詐的獵食性動物，它是兇猛的大型食肉動物的一個小翻版。」[14]然而，作者並沒有刻意規避這些看起來並不可愛且具有侵略性的本性，而是通過貓與人之間的疏離感塑造一種權力關係的落差。

　　漫畫中，總裁喵不只一次將動物屍體送給員工當作禮物來搞怪；在員工專心工作時，他會故意將爪子重重地拍打到員工臉上然後迅速逃離現場，讓人猝不及防；當曖昧女友珍妮特為總裁喵搔癢

13　芭芭拉・漢娜著，迪安・L・弗蘭茨編，劉國彬譯：《貓、狗、馬》（北京：東方出版社，1998），頁107。
14　芭芭拉・漢娜著，迪安・L・弗蘭茨編，劉國彬譯：《貓、狗、馬》，頁111。

時，前一秒中的總裁喵還享受著被愛撫地過程，後一秒便性情大
變，突然對珍妮特的胳膊大咬一口。這些情節，便是貓本性的直接
投射，亦是馴化度較低所表現出的攻擊性。然而，總裁喵對於員工
這些任意妄為的行為，恰是寵物貓與主人關係的博弈。「寵物因為
被認為是一種有價值和受到關注的對象，它們可以保有喜愛和背叛
的雙重權力，它們甚至可以通過某種不易被察覺到的微妙方式獲取
權力和財富。」[15] 這種不易察覺的方式往往便是寵物以其自身可愛
的外表獲得人類的關注，包容，疼愛。可以說，「可愛是在人與動
物之間的複雜談判與妥協中扮演文化驅動作用的關鍵因素。」[16]

　　寵物可愛的外表不僅使得人類極大包容了寵物身上太多無法習
慣或匪夷所思的行為，也使得很多人甘心稱自己為「貓奴」「狗
奴」，其含義不言而喻。段義孚曾經對這樣的身分認知提出精到的
見解：「作為寵物的貓和狗也許可以向它們的主人提出很多要求，
不僅可以要求時間，金錢，或者是更多的關注和照料。也許有人會
說，這些人被自己的寵物馴化和奴役了。主人們為了寵物們保持健
康快樂的狀態，他們作了太多的服務性工作。毫無疑問，這些奉獻
性質的服務是值得讚揚的，在此過程中也強調了寵物對主人們的依
賴效果。但是要清醒的認識到，只要主人可以隨時隨地彎下身去拍
打寵物們（貓或狗）的頭，或者摩挲它們柔軟的皮毛，那麼雙方的

15　Yi-Fu Tuan, *Dominance and Affection: The Making of Pets*, p. 171.

16　Edited by Joshua Paul Dale, Joyce Goggin, Julia Leyda, Anthony P.
　　Mclntyre, and Diane Negra, *The Aesthetics and Affects of Cuteness*
　　(London: Routledge, 2017), p. 20.

優劣關係就是顯而易見的。這些愛撫的手勢意味著上級對下級的權力賦予，而並非在平等的雙方之間使用。」[17]漫畫中所塑造的另一人物則以反面的形象展現這種關係，這位名叫「霍華德」的總裁狗與總裁喵是商業競爭中的勁敵，他是以「八哥犬」的外形為原型所創造的角色，諷刺的是，這種犬類本是對人類非常忠誠並且溫順馴良的小型犬種，在漫畫中的形象卻是有著喜歡「馴化」人類的黑暗心理。其中一篇漫畫是霍華德在頒獎典禮上，為了向總裁喵展示自己對手下員工管教有方，勒令隨行人員 Jerry 在此「坐下」。他還奉勸總裁喵說：「看起來你得好好管教一下你的人類才行了！」這則以「Heel，Jerry!」為標題的故事，充滿人類在馴化問題上的反諷意味，如果說，寵物順從與否可以被看作馴化程度的一種標準，那麼當權力結構發展了置換，所謂「馴化」的物件是否也不再有清晰的定位？對於寵物主人們來說，雖然馴化的層級關係始終存在，但是日益濃厚的情感因素使得馴化行為趨向於一場身分置換的「遊戲」。

在本書的最後，當總裁喵和總裁狗聽到吸塵器發出的嗡嗡聲音時，兩位商業精英則如同發瘋一般，迅速捂起耳朵逃出房間。吸塵器的嗡嗡聲對於寵物來說，也許恐懼而陌生，其背後或許隱藏著更為深刻的象徵，這是機器的聲響，亦是城市發展不可缺少的「伴奏」。對動物來說，這種聲音如同災難，然而對人類來說，正如使用這台吸塵器的清潔人員面露費解的表情，這是日常生活與工作的

17　Yi-Fu Tuan, *Dominance and Affection: The Making of Pets*, p. 171.

一部分。而本書的結局（因為是連載漫畫，所以並非是真正的結局），則預示著即使是馴化程度極高的寵物，也無法跨越動物與人類身分屬性的界線，人類始終把持和操控著可以使動物聞風喪膽的權力機器。

5 結語：寵物、權力、消費

《霸道總裁喵》這部漫畫反映出現代社會中對人類與寵物關係的探討，寵物與人的親密度可以說進入到一個新的階段，而寵物經濟時代的到來正是這個新階段的鏡像展現。寵物不再淪為主人的玩物，而是在人類的情感價值和家庭生活中佔據著越來越重要的地位。不少寵物餵養者戲謔自己已淪為「貓奴」「狗奴」，甚至以「鏟屎官」（意為清理寵物糞便的人類）這樣的網絡用語自嘲，從而表達在與寵物相處時的妥協態度。

人類對寵物的情感依賴，正體現出現代城市人群的情感需求。寵物們可愛的形象可以治癒城市人群空虛，緊張，充滿危機感的身心。人們通過對寵物的情感輸出，來獲取充當主人的滿足和愉悅。美國人類學家Donna Haraway提出「伴侶物種」（companion species）的概念，[18]「雖然在人類歷史中，對於物種關係的探討仍然在不斷持續中，但是動物的用途逐漸超越實際性（如農耕、狩獵、交通等），而趨向於情感的需求。當人類在面臨現代的情感變遷的

---

18 見Donna Haraway, *The Companion Species Manifesto: Dogs, People, and Significant Otherness.*

應對策略中，動物甚至扮演著越來越明顯的地位。」[19]人類與動物互動關係在當代環境中已經變得愈加複雜，其主體性的地位也越來越突顯。

　　總裁喵角色的塑造正是這樣的時代語境中對寵物認知的改變為基礎形成的。漫畫以輕鬆短小的幽默格局，投射出了當代寵物與人類耐人尋味地關係。總裁喵因為擁有金錢和權力，便可以凌駕於人類員工之上，這是人類社會中權力生成和施展的方式。城市空間同樣以這兩種資本劃分區域，建立著各自的秩序或無序。然而，在寵物的世界中，權力與金錢是毫無意義的概念，人與寵物之間也正因如此才得以建立一種更為純粹的親密性和信任關係。

　　這種隱喻色彩與時下日益增長的寵物消費得以對話。人類對於寵物消費的初衷，是對寵物的舒適性，社交性和觸覺親密感的關注，例如「美味的狗糧大餐」「寵物水療中心」「寵物約會網站」等，作為「陪伴物種」的寵物被期待享受同等待遇和物質條件。然而，當這種初衷變成衡量金錢與權力的砝碼，則演變成一種「消費」寵物的方式。寵物被要求具備各種「才藝」和專業行為的訓練，以具有符合主人身分階級的舉止和素質。當主人們試圖通過消費行為去建構寵物身分的時刻，亦是利用寵物去定義自我階級的方式。就這部漫畫而言，通過對寵物貓身分的借用以實現對人類主體性的觀察，利用權力、金錢、馴化等問題解構人類與寵物關係的實質，也試圖以這種方式對當下寵物消費的現象提供一種理性注解。

19　*The Aesthetics and Affects of Cuteness*, p. 22.

臺灣‧香港‧中國大陸‧新加坡繪本漫畫大事記

洪可均‧衣若芬／製作

年份	臺灣	新加坡	中國大陸	香港
1899				1899年，謝纘泰創製《時局全圖》，表達中國在列強環伺的困境。《時局全圖》被模製簡化為「瓜分中國圖」。
1904			1904年，上海的《警鐘日報》出現「時事漫畫」專欄。	
1906				
1907		1907年9月9日至1908年3月21日，具備同盟會背景的《中興日報》接連出版共41幅漫畫以諷刺當時的中國時政。		
1908			1908年開始，潘達微編寫了中國最早的漫畫教材《小兒情態習畫帖》，陸續刊登於《時事畫報》上，為中國早期漫畫的普及和早期漫畫創作開闢了先河。	
1911	1911年臺灣出版《臺灣潑克》。			
1916	國島水馬從1916年到1936年在《臺灣日日新報》擔任漫畫記者，創作「臺日漫畫」。日治時期臺灣漫畫創作者以日本人為主。			1910年代末香港出現了了具有情節的故事漫畫。在賴際熙、陳伯陶等晚清遺老推廣下，香港文化圈仍以傳統中國文化為中心。商人梁國英相信美術能辦報可以啟發民智，邀請南來學者鄭磊泉編繪提倡重振中國傳統道德的《人鑑》。鄭氏在每幅作品前描述當下香港道德觀念，並結合旁白、對白和圖像敘事。同時，鄭氏移植西方漫畫的分鏡技術，透過編定各個圖像的號碼顯示順序。
1918			1918年9月，揭露家沈泊塵創刊中國第一份專門刊登漫畫的期刊《上海潑克》。	
1919			1919年五四運動後，杜宇出版了《國恥畫譜》，這部作品被視為最早的個人漫畫作品集。	
1922			1922年1月，鄭振鐸開始創辦《兒童世界》週刊，是中國第一本兒童期刊，但因為只是短篇的插圖故事，並不屬於嚴格意義上的繪本作品。	

1925

1925年，陳光熙以一幅繪製對戰時罷工情景的圖繪獲得《王樣》雜誌的二十元獎金。

1925年5月，豐子愷在鄭振鐸主編的《文學周報》上刊登「子愷漫畫」。

1920年代末，漫畫開始刊載於流傳範圍較廣的媒體上，女性雜誌《脂摩》開始刊行大量四格漫畫。

1926

1926年，上海開明書店將《子愷漫畫》印製成冊單獨出版。同年，丁悚與張光宇、葉淺予、張敔慶等人在上海成立中國第一個漫畫家團體「漫畫會」。

1927

1927年11月5日至1928年3月24日，《吶報》〈一案〉版刊登漫畫。

1927年6月，由上海世界書局發行的《三國志》可以被視為中國第一部「連環畫」圖畫書。

1928

1928年，「漫畫會」的機關刊物《上海漫畫》創刊，葉淺予和張光宇擔任主要編輯，除了延續諷刺時事和關懷社會外，亦刊登幽默風格的漫畫。

1928年出版的文學和藝術創作雜誌《字紙簍》在第五期開始增設漫畫欄目。由廣州漫畫社繪製的連載漫畫《亞老大的職業問題》。漫畫的對白是以書面語為主，輔以不少粵語俚語及髒話。

1930

1930年代，嘉義蘭記圖書部曾經銷售售漢文通俗圖書。

1930年10月11日，畫家張汝器，《吶報》〈椰暉〉版·刊登漫畫。

1930年6月，《上海漫畫》併入《時代畫報》，上海圖書公司的另外一份刊物《時代漫畫》則繼承了《上海漫畫》的使命，繼續為優秀的漫畫作品提供發表和展示的平台。

臺灣	新加坡		中國大陸	香港
		1934		1934年11月，《工商日報》為了推動文化創新和保持競爭力，以刊登讀者的單幅和四格作品為主的「漫畫週刊」，取代原來的「圖畫週刊」專欄。從中國南來的漫畫家在報章專欄連載以廣東話為對白的連環漫畫。例如李凡夫在《香島日報》連載了553期的《何老大》；袁步雲在《香港日報》的連載漫畫《二伯父》皆為數百期的連載漫畫。
1935年，臺灣首位本土漫畫家陳炳煌創作的《雞籠生漫畫集》面世。		1935	1935年，魯迅在陳望道主編的《小品文與漫畫》一書上發表〈漫談漫畫〉。	戰前，香港漫畫的模式包羅萬幅，多格以至連環故事。其題材不單涉及社會議題，更有原創故事。此外，香港漫畫載體不限於出版專集，而是散見於報章、雜誌等媒體。
	1936年5月，戴隱即加入新加坡《南洋商報》，擔任該刊的副刊〈文漫界〉編輯，專門刊登木刻、漫畫作品及採討木漫情報及理論的文章。他深受魯迅發動的「木刻運動」影響，故一直主張「美術救國」。	1936	1936年，葉淺予、張光宇、魯少飛等人舉辦全國漫畫展覽會，不少作品圍繞當時的社會問題和政治局勢作為表現主題。	
1937年，臺灣總督府為了加強推行皇民化運動，頒布政令，禁止以漢文出版報紙、書籍與雜誌。蘭記的漢文圖書經銷事業，也因為盧溝橋事變而中止。	1937年7月1-5日，青年勵志社主辦首屆馬華漫畫展。12月4-6日，華人美術研究會主辦救亡漫畫展。	1937	1937年，中華全國漫畫作家協會在上海成立，鼓勵漫通漫畫加入到抗日救亡的隊伍中。抗日戰爭全面爆發後，上海漫畫界救亡協會成立，並創辦了會刊《救亡漫畫》。葉淺予等人從上海撤退後，還積極組織漫畫宣傳隊並在南京舉辦「抗戰漫畫展」。	
	1938年，福建著名藝術家林學大南來新加坡，創辦南洋美術專科學校。戰後不少漫畫家都曾經在南洋美專求學。	1938		

1940年，臺灣成立了第一個漫畫團體「新高漫畫集團」，並創辦刊載滑稽諷刺風格的漫畫雜誌《新新》。

1949年，梁中銘兄弟創刊《圖畫時報》。

1951年，臺灣省教育廳創辦《小學生畫刊》。

1953年，《學友》雜誌創刊。

1954年，《東方日報》創刊，漫畫版面後另成獨立刊物《東方少年》。

1939年10月27-31日，昆明文協分會在新加坡主辦漫畫木刻展。

1946年，新加坡畫家劉抗將漫畫以《雜碎》為書名結集出版，以中英對照方式，記下日軍在南洋地區戰時的各種戰爭罪行。

1939
1940
1942
1945
1946
1949
1951
1953
1954

1942年，華君武同蔡若虹、張諤，於延安舉辦過漫畫展，延安漫畫的批判對象除了日軍的暴行，還有不少涉及國民黨領導人物的諷刺漫畫，階級鬥爭意識明顯。

抗日戰爭勝利後，上海再次成為全國漫畫創作的中心。

二次大戰後，香港漫畫大多以漫畫專集和單行本形式出版。

1945年後，南來香港的中國漫畫家中，一派以諷刺中國政局為宗旨。《華僑日報》藝術版編輯強調「漫畫作品必須站在『愛國家愛人民』的立場上以幽默方式批評腐敗份子。類似論述並在1940年代末至1950年代初的香港催生不少政治漫畫。例如唐雨田在1949年抵港後，與亞洲出版社合作出版的單行本。袁步雲的《牛精良漫畫集》則是政府故事漫畫的象徵。

袁步雲的《柳姐》是反映勞工階層的代表作，首次刊載於1930年代的《中英晚報》上。二戰後結集成單行本，風行省港。

臺灣

1956年，民間出版社「童年書店」發行《童年故事畫集》（4冊）。

1957年臺灣省國語推行委員會與寶島出版社合作發行「小學國語課外讀物」（共12冊）。

《學友》於1959年停刊，《東方少年》則於1961年停刊，《漫畫大王》、《漫畫週刊》等純漫畫雜誌發行至1963年。

1960年代，宏甲、志成等臺灣漫畫社紛紛成立。

1962年，國民黨政府頒行《編印連畫圖畫輔導辦法》。

新加坡

1955年，翁翼負責主編《星馬木刻與漫畫選集》，被視為戰後新加坡漫畫史奠基作品。

1955	
1956	
1957	
1958	
1959	
1960	
1961	
1962	

中國大陸

1956年，集合了丁聰、方成、葉淺予等十數位漫畫家的《萬象更新圖》，刊登於《漫畫》月刊和《文藝報》上，是當時影響廣泛的一幅大型歌頌漫畫。

1956年至1958年這三年的「大躍進」時期，漫畫的創作也與當時的政治氣圍一樣，充滿著不切實際的浮誇與盲目。本以「誇張」著稱的漫畫逐漸演變成迎合政治口號的「鬧劇」，使漫畫喪失了其藝術價值和意義。

20世紀5、60年代，與漫畫的情況不同，兒童圖畫書湧現了不少優秀的經典作品。

香港

1950年代中期，《中國學生周報》的編輯認為漫畫「是針對人生與現實的藝術」，若脫離了社會現實，只會淪為「靈感的推銷」，諷刺時弊和社會現象也成為1950年代香港漫畫的題材。

1961年，最早的《老夫子》散見於兒童繪本《小漫畫》、《漫畫周報》和《星島晚報》，呈現香港社會的眾生相，促成作者與讀者和社會之間的互動。

1963

1964

1965

1966

1967

1963年，臺灣師範專科學校所使用的教科書中簡略地介紹卡德考特（Randolph Caldecott, 1836-1886）所作的16本圖畫書。

1964年，聯合國科學文化組織兒童基金會來臺發獻一百萬美金，協助援護灣省教育廳推動四項五年計畫，支持成立兒童讀物編輯小組。

1965年，臺灣省政府教育廳成立了「教育廳兒童讀物編輯小組」出版了「中華兒童叢書」（12冊）。

1965-1969年，國語日報陸續出版《世界兒童文學名著》（120本）。

1967年，錢夢龍出版《天龍少年半月刊》漫畫刊物。

漫畫不止刊於報紙和單行本，更見於漫畫專門雜誌。由李凌翰擔任印及主編，與期刊《小漫畫》同一系列的《漫畫周報》，便以刻劃社會現象和娛樂讀者為目標。

香港漫畫在二次大戰後大多以單行本的形式出現。不過，這些作品在被出版社結集成書前，都曾見於報紙、雜誌和期刊，而漫畫題材多元化他涵蓋政治諷刺、社會現象和長篇自創故事。

香港漫畫的創作模式自1950年代後期開始有重大轉變。融合傳統連環圖與漫畫的技法，結合連環圖文敘事來發展長篇情節的故事漫畫形式。這種模式在坊間被稱為「公仔書」，在漫畫界。「它被稱為「連環圖漫畫」。這種產品在書報攤上販售，被認為是香港漫畫產業的「主流」。1960年代的香港漫畫家已不再強分漫畫與連環圖的技法，甚至將二者合而為一。

香港漫畫家創作的長篇故事的模式與1960年代中美、日文化傳入大有關係。美國漫畫自1950年代期已開始進入香港市場；而香港俗稱《鹹蛋超人》的日本漫畫在香港則於1960年代逐漸成為潮流。

1966年至1976年，漫畫界與其他文藝活動都隨著「文化大革命」的到來而陷入了停滯，一些優秀的漫畫家也遭到了嚴重的摧殘，例如豐子愷被列為上海十大批判對象之一，葉淺予、丁聰等人甚至遭遇了牢獄之災，甚至殘忍的迫害。這段時期所產生的一些漫畫，戰鬥性非常明顯，甚至包含嘲諷、甚至人身攻擊等漫畫。紅衛兵還有專門的漫畫報刊，並舉辦畸形的漫畫展覽，例如紅衛兵漫畫《群醜圖》，來迎合當時的政治需要。

臺灣	新加坡		中國大陸	香港
1970年代由於受到鄉土文學思潮的影響，臺灣早期本土圖畫書的重要代表作——「中華幼兒叢書」出版。	1968年，翁裏與新加坡的藝術家成立「新加坡拔萃畫會」，推動新加坡的美術發展。	**1968** **1970**		香港漫畫家得益於1970年代李小龍功夫電影的熱潮，以武打風格描述香港鄰鄉橫行的情況。然而黃玉郎和上官小寶以武打情節誇張地描寫社會問題的手法被政府視為犯罪源頭之一。
1971年1月，由漢聲出版社推出的《漢聲精選世界最佳兒童圖畫書》（105冊），還附「媽媽手冊」，引導家長與孩子進行親子共讀。 1971年，臺灣民間成立了信誼基金會，積極投入繪本的出版工作；財團法人洪健全教育文化基金會亦於1974年成立兒童文學創作獎。 1976年《週刊漫畫大王》登場。	1971年，蔡興順在The Singapore Herald最後一期上，畫了一幅政治漫畫。《遠東經濟評論》（Far Eastern Economic Review）邀請蔡興順擔任插畫主編。	**1971** **1975** **1976**		1971年11月，麥理浩就任港督後便下令各部門研究社會罪案的成因以推行「撲滅罪行運動」。立法局於1975年8月13日通過《不良刊物條例》。在政府的管制和社會壓力下，「主流」漫畫家刻意迴避香港的社會議題。以黃玉郎和上官小寶為首的「主流」漫畫家轉變為出版模式和加入其他元素。

1979年，《聯合報》主動展開漫畫活動的管轄，開啟了臺灣首次出現非官方於出版物的審查。

1987年解嚴後，臺灣圖書與世界接軌，開啟了蓬勃的交流期。

1987年成立「信誼幼兒文學獎」。

1980-1990年代，臺灣本土圖畫書迅速發展的10年，世界各地的優秀作品快速進入臺灣市場，激勵潛在的創作者投入兒童圖畫書的創作，英文漢聲出版社出版的《世界精選最佳兒童圖畫書》（72冊）開啟了臺灣圖畫書的熱潮。臺灣社會對於圖畫書的認識仍處於初期，而且仍著重於釐清「繪本」、「圖畫故事」等定義。

1981年新加坡舉辦「五十年代漫畫展」，收錄小弟、丘岳便與翁賽的作品。他們的作品在新加坡建國後也都扮演重要的角色。

林玉聰最著名的漫畫角色為「四眼先生」，他早於1986年便已被視為新加坡知名度最高的漫畫家。他曾於1980年代定期在《聯合晚報》以文圖兼論的方式，評鑒生活點滴的《笑話人生》和在《南洋商報》專門就當代政經問題討論的漫畫系列《現代經濟漫畫》。

1981年他在描繪香港富商李嘉誠時，結合了美國漫畫超人（Superman）的形象。

1979

1981

1985

1987

1979年，《諷刺與幽默》作為官媒《人民日報》文藝部的副刊創刊，在十年浩劫之後，漫畫界開始逐漸重現活力。

1985年11月，中國美術家協會漫畫藝術委員會於北京成立。

1987年1月，漫畫藝術委員會在北京召開了全國漫畫藝術交流會，中國新聞漫畫研究會也於1987年10月在北京成立，這是當時唯一的全國性漫畫社團。

除了開始改善漫畫業的社會形象，1970年代後期，助理制度和流水作業的生產模式也開始成形。改編作品亦開始大量出現。

1980年代末開始至1990年代，電影、遊戲改編的漫畫頗多。另外一方面，有些作品則是從漫畫改編為電影。

1980至1990年代，經典如馬榮成的《中華英雄》與《風雲》。牛佬以香港三合會為題材的《古惑仔》則被譽為1990年代的代名詞。

臺灣	新加坡		中國大陸	香港
	1988年，新加坡舉辦「本世紀中國漫畫展」。	**1988**		
1989年，遠流出版社出版的「繪本臺灣民間故事」系列開始以「繪本」為名之先河。 報禁解除之後，以兒童為閱讀對象的報刊，諸如《國語日報》、《兒童日報》、《小鷹日報》等陸續面世。	賣展鳴是少數從事漫畫事業的新加坡漫畫家，也是新加坡在地的新一代漫畫家，他在1980年代末至90年代出道。 1989年天安門事件後，蔡順興在各地報刊發表一系列有關天安門事件的畫作，並集結特刊在香港出版。	**1989**	20世紀90年代，隨著中國大陸改革開放的深入和文化環境的活躍，中國開始大量引進和翻譯海外優秀的繪本作品，而海外繁榮的繪本市場也為大陸繪本的發展注入活力。「繪本」這一概念在中國大陸也逐漸確立並被廣泛使用。	
1990年，漫畫版權化；1992年，新著作權法通過，許多出版社和力量建立正式的代理合作關係，正式合法授權臺灣發行單行本及漫畫雜誌。這些雜誌中也保留二至五成的版面給臺灣連載漫畫。	1990年，劉夏宗聯同好友在新加坡書展發表他們的創作《怕輸先生》，其後製作一系列的漫畫及周邊產品。	**1990**		採取不同創作路向的「獨立」漫畫，如麥家碧和謝立文創作的《麥嘜》系列，以及在1990年代漸受歡迎的草日漫畫。
1992年東立出版社漫畫期刊《龍少年》、《星少女》月刊。 1992年：兒童日報：兒童文學花園版（藝術版）通過系列專文介紹臺灣插畫家。		**1992**		非主流的「主流」漫畫如劉雲傑於1992年出版的精裝漫畫《FEEL100%百分百感覺》。

1993年尖端出版《神氣少年》。

1993年臺灣行政院新聞局成功促成出版界以「臺北出版人」名義參加義大利波隆納國際兒童書展，臺灣圖書正式面對國際讀者群，而後，臺灣的插畫家亦紛紛入選其他國際插畫大展。遠流出版公司所出版的「兒童的臺灣」系列圖畫書，以及1991年由農委會與多位文圖創作者合作出版「田園之春叢書」，直至2000年間陸續出版了一百本圖畫書。此時圖畫書的蓬勃發展也帶動了學界的關注，各所師範學院在1992年後成立幼兒教育學系，開設相關課程，並且成立兒童文學研究所，展開對於圖畫書的相關討論。

臺灣圖畫書的消費市場自1997年開始出現了下滑的趨勢，1998年隨著著幾米以成人作為同讀對象的作品面世，開啟了臺灣繪本發展史的全新一頁。

1994年，《帕輪先生》推出動畫。

1993

1994

1995

1998

1995年7月19日通過的《淫褻及不雅物品管制條例》修訂議案，沒有對「主流」漫畫業構成沉重打擊，但是以武打為主要題材的香港「主流」漫畫，由於被影視及娛樂事務管理處歸類為「不雅」物品，逐漸被標籤成為「過時的怪物」。

臺灣	新加坡		中國大陸	香港
2000年以降，臺灣圖畫書的行銷從大套書改而以小套書或是系列產品的方式推出。	2000年，玲子傳媒出版了中國作家九丹所繪的《烏鴉》後，在新加坡以至亞洲各地大賣。	**2000**		
邱承宗分別於2000年和2006年入圍波隆那兒童書展插畫展「非文學類」插畫。臺灣繪本創作者的繪本創作也得以翻譯、銷售於海外市場，並且取得佳績。例如陳致元的作品《小魚漫步》與《Guji Guji》分別於2003與2004年獲美國《出版人週刊》（*Publisher Weekly*）評選為最佳兒童書獎及美國紐約時報（*The New York Times*）圖書暢銷排行榜前十名。		**2001**	2001年7月，中國新聞漫畫網成立。	
		2003	21世紀，對「中國風」的探索和追求，使中國原創繪本熱衷於對傳統故事進行改編。	
		2004		
		2005		

年份	臺灣（上）	新加坡（中）	中國大陸（下）
2008	2008年，周逸芬撰文，陳致元繪圖的系列圖畫書首本《米米說不》，出版前於波隆那兒童書展展出，售出十餘種語言版本，外銷包括首次引進中文繪本的國家芬蘭，丹麥以及以色列。同年，幾米的《吃掉黑暗的怪獸》由英國專業圖書出版社Walker公司出版，開啟了類似和外國圖書作者合作的契機。除了和歐美圖畫書創作者與出版業的合作，臺灣繪本創作者也多次到日本進行交流。		2008年，由明天出版社和中國兒童文學委員會共同舉辦了「中國大陸原創圖畫書論壇」。該論壇圍繞國外圖畫書對中國大陸原創圖畫書發展的啟示，以及中國原創圖畫書館的發展策略展開討論。為了打造中國大陸原創圖畫書的品牌，2008年10月之後，「五色土」中國大陸原創圖畫書年度論壇定期舉行，以期提高大陸繪本的創作質量。
2010		2010年起，新加坡每年都會由新加坡書籍理事會（Singapore Book Council）舉辦「亞洲兒童讀物節」（Asian Festival of Children's Content）。	
2013			
2015	2015年3月格林文創，時藝多媒體主辦「讓想像飛躍——波隆迪世界繪畫大展」展，臺灣民眾對於繪本的認知由兒童讀物，轉向一種時髦的，適合賞玩的「繪本藝術」。	2015年，劉敬賢（Sonny Liew）出版《陳福財的藝術》（The Art of Charlie Chan Hock Chye）。	2015年，北京師範大學中國圖畫書創作研究中心成立，成為大陸首個專注於圖畫書繪本研究的學術性機構。

附圖目錄

導 言

Google Books Ngram Viewer 呈現的單字
　使用情形⋯⋯⋯⋯⋯⋯⋯⋯⋯⋯8
谷歌趨勢顯示的「文圖」和「詩畫」
　使用情形⋯⋯⋯⋯⋯⋯⋯⋯⋯9

第 一 卷

第一章

文圖學的構成⋯⋯⋯⋯⋯⋯⋯19
文圖學的範圍⋯⋯⋯⋯⋯⋯⋯22
文圖學的方法⋯⋯⋯⋯⋯⋯⋯23
image/text關係⋯⋯⋯⋯⋯⋯⋯27
Windows 95 畫面⋯⋯⋯⋯⋯⋯28
2015 年英國牛津字典選出的年度文字
　⋯⋯⋯⋯⋯⋯⋯⋯⋯⋯⋯⋯29
　顏色視覺管理⋯⋯⋯⋯⋯⋯34

第二章

知識管理的金字塔模型⋯⋯⋯38
《至治新刊全相平話三國志》⋯⋯42
文學圖像化類型⋯⋯⋯⋯⋯⋯44
敦煌《金剛般若波羅蜜經》⋯⋯46
《北齋漫畫》第6編⋯⋯⋯⋯⋯49

comics・漫畫比較⋯⋯⋯⋯⋯50
攝土結拜，《梁山伯與祝英台》插畫
　⋯⋯⋯⋯⋯⋯⋯⋯⋯⋯⋯⋯52

第五章

《烏龍王獻妻記》⋯⋯⋯⋯⋯106
《柳姐》⋯⋯⋯⋯⋯⋯⋯⋯⋯109
《玩蟹》⋯⋯⋯⋯⋯⋯⋯⋯⋯138
《天災？人禍？》⋯⋯⋯⋯⋯138
《切這塊，補那塊》⋯⋯⋯⋯138

第六章

《川普》，王錦松有關川普評論示威的
　漫畫⋯⋯⋯⋯⋯⋯⋯⋯⋯⋯146
1907 年《中興日報》漫畫⋯⋯149
The Singapore Herald 1971 年 5 月 19 日
　的漫畫⋯⋯⋯⋯⋯⋯⋯⋯⋯165
FEER Super Li（1981）⋯⋯⋯166
2019 年新加坡國立大學性騷擾案漫畫
　⋯⋯⋯⋯⋯⋯⋯⋯⋯⋯⋯⋯169
漫畫中關於新加坡語言教育問題
　⋯⋯⋯⋯⋯⋯⋯⋯⋯⋯⋯⋯177
《阿發的超級鐵人》福利巴士事件
　⋯⋯⋯⋯⋯⋯⋯⋯⋯⋯⋯⋯178
《阿發的超級鐵人》⋯⋯⋯⋯178
《136部隊》漫畫的「封面」⋯⋯179
《入侵》⋯⋯⋯⋯⋯⋯⋯⋯⋯181
《蟑螂俠》⋯⋯⋯⋯⋯⋯⋯⋯182
《Eraser》講述劉敬賢本人對歷史敘事
　的想法⋯⋯⋯⋯⋯⋯⋯⋯⋯183

第 二 卷

第一章

《時局全圖》 ⋯⋯⋯⋯⋯⋯⋯ 189
《時局圖》 ⋯⋯⋯⋯⋯⋯⋯ 189
《瓜分中國圖》 ⋯⋯⋯⋯⋯⋯ 193
1904 年寄自香港的明信片 ⋯⋯⋯ 195
1885 年 6 月 Japan Punch ⋯⋯⋯ 198
《上海潑克》 ⋯⋯⋯⋯⋯⋯ 200
蔵原惟昶《政界活機》之《清國與列強》
（1906 年） ⋯⋯⋯⋯⋯⋯ 201
新加坡《中興日報》1907 年 9 月 11 日
⋯⋯⋯⋯⋯⋯⋯⋯⋯⋯ 206

第二章

《老子說》封面 ⋯⋯⋯⋯⋯⋯ 209
蔡志忠與牧谿老子形象比較 ⋯⋯⋯ 222
蔡志忠《老子說》〈生命的大智慧〉
之一 ⋯⋯⋯⋯⋯⋯⋯⋯ 225
蔡志忠《老子說》〈生命的大智慧〉
之二 ⋯⋯⋯⋯⋯⋯⋯⋯ 227
蔡志忠《老子說》〈生命的大智慧〉
之三 ⋯⋯⋯⋯⋯⋯⋯⋯ 228
蔡志忠《老子說》〈生命的大智慧〉
之四 ⋯⋯⋯⋯⋯⋯⋯⋯ 230
蔡志忠《老子說》〈上善若水〉之一
⋯⋯⋯⋯⋯⋯⋯⋯⋯⋯ 232
蔡志忠《老子說》〈上善若水〉之二
⋯⋯⋯⋯⋯⋯⋯⋯⋯⋯ 233
從《老子》到《老子說》漫畫、動畫的
文本轉譯和圖像化過程 ⋯⋯⋯ 236

第三章

賴馬繪本創作過程 ⋯⋯⋯⋯⋯ 249

第四章

看圖識字 ⋯⋯⋯⋯⋯⋯⋯⋯ 293
看圖學字—奔走行 ⋯⋯⋯⋯⋯ 303
看圖識字—龍虎豹 ⋯⋯⋯⋯⋯ 303
《至 GOAL 無敵》第一期封面 ⋯⋯ 305
奄烈治與超級魔鬼隊球員 ⋯⋯⋯ 305
故事介紹與奄烈治帶領的超級魔鬼隊
陣容 ⋯⋯⋯⋯⋯⋯⋯⋯ 305
奀路拿（戲仿 1990 年代著名法國球員
David Ginola 賣點心的畫面） ⋯⋯ 306
漫畫裡出現的球員名字 ⋯⋯⋯⋯ 307
球隊名單及名字 ⋯⋯⋯⋯⋯⋯ 308
哨牙度與阿婆因拾荒爭執 ⋯⋯⋯ 309
球隊住所（即廁所） ⋯⋯⋯⋯⋯ 309
戲仿香港黑社會新春期間送年桔的情景
⋯⋯⋯⋯⋯⋯⋯⋯⋯⋯ 310
中環車仔麵店的甘小文所繪外牆 ⋯⋯ 312
甘小文的商場外牆漫畫 ⋯⋯⋯⋯ 315

文圖學研究推薦網路資源

（北京）故宮博物院數字文物庫／ https://digicol.dpm.org.cn/

（北京）故宮博物院・故宮名畫記／ https://minghuaji.dpm.org.cn/

（臺北）故宮博物院書畫典藏資料檢索系統／ https://painting.npm.gov.tw/

國際敦煌項目／ http://idp.bl.uk/

日本國立博物館所藏品統合檢索系統／ https://colbase.nich.go.jp/?locale=ja

美國大都會博物館／ https://www.metmuseum.org/art/collection

美國大都會博物館托馬斯沃森數字圖書館／ https://www.metmuseum.org/art/libraries-and-research-centers

美國大都會博物館出版品／ https://www.metmuseum.org/art/metpublications

東亞手卷畫／ https://scrolls.uchicago.edu/

Internet Archive 兒童圖書館（繪本）／ https://archive.org/details/iacl

Google 藝術與文化／ https://artsandculture.google.com/

巴黎博物館協會／ http://parismuseescollections.paris.fr/en/recherche/image-libre

荷蘭國立博物館／ https://www.rijksmuseum.nl/en/rijksstudio?ii=0&p=0&from=2020-02-24T19%3A10%3A55.9504307Z

荷蘭藝術研究所圖片庫／ https://rkd.nl/en/collections/explore

Gallerix 繪畫藝術圖庫／ https://gallerix.asia/

弗利爾美術館／ https://asia.si.edu/

美國克利夫蘭博物館／ https://www.clevelandart.org/

歐洲文化圖書館／ http://www.europeana.eu/portal/

藝術英國／ https://www.artuk.org/

藝拍指數／ https://www.artdata.net/

世界藝術鑒賞庫／ https://www.artlib.cn/

瓦爾堡研究院圖像志文獻庫／ https://iconographic.warburg.sas.ac.uk/vpc/VPC_search/main_
　　page.php

布里奇曼視覺資源庫／ https://www.bridgemaneducation.com/en/

文化史圖像數據庫／ http://arkyves.org/

世界數字圖書館／ https://www.wdl.org/zh/

中国絵画所在情報データベース／ http://cpdb.ioc.u-tokyo.ac.jp/index2.html

日本《東アジア絵画史研究文献目 》／ http://cpdb.ioc.u-tokyo.ac.jp/bunken/bunken.html

Index to Ming Dynasty Chinese Paintings ／ http://ted.lib.harvard.edu/ted/deliver/home?_
　　collection=ming

Bridgeman Education ／ http://www.bridgemaneducation.com/en/about-us

全球漢籍分布 GIS 系統／ https://www.kuizhangge.cn/gis/gisall.html

新加坡馬來西亞舊報紙／ https://digitalgems.nus.edu.sg/collection/96?fbclid=IwAR03XOPehH
　　TQ_kEx2J0WoKxMSoW0H2VFgwJsk8FWjiscAagFw1gKUU6hCKM

參考書目

導言

衣若芬：《春光秋波：看見文圖學》。南京：南京大學出版社，2020。

衣若芬：〈"文圖學"的建構之路〉，衣若芬主編：《學術金針度與人》，頁139-140。新加坡：八方文化創作室，2015。

衣若芬主編：《東張西望：文圖學與亞洲視界》。新加坡：八方文化創作室，2019。

衣若芬：《南洋風華：藝文・廣告・跨界新加坡》。新加坡：八方文化創作室，2016。

衣若芬：〈未來已經來了〉，2020年5月23日，新加坡《聯合早報》「上善若水」專欄。

姚夢桐：《新加坡美術史論集（1886-1945）》。杭州：浙江人民美術出版社，2019。

1-1 文圖學，學什麼？

中文參考書目

王芷岩：〈從"題畫文學"到"文圖學"的研究之路——訪新加坡南洋理工大學教授衣若芬〉，《典藏古美術》（中國版），2019年6月期，頁150-157。

衣若芬：〈文圖學：學術升級新視界〉，《當代文壇》，2018年第4期，頁118-124。

衣若芬：〈用文圖學方法打開《書藝東坡》〉，《中華文物學會》，2019年刊（2019年7月），頁272-278。

衣若芬：〈宮素然「明妃出塞圖」及其題詩——視覺文化角度的推想〉，《遊目騁懷：文學與美術的互文與再生》，頁343-386。臺北：里仁書局，2011。

衣若芬：《書藝東坡》。上海：上海古籍出版社，2019。

吳修銘著，黃庭敏譯：《注意力商人：他們如何操弄人心？揭密媒體、廣告、群眾的角力戰》。臺北：天下雜誌，2018。

尚恩・霍爾著，呂奕欣譯：《這就是符號學！探索日常用品、圖像、文本，76個人人都能讀懂的符號學概念》。臺北：積木文化股份有限公司，2015。

張松年：〈抑制與指示遺忘：線索時間與工作記憶的影響〉，《人文及管理學報》（宜蘭大學人文及管理學院），第4期（2007年11月），頁91-134。

斯坦尼斯拉斯・迪昂著，周加仙等譯：《腦與閱讀：破解人類閱讀之謎》。杭州：浙江教育出版社，2018。

英文參考書目

Amihay, Ofra, and Lauren Walsh, eds., *The Future of Text and Image: Collected Essays on Literary and Visual Conjunctures*. Newcastle upon Tyne: Cambridge Scholars Publishing, 2012.

Dehaene, Stanislas, *Reading in the Brain: The New Science of How We Read*. New York: Penguin Viking Press, 2009.

Hall, Sean, *This Means This, This Means That: A User's Guide to Semiotics*. London: Laurence King Publishing. Ltd., 2007.

Mitchell, W. J. T., *Image Science: Iconology, Visual Culture and Media Aesthetics*. Chicago: University of Chicago Press, 2015.

Mitchell, W. J. T., *Picture Theory: Essays on Verbal and Visual Representation*. Chicago: University of Chicago Press, 1994.

Rogoff, Irit, "Studying Visual Culture", in Nicholas Mirzoeff ed., *The Visual Culture Reader*. London; New York: Routledge, 2002.

Rorty, Richard ed., *The Linguistic Turn: Recent Essays in Philosophical Method*. Chicago: The University of Chicago Press, 1967.

Twenge, Jean M., *iGen: Why Today's Super-Connected Kids Are Growing Up Less Rebellious, More Tolerant, Less Happy – and Completely Unprepared for Adulthood – and What That Means for the Rest of Us*. New York: Atria Books, 2017.

Wegner, Daniel Merton, *The Illusion of Conscious Will*. Massachusetts: MIT Press, 2002.

Wu, Tim, *The Attention Merchants: The Epic Scramble to Get Inside Our Heads*. New York, NY: Alfred A. Knopf, 2016.

1-2繪本・漫畫：文學圖像化

中文參考書目

〔唐〕張彥遠：《歷代名畫記》。臺北：臺灣商務印書館，《文淵閣四庫全書》本，1983。

王耀庭：《書畫管見集》。臺北：石頭出版社，2017。

関寬之：《玩具・絵本及読物》。東京：厚生閣，1940。

仲田勝之助：《繪本の研究》。東京：美術出版社，1950。

陳葆真：《洛神賦圖與中國古代故事畫》。臺北：石頭出版社，2011。

陳葆真：《圖畫如歷史》。臺北：石頭出版社，2015。

李征宇：〈語圖關係視野下的《列女傳》文本及其圖像〉，《貴州文史叢刊》，2012年第1期，頁71-78。

林麗江：〈晚明規諫版畫《帝鑑圖說》之研究〉，《故宮學術季刊》，33卷2期（2015年12月），頁83-142。

林麗江：〈明代版畫《養正圖解》之研究〉，《國立臺灣大學美術史研究集刊》，33期（2012年9月），頁163-224+345。

莊慧敏：《《帝鑑圖說》與《養正圖解》之研究》。臺北：臺北市立師範學院碩士論文，2004。

英文參考書目

Bernstein, Jay H., "The Data-Information-Knowledge-Wisdom Hierarchy and its Antithesis," NASKO. 2 (2009): 68-75.

McCloud, Scott, *Understanding Comics: the Invisible Art*. New York: Harper Perennial, 1994.

1-3 臺灣原創漫畫與繪本的發展與現狀

中文參考書目

《阿正的冒險》90週年紀念官方網站，網址：http://www.shochan.jp/。

王宇清：《臺灣兒童漫畫發展研究（1945-2000）》。臺東：國立臺東大學兒童所碩士論文，2014。

何皇宜：《文化臺灣繪本研究》。彰化：國立彰化師範大學國文研究所碩士論文，2010。

李衣雲：〈臺灣大眾文化中呈現的歷史認識：以漫畫為中心（1945-1990）〉，《思與言》，第57卷第3期（2018年9月），頁7-73。

李衣雲：《變形、象徵與符號化譜系：漫畫的文化研究》。新北：稻鄉，2012。

李闡：〈早期臺灣漫畫發展概況〉，《文訊》，135（1997年1月），頁26。

李闡：《漫畫美學》。臺北：群流出版社，1998。

辛廣偉：《臺灣出版史》。石家莊：河北教育出版社，2000。

阮本美：〈媽媽手冊的價值——畫龍點睛或畫蛇添足？〉，《精湛季刊》，第16期（1992年8月），頁58-61。臺北：臺灣英文雜誌社有限公司

周文鵬：〈臺灣漫畫的創作及產業變遷——通往數位平台的困境與省思〉，《休閒研究》，第八卷第二期（2019年3月），頁1-17。

周文鵬：《圖像載體的敘事與接受——論臺灣漫畫文學的形成與創作》。新北：淡江大學中國文學研究所博士論文，2014。

周文鵬：《讀圖漫記：漫畫文學的工具與臺灣軌跡》。新竹：國立交通大學出版社，2008。

林文寶、趙秀金：《兒童讀物編輯小組的歷史與身影》，頁147-148。臺東：臺東大學兒童文學研究所，2003年10月。

洪文瓊：《臺灣圖畫書發展史——出版觀點的解析》。臺北：傳文文化事業有限公司，2004。

洪德麟：〈圖像世紀前臺灣漫畫史的回顧與展望〉，《臺灣漫畫特展》，頁20。臺北：國立歷史博物館，2000。

洪德麟：《風城臺灣漫畫五十年》。新竹：竹市文化，1999。

張欣雅：〈漫畫秩序的歷史進程及其意向：以臺灣經驗為例〉，《休閒研究》，第八卷第二期（2019

年3月），頁18-38。

曹俊彥、曹泰容：《臺灣藝術經典大系‧插畫藝術卷：探索圖畫書藝術色彩森林》。臺北：文化總
　　會，2006。

陳玉金：《臺灣兒童圖畫書的興起與發展史論（1946-2016）》。臺北：萬卷樓，2020。

陳玉金：《臺灣兒童圖畫書發展史論（1945-2013）》。臺東：國立臺東大學兒童文學研究所博士論
　　文，2014。

游珮芸：〈Why "picturebook"？──「圖畫書」或「繪本」在臺灣風行的幾點觀察〉，《竹蜻蜓‧兒
　　少文學與文化 》，第四期（2018年5月），頁347-365。

劉鳳芯：〈1948-2000兒童圖畫書在臺灣的論述內涵、發展與轉變〉，《兒童文學學刊》（2014年
　　12月），頁53-94。

蔡盛琦：〈臺灣流行閱讀的上海連環圖書（1945-1949）〉，《國家圖書館刊》，2009年第一期（2009
　　年6月），頁55-92。

賴佳微：《臺灣漫畫家發展研究──以漫畫競賽與數位創作平台為例》。臺北：明志科技大學視覺
　　傳達設計系碩士論文，2014。

賴政如：《漫畫產業編輯制度之探討──以日本與臺灣為例》。新竹：國立交通大學經營管理研究
　　所碩士論文，2008。

1-4 中國大陸原創繪本與漫畫的發展與展望

中文參考書目

畢克官：《中國漫畫史話》。天津：百花文藝出版社，2005。

甘險峰：《中國漫畫史》。濟南：山東畫報出版社，2008。

陳維東：《中國漫畫史》。北京：現代出版社，2015。

劉一丁：《中國新聞漫畫》。北京：中國青年出版社，2004。

劉玉靜、甘險峰：《華君武與內部諷刺漫畫》，《新聞記者》，2010年8期，頁67-69。

劉梵均：《「文革」期間中國大陸與香港地區漫畫及連環畫的對比研究》。廣州：廣州大學碩士論
　　文，2011。

黃茹：《以漫畫的名義守望真相──簡述近代中國新聞漫畫的發展及影響》，《傳播與版權》，
　　2015年11期，頁1-3。

方雅：《中國第一本漫畫刊物──〈上海潑克〉創刊號》，《都會遺蹤》，2012年2期，頁68-73。

王琳：《〈時代漫畫〉與中國漫畫的現代主義（1934-1937）》。西安：陝西師範大學博士論文，
　　2018。

黃大德：《中國「漫畫」名稱緣起考》，《美術觀察》，1999年4期，頁3-5。

趙敬鵬：《民國漫畫的創作與研究圖景》，《中國圖書評論》，2018年6期，頁79-88。

崔曉彥：《豐子愷漫畫的美學價值》。武漢：武漢理工大學碩士論文，2010。

趙玉彩：《魯迅漫畫思想研究》。湘潭：湘潭大學碩士論文，2014。

宛少軍：《20世紀中國連環畫研究》。北京：中央美術學院博士論文，2008。

林豪：〈漫畫界的高潮時期——四十四年前的漫畫期刊和「第一屆全國漫畫展覽會」〉，《美術》，1984年8期，頁57-59。

江婭茜：《〈抗戰漫畫〉期刊中的漫畫作品研究》。重慶：重慶師範大學碩士論文，2017。

朱蕙：〈抗戰時期的漫畫家及漫畫創作〉，《文藝理論與批評》，2005年4期，頁33-36。

陶少藝：《抗戰漫畫運動研究》。廣西：廣西師範大學碩士論文，2002。

錢可：〈共時語境下相同素材的不同藝術表達——豐子愷與張樂平漫畫之比較〉，《中國民族博覽》，2017年9期，頁197-199。

金千里：〈可喜的嘗試——「萬象更新圖」讀後〉，《美術》，1956年2期，頁42-43。

顧錚：〈意識形態如何俘虜流浪兒三毛——論三毛形象的轉型〉，《書城》，2005年9期，頁61-66。

鄒燦：《「大躍進」時期的宣傳畫與政治社會化》。天津：南開大學碩士論文，2011。

曾艷：《中國當代流行繪本研究》。蘇州：蘇州大學碩士論文，2008。

陸莉莉：《中國原創圖畫書出版現狀及對策研究》。合肥：安徽大學碩士論文，2014。

孫運芬：《中國當代新型漫畫的審美特徵淺論》。濟南：山東師範大學碩士論文，2005。

孫雯琦：《從連環畫到繪本的文化轉型研究》。杭州：浙江理工大學碩士論文，2016。

談鳳霞：〈突圍與束縛：中國本土圖畫書的民族化道路——國際視野中熊亮等的繪本創作論〉，《南京師大學報（社會科學版）》，第2期（2012年3月），頁148-153。

洪妍娜：〈改編藝術：從童謠到圖畫書〉，《中國出版》，2019年12期，頁48-50。

鄭曉慧：〈「互聯網+」背景下漫畫品牌成長的路徑分析〉，《傳媒》，2016年7期，頁91-93。

1-5 港漫講故：20世紀的香港漫畫

中文參考書目

〈《老夫子》與老王澤《老夫子》歷久不衰初探〉，《明報》，2017年4月3日，頁D6。

〈「烏龍王」數度搬上大銀幕　漫畫家雷雨田文物展出〉，《大公報》，2012年2月28日，頁B16。

〈人物概念：港產漫畫家「出手」救港漫〉，《明報》，2017年5月18日，網址：https://life.mingpao.com/general/article?issue=20170518&nodeid=1508757539990。

〈上下求索：本地漫畫何去何從〉，《星島日報》，2015年1月26日，頁A13。

〈王澤談王澤：耐人尋味的老夫子爸爸〉，《信報月刊》，期450（2014年9月），頁143。

〈古惑仔之戰爭與和平　牛佬〉，《壹週刊》，期1127（2011年10月13日），頁92。

〈本報刷新各週刊啟事〉，《工商日報》，1934年11月23日，第一張第一頁。

〈玉郎首天上市交投暢　收一元二角八比認購價升一角〉，《大公報》，1986年8月13日，頁13。

〈百分百　劉雲傑　傻瓜〉，《東周刊》，期269（2008年10月1日），頁59-60。

〈老夫子懷舊50大壽〉，《U Magazine》，期345（2013年1月25日），頁L42。

〈自由出版社〉，《香港文學通訊》，期56（2008年3月），頁77-78。

〈利志達　放不下　離不開〉，《優雅生活》，2020年4月17日，頁P17。

〈沉鬱與童真──智海〉，《讀書好月刊》，期45（2011年6月），頁4。網址：http://www.books4you.com.hk/45/pages/page4.html。

〈東方庸編繪科學幻想故事〉，香港記憶‧香港漫畫網頁。網址：http://www.hkmemory.org/comics/text/index.php?p=home&catId=78。

〈林祥焜：港漫已在深切治療部等死！〉，2013年2月22日，GameOver網頁，網址：https://www.gameover.com.hk/news/46829。

〈阿虫畫筆下的生活哲學〉，《太陽報》，2001年5月11日，頁D3。

〈怎樣認識生活〉，《漫畫周刊》，71期（1964年2月），頁33（封底內頁）。

〈怎樣繪漫畫〉，《中國學生周報》，期173（1955年11月11日），頁9。

〈飛仔盜賊為禍徙區　銅較銅手掣也被偷　慈雲山電梯強搶案時有所聞　婦女怕被非禮夜後不敢去廁所〉，《大公報》，1969年12月17日，頁4。

〈香港不再有感覺〉，《明報》，2008年9月5日，頁A26。

〈原子七俠〉，香港記憶‧香港漫畫網頁。網址：http://www.hkmemory.org/comics/text/index.php?p=home&catId=41&photoNo=0。

〈草日梁家婦女〉，《飲食男女》，期959（2013年12月23日），頁ET187。

〈梁仲基　草根上的火熱紅日〉，《新Monday》，期691（2013年12月27日），頁112。

〈猛龍過江？香港漫畫　四出突圍〉，《大學線月刊》，44期（2001年4月），網址：http://ubeat.com.cuhk.edu.hk/ubeat_past/010444/comic.htm。

〈現代四大天王〉，《工商日報》，1934年11月25日，第四張第一頁。

〈最新連環圖文〉，《誰迫害了金嗓子》。香港：白由出版社，1953，頁i。

〈開場白〉，《漫畫周報》，期1（1960年12月17日），頁1。

〈殿堂主筆　細數港漫興衰〉，《東方日報》，2012年9月8日，頁A10。

〈漫畫是什麼？〉，《漫畫世界》，期2（1956年12月15日），頁32。

〈漫畫專頁：編者的話〉，《中國學生周報》，期92（1954年4月13日），頁7。

〈關於漫畫〉，《華僑日報》，1949年11月3日，第四張第一頁。

《中華英雄精華珍藏本》，期1。香港：玉郎集團，1990。

《五味青春‧活力縱隊》。香港：突破出版社，1985。

《老夫子，四十多年的慣性收視：訪問吳中興先生》，香港記憶‧香港漫畫網頁。網址：http://www.hkmemory.org/comics/text/index.php?p=home&catId=6。

《漫畫王》，期1。香港：玉郎機構，1982。

《漫畫王》，期4。香港：玉郎機構，1982。

《漫畫王》，期9。香港：玉郎機構，1982。

《漫畫王》，期10。香港：玉郎機構，1982。

《漫畫王》，期11。香港：玉郎機構，1982。

《歡樂週報》，期1。香港：東然出版社，1975。

Henryporter：〈《情侶週刊》事件〉，吳俊雄、張志偉、曾仲堅編：《普普香港：閱讀香港普及文化，2000-2010（一）》，頁321-323。香港：香港教育圖書有限公司，2012。

Henryporter：〈〔漫之魄〕喜會《街霸》編劇李中興〉，香港動漫畫研究所網頁，2006年11月3日。網址：http://hkari.cuhkacs.org/wordpress/index.php?p=611。

Joel、aMan：〈古惑仔90s揸fit人〉，《新Monday》，期685（2013年11月15日），頁24。

Wan Chan：〈上官小強的漫畫世界・太空小英傑系列〉，我的漫畫時代Blog，2013年2月26日。網址：http://daaaer80.blogspot.hk/2013/02/blog-post.html。

上官小寶：《上官小寶正傳》。香港：博益出版集團有限公司，1988。

──：《李小龍》，期1，〈三腳震香港〉。香港：小龍圖書公司，1971。

小思：〈看公仔書的日子〉，《明報》，2010年9月26日，頁P9。

牛佬：《古惑仔》，期1。香港：浩一有限公司，1992。

──：《古惑仔》，期1000。香港：和平出版有限公司，2007。

王司馬：《牛仔畫集》。香港：明窗出版社，1980。

司徒劍僑、永仁編繪，劉定堅、文敵創作：《賭聖傳奇・激鬥篇》，期102，〈決戰魔化神俠〉。香港：自由人出版集團有限公司，1992。

司徒劍僑編繪，劉定堅創作：《賭聖傳奇》，期1，〈賭俠，你好嗎？〉。香港：自由人出版集團有限公司，1990。

甘小文：〈太公報〉，《玉郎漫畫》，期15。香港：生報有限公司，1985。

──：〈太公報〉，《玉郎漫畫》，期28。香港：生報有限公司，1985。

──：《至GOAL無敵》，期2，〈超級魔鬼〉。香港：君地有限公司，1997。

甘險峰：《中國漫畫史》。濟南：山東畫報出版社，2008。

朱琦：《香港美術史》。香港：三聯書店（香港）有限公司，2005。

朱維理：〈「救救孩子」：1945-1975年的香港漫畫和社會道德恐慌〉，《香港研究》，卷1期2（2018年），頁160-170。

吳偉明：《日本流行文化與香港》。香港：商務印書館（香港）有限公司，2015。

岑卓華編：《醉拳》，期1000，〈魔亂風雲〉。香港：文化傳信有限公司，2000。

李凡夫：〈何老大〉，《香島日報》，1943年10月1日，頁3。

李克堅：〈吉叔正傳〉，《漫畫周報》，期1（1960年12月17日），頁2。

姚偉雄：〈被社會壓抑的尚武思維：漫畫《龍虎門》的技擊符號結構〉，《E+E》，期5（2002年9月），頁50-55。

施仁：〈略論漫畫　和一位關心漫畫前途的朋友談話〉，《華僑日報》，1949年10月19日，第四張第一頁。

施仁毅、龍俊榮編：《港漫回憶錄：香港漫畫五十年的集體回憶》，頁11。香港：豐林文化傳播有限公司，2014。

洛楓：〈神話、漫畫：拆解《中華英雄》〉，吳俊雄、張志件編：《閱讀香港普及文化1970-2000》，

頁309-315。香港：牛津大學出版社，2002。

范永聰：〈「港漫」中的廣東文化形象：民俗文化之傳承與現代詮釋——以《新著龍虎門》為例〉，文潔華編：《香港嘅廣東文化》，頁52-80。香港：商務印書館，2014。

──：《我們都是這樣看港漫長大的》。香港：非凡出版，2017。

香山亞黃：《四米厘》。香港：山邊社，1982。

──：《香山亞黃漫畫選集》。香港：純一出版社，1976。

香港特別行政區立法會檔案館，H19941116，立法局會議記錄1994.11.16。

──，H19950719，會議過程正式紀錄1995.07.19。

──，HB584/94-95，文件：「我們對『色情及不雅物品』的嚴正聲明」。

──，HB667/94-95，文件：「可能被評定為第II級（不雅）物品的刊物例子」。

香港漫畫作品大展籌備委員會編：《漫畫作品大展》。香港：香港漫畫作品大展籌備委員會，1980。

香港漫畫研究社：《勁抽！黃玉郎》。香港：香港漫畫研究社，1984。

香港藝術中心、香港漫畫研究社：《笑論人間：當代香港專欄漫畫展》。香港：香港藝術中心：Frog，1989。

香港藝術中心：《再見細路祥：漫畫家袁步雲紀念展》。香港：香港藝術中心，1996。

──：《翼動漫花筒：香港漫畫歷史展覽》。香港：香港藝術中心，2012。

草日：《梁家婦女》，冊一。香港：Big Bird Studio，1998。

袁步雲：〈二伯父〉，《香港日報》，1942年12月24日，頁4。

──：《牛精良漫畫下集》。香港：馬錦記書報社，年份不詳。

──：《柳姐漫畫集》（香港：雲盈圖書公司，1957），冊一。

馬傑偉、吳俊雄編：《普普香港：閱讀香港普及文化2000-2010（一）》，頁314。香港：香港教育圖書公司，2012。

馬榮成：《馬榮成自傳：畫出彩虹》。香港：友禾，1990。

──：《天下畫集》，期4。香港：天下出版有限公司，1989。

──：《天下畫集》，期9，〈風雲（第五四）一遇風雲便化龍〉。香港：天下出版有限公司，1989。

──：《天下畫集》，期15，〈風雲——九霄龍吟驚天變，風雲際會淺水游〉。香港：天下出版有限公司，1989。

──：《天下畫集》，期32，〈悲痛莫名〉。香港：天下出版有限公司，1990。

馬龍：《五十步：馬龍漫畫集》。香港：百姓文化事業公司，1988。

尉遲一：〈甘小文：以前我畫四方果，畫到自己都笑！〉，GameOver網站。網址：http://gameover.com.hk/?p=3923。

張志偉：〈香港電影的賭博意識演變〉，馬傑偉、吳俊雄編：《普普香港：閱讀香港普及文化2000-2010（一）》，頁146-154。香港：香港教育圖書有限公司，2012。

許景琛編繪：《街頭霸王》，期1，〈創刊號〉。香港：玉郎國際集團有限公司，1991。

──：《街頭霸王》，期2，〈逆轉昇龍拳〉。香港：玉郎國際集團有限公司，1991。

陳策：〈香港畫報題詞〉，《香港畫報》，期1（1946年），頁1。

陳曉蕾：〈草日阿三的外母〉，《飲食男女》，期960（2013年12月20日），頁ET179。

麥勁生：《止戈為武：中華武術在香江》。香港：三聯書店（香港）有限公司，2016。

尊子：《黑材料：尊子漫畫集》。香港：創建文庫，1989。

智海、歐陽應霽編：《路漫漫：香港獨立漫畫25年》。香港：三聯書店（香港）有限公司，2006。

程美寶：《地域文化與國家認同：晚清以來「廣東文化」觀的形成》。香港：三聯書店（香港）有限公司，2018。

馮慶強：〈「港漫」嘅嘢〉，《立場新聞》，2016年5月24日，網址：https://www.thestandnews.com/art/%E6%B8%AF%E6%BC%AB-%E5%98%85%E5%98%A2/。

黃少儀、李惠珍編：《完全《13点漫畫》圖鑑：李惠珍的創作》。香港：吳興記書報社，2003。

黃少儀、楊維邦編：《香港漫畫圖鑑1867-1997》。香港：非凡出版，2017。

黃水斌繪，少傑監製：《欲望之翼EGO》，期1。香港：大渡出版有限公司，2014。

黃玉郎、馬榮成：《醉拳＊中華英雄》，期3，〈金鐵雙屍〉。香港：玉郎圖書有限公司，1981。

──：《醉拳＊中華英雄》，期5，〈四大惡人〉。香港：玉郎圖書有限公司，1981。

黃玉郎：《小流氓》，期1。香港：保光出版社，1970。

──：《小流氓》，期38，〈鬼鞭四狂〉。香港：保光出版社，1971。

──：《小流氓》，期39，〈怒踢鬼鞭王〉。香港：玉郎圖書公司，1971。

──：《小流氓》，期5，〈雌雄毒龍〉香港：玉郎圖書公司，1970。

──：《小流氓》，期55，〈學校黑社會〉。香港：玉郎圖書公司，1972。

──：《小流氓》，期82，〈苦鬥銅鐵雙狼〉。香港：玉郎圖書公司，1974。

──：《如來神掌》，期1。香港：玉郎圖書有限公司，1982。

──：《如來神掌》，期14，〈萬佛朝宗〉。香港：玉郎圖書有限公司，1982。

──：《如來神掌》，期17，〈冰火島〉。香港：玉郎圖書有限公司，1982。

──：《臭香港漫畫》，期8，〈新法例通過前之最後的諷刺〉。香港：玉郎圖書有限公司，1975。

──：《醉拳》，期328，〈巨星哀逝〉。香港：玉郎集團，1987。

──：《龍虎門》，期99，〈火雲邪神〉。香港：玉郎圖書有限公司，1975。

黃照達：〈新漫畫運動：香港網絡政治漫畫初探〉，《香港視覺藝術年鑑2019》，頁18-45，網址：http://hkvisualartsyearbook.org/lib/img/cuhkvayb/pdf/application_20190903_lb8Za.pdf。

楊國雄：《舊書刊中的香港身世》。香港：三聯書店（香港）有限公司，2014。

溫日良主編，鄧志輝繪畫：《海虎》，期43，〈風火雷電雪〉。香港：海洋製作有限公司，1995。

雷雨田：《烏龍王獻妻記》。香港：亞洲出版社，1953。

劉雲傑繪，阿寬編：《FEEL100%百分百感覺1》，期1。香港：玉郎國際有限公司，1992。

劉雲傑編繪：《FEEL100%百分百感覺6》，期6。香港：文化傳信有限公司，1994。

──：《FEEL100%百分百感覺7》，期7。香港：文化傳信有限公司，1995。

廣州漫畫社：〈亞老大的職業問題〉，《字紙籮》，卷1期5（1928年），頁2、8、52。

鄭家鎮：《香港漫畫春秋》。香港：三聯書店（香港）有限公司，1992。

鄭婢琦編：《老夫子漫畫研究計劃》。香港：香港藝術中心，2003。

黎巴嫩：《資本漫畫論》。香港：創建出版公司，1990。

黎明海：《功夫港漫口述歷史》。香港：三聯書店（香港）有限公司，2015。

黎健強、李世莊編：《人鑑》。香港：香港藝術歷史研究會，1995。

蕭湘文：《漫畫研究：傳播觀點的檢視》。臺北：五南圖書出版股份有限公司，2002。

戴衞路：《阿細與大鼻子》。香港：思文出版公司，1950。

謝立文編著，麥家碧畫：《麥嘜三隻小豬》。香港：博識出版有限公司，1994。

藍夢羽：《[港漫]野狼＆瑪莉》，香港高登討論區，2011年6月25日。網址：http://archive.hkgolden. com/view.aspx?type=AN&message=3099095&page=4&highlight_id=0&authorOnly=False。

嚴志超編：《賭神》，期1，〈創刊號〉。香港：玉郎國際集團有限公司，1990。

英文參考書目

Bongco, Mila, *Reading Comics: Language, Culture, and the Concept of the Superhero in Comic Books*. New York: Garland Pub., 2000.

Gabilliet, Jean-Paul, *Of Comics and Men: A Cultural History of American Comic Books*. Translated by Bart Beaty and Nick Nguyen. Jackson: University Press of Mississippi, 2010.

Joint Interact Council and Hong Kong Social Workers' Association, *Violence & Sex in Children's Comic Books: Hong Kong, 1973-74*. Hong Kong: Joint Interact Council, 1974.

Lai, Man-yin Carine, *The Rise of Hong Kong Politics: The View Through Political Cartoons 1984-2005*. Hong Kong: Civic Exchange, 2006.

Lam, Connie, "Hong Kong Manhua after the Millennium," *International Journal of Comic Art* 11: 2 (Fall 2009): 410.

Legislative Council Archives of Hong Kong Special Administrative Region, H19741031, Official Record of Proceedings, 1974.10.31, 107-108.

——, H19741114, Official Record of Proceedings, 1974.11.14, 205-206.

——, H19750813, Official Record of Proceedings, 1975.08.13, 1046.

Minutes of the First Meeting of the Sub-Committee on the Social Causes of Crime, 26 May 1973, HKRS163-9-852, Hong Kong Government Records Service, Hong Kong.

Peter Lloyd to Andrew Stuart, 22 March 1973, FCO 40/442, The National Archives, Kew.

Public Attitudes to Crime and Punishment, February 1972, HKRS163-9-852, Hong Kong Government Records Service, Hong Kong.

Report on Triad Societies of Hong Kong Prepared by the Staff of Triad Societies Bureau, August 1964, HKRS41-1-2240, Hong Kong Government Records Service, Hong Kong.

Wong, Siuyi Wendy, "Hong Kong Comic Strips and Japanese Manga: A Historical Perspective on the Influence of American and Japanese Comics on Hong Kong Manhua," *Design Discourse Inaugural Preparatory Issue* (2004): 22-37.

——, Hong Kong Comics: A History of Manhua. New York: Princeton Architectural Press, 2002.

1-6 教育‧政治‧新加坡繪本與漫畫的前世今生

中文參考書目

丘岳：《圖案設計》。新加坡：世界書局，1963。

危令敦：〈百年夜雨神傷處：從三篇小說看馬華與中國之文學想像〉，《現代中文文學學報》，第6卷第2期（2005年1月），頁261。

呂采芷：〈華人藝術的在地性與普遍性——以林學大為中心的考察〉，《藝術學研究》，第20期（2017年6月），頁8-12。

周錦嫦：〈1930年代現代版畫會、魯迅與料治朝鳴藝術交流考〉，《美術學報》，第5期（2018年9月），頁93-102。

洪長泰：《新文化史與中國政治》。臺北：一方出版，2003。

爰桑：〈丘岳筆下的漫畫〉，《蕉風》，第37期（1955年11月），頁16。

翁翼：《在烽火的年代裡：翁翼政治漫畫選集》。新加坡：新加坡湯申文化社，1985。

翁翼：《美術論析》。新加坡：教育出版社，1977。

畢克官：〈星洲畫家翁翼〉，《美術》，第11期（1988年11月），頁88-89。

莊華興：〈帝國——殖民時期在東北亞與東南亞之間的文藝流動：以戴隱郎為例〉，張曉威、張錦忠編：《華語語系與南洋書寫：臺灣與馬華文學及文化論集》，頁151-178。臺北：漢學研究中心，2018。

劉敬賢：《漫畫之王：陳福財正傳》。武漢：武漢大學出版社，2019。

魯迅：《魯迅全集》。北京：人民文學出版社，1981。

報刊資料：

《聯合早報》、《中興日報》、《南洋商報》、《星洲日報》、《聯合晚報》、《新明日報》、《蘋果日報》、《關鍵評論網》、《新加坡眼》

網絡資料：

〈神雕俠侶漫畫版〉，網址：https://www.ylib.com/hotsale/jincomics1/hotsale.htm。

〈新加坡漫畫協會開幕禮〉，網址：http://tczstudio.com/zh/portfolio/events/css-opening/。

英文參考書目

Bremer, Arthur A., "Kiasuism: A Socio-historico-cultural Perspective," *World Anthropological Studies*, 6.4 (1988): 21-36.

Chua, Beng-Huat, "Pragmatism of the People's Action Party Government in Singapore: A Critical Assessment," *Southeast Asian Journal of Social Science* 13.2 (1985): 29-46.

Lent, J. A., "'Mr. Kiasu,' 'Condom Boy,' and 'The House of Lim': The World of Singapore Cartoons,"

Journal Komunikasi: Malaysian Journal of Communication 11 (1995): 77-78 (73-83).

Lent, John, *Asian Comics*. Jackson: University Press of Mississippi, 2015.

Liew, Sonny, *The Art of Charlie Chan Hock Chye*. Singapore: Epigram Books, 2015.

Lim, Cheng Tju, "Current Trends in Singapore Comics: When Autobiography is Mainstream," *Kyoto Review of Southeast Asia* 16 (2014). https://kyotoreview.org/issue-16/current-trends-in-singapore-comics-when-autobiography-is-mainstream/

Lim, Cheng Tju, "Singapore Political Cartooning," *Southeast Asian Journal of Social Science* 25.1 (1997): 125-150.

Smith, Philip, "Sonny Liew Interview," *Studies in Comics* 7.1 (2016):154.

Xiao, Tie, "Masereel, Lu, and the Development of the Woodcut Picture Book (連環畫) in China," CLCWeb: Comparative Literature and Culture 15.2 (2013). https://doi.org/10.7771/1481-4374.2230

Newspapers

Straits Times, The New York Times.

Website

"'SpongeBob,' Mr. Kiasu Make a Splash in Coffee Table Book," License Global. https://www.licenseglobal.com/books-magazines/spongebob-mr-kiasu-make-splash-coffee-table-book

"AFCC Achievements". https://afcc.com.sg/2020/page/achievements

"Morgan Chua intervie". https://singaporecomix.blogspot.com/2008/08/morgan-chua-interview.html

"Woods in the Books". https://woods-in-the-books.myshopify.com/

Ho, Stephanie, "Hock Lee bus strike and riot," Singapore Infopedia. https://eresources.nlb.gov.sg/infopedia/articles/SIP_4_2005-01-06.html

---

2-1 華人時事漫畫的初祖：《時局全圖》

中文參考書目

楊維邦、黃少儀：《香港漫畫圖鑑 1867-1997》。香港：非凡出版社，2017。

甘險峰：《中國新聞漫畫發展史》。濟南：山東大學出版社，2018。

劉家林：〈《時局全圖》作者小考〉，《新聞知識》，1991年第2期，頁40-41。

王云紅：〈有關《時局圖》的幾個問題〉，《歷史教學》，2005年第9期，頁71-75。

魯金：〈中國第一張時事漫畫1897在香港面世〉，香港《明報》，1989年1月22日。

馮自由：《革命逸史》。臺北：臺灣商務印書館，1978。

《萬國商業月報》，1908年第2期，頁30-32。

《小說月報》，第1卷第4期（1910年），頁1-3。

《東方雜誌》，1911年第1期，頁20。

曾子凡：《香港粵語慣用語研究》。香港：香港城市大學出版社，2008。

艾希禮・貝登威廉斯（Ashley Baynton-Williams）著，張思婷譯：《怪奇地圖：從虛構想像到歷史知識，115幅趣味地圖翻轉你所認知的世界》。臺北：馬可孛羅文化出版，2017。

坂野德隆著，廖怡錚譯：《從諷刺漫畫解讀日本統治下的臺灣》。臺北：遠足文化，2019。

吳浩然：《民國漫畫：上海潑克》。濟南：齊魯書社，2016。

祝均宙：《圖鑑百年文獻：晚清民國年間畫報源流特點探究》。臺北：華藝學術出版，2012。

〈辨知新報瓜分中國圖札〉，《益聞錄》，第1759期（1898年），頁121-122。

蔵原惟昶：《政界活機》。東京：津越專右衛門發行，1906。

蔵原惟昶著，李儻譯：〈中國與列強圖說〉，《中國新報》，第1卷第1期（1907年），頁157-167。

朱士嘉，《時局圖》題詞，《近代史資料》，第1期（1954年8月），頁7-12。

衣若芬：〈文圖學與東亞文化交流研究理論芻議〉，《武漢大學學報》，第72卷第2期（2019年3月），頁101-107。

《香港楊衢雲紀念協會成立》，香港《文匯報》2012年1月12日。網址：http://paper.wenweipo.com/2012/01/12/HK1201120001.htm。

英文參考書目

Anne M. Platoff, "The 'Forward Russia' Flag: Examining the Changing Use of the Bear as a Symbol of Russia," *Raven: A Journal of Vexillology*, 19 (2012), pp. 99-125.

GDC Titley, Thomas Onwhyn: a Life in Illustration (1811 -1886). https://pearl.plymouth.ac.uk/handle/10026.1/11855 http://www.barronmaps.com/1854-the-year-of-rock-and-droll-the-comic-map-of-europe-is-born/

Hans Harder ed., *Asian Punches: A Transcultural Affair*. Springer Berlin Heidelberg, 2013.

Hadol's satirical map of Europe of 1870. https://www.crouchrarebooks.com/maps/view/hadol-paul-comic-map-of-europe

I Lo-fen, "Text and Image Studies: Theory of East Asian Cultural Diffusion," *Journal of Cultural Interaction in East Asia* Vol. 10 (2019), pp. 43-54.

John Bull, https://www.historic-uk.com/CultureUK/John-Bull/

Keir Waddington, "'We Don't Want Any German Sausages Here!' Food, Fear, and the German Nation in Victorian and Edwardian Britain," *Journal of British Studies* Vol. 52, No. 4 (October 2013), pp. 1017-1042.

Local heroes, https://www.scmp.com/article/981328/local-heroes

Nick Stember, The Shanghai Manhua Society: a History of Early Chinese Cartoonists, 1918-1938, Master of Arts thesis. Vancouver: The University of British Columbia, 2015.

Peter C. Purdue & Ellen Sebring, The Boxer Uprising. https://visualizingcultures.mit.edu/boxer_uprising/

bx_essay02.html

Rudolf G. Wagner, "China 'Asleep' and 'Awakening'. A Study in Conceptualizing A symmetry and Coping with it," *The Journal of Transculture Studies* Vol. 2 No. 1 (2011), pp. 4-139.

Revolution always on the mind of South China Morning Post co-founder Tse Tsan-tai, 2018年11月6日《南華早報》，https://www.scmp.com/news/hong-kong/article/2171070/revolution-always-mind-south-china-morning-post-co-founder-tse-tsan

Tse Tsan-tai, *The Chinese Republic: Secret History of the Revolution*. Hong Kong: South China Morning Post, 1924.

Wendy Siuyi Wong, *Hong Kong Comics: A History of Manhua*. New York: Princeton Architectural Press, 2002.

1870 Neumann Satirical Map of Europe, https://www.geographicus.com/P/AntiqueMap/KarteEuropa-neumann-1870

日文參考書目

土田秀明：〈中国近代における瓜分論の系譜〉，《鷹陵史学》43（2017年9月），頁53-77。

2-2 糖衣古籍 × 視覺膠囊——蔡志忠《老子說》的漫畫、動畫和彈幕視頻

中文參考書目

〈AcFun〉，維基百科。2017年10月16日。網址：https://zh.wikipedia.org/wiki/AcFun。

〈Bilibili〉，維基百科。2017年10月16日。網址：https://zh.wikipedia.org/wiki/Bilibili。

〈老子說不想看古書，就看動畫吧〉，Bilibili。2017年10月15日。網址：http://www.bilibili.com/video/av606838/。

〔唐〕張彥遠：《歷代名畫記》。臺北：臺灣商務印書館，1983年《文淵閣四庫全書》本。

王偉：〈蔡志忠漫畫特徵解析〉，《藝海》，2013年第5期，頁82-83。

衣若芬：〈美感與諷喻——杜甫《麗人行》的圖像演繹〉，《遊目騁懷：文學與美術的互文與再生》，頁173-198。臺北：里仁書局，2011。

吳宇娟：〈風華再現——以蔡志忠動畫作品對古典小說的詮釋與再創為例〉，國立臺中技術學院應用中文系編：《傳統文化與現代文化創意產業學術研討會論文集》，頁142。臺北：秀威科技，2014。

許銘賢：《蔡志忠《漫畫四書》研究》。嘉義：國立嘉義大學碩士論文，2008。

陳春娛：〈從視覺符號性看蔡志忠漫畫《老子說》的文化意義〉，《名作欣賞》，2011年36期，頁159-160。

陳鼓應註譯：《老子今註今譯及評介》。臺北：臺灣商務印書館，1970。

陶然：〈蔡志忠的古籍漫畫〉，《東方藝術》，1994年第2期，頁27。

楊向榮、黃培：〈圖像敘事中的語圖互文——基於蔡志忠漫畫藝術的圖文關係探究〉，《百家評論》，2014年第4期，頁83-90。

詹宏志：〈新生代的糖衣古籍——序蔡志忠先生《老子說——智者的低語》〉，蔡志忠：《老子說——智者的低語》，頁7-8。臺北：時報文化出版公司，1987。

劉怡君：《蔡志忠的「鬼狐仙怪」系列作品研究》。臺東：國立臺東大學碩士論文，2011。

安然：《蔡志忠古籍漫畫藝術研究》。西安：陝西科技大學碩士論文，2013。

蔡志忠：《大醉俠挑戰老夫子》。臺北：老夫子雜誌社，1984。

蔡志忠：《天才與巨匠：漫畫大師蔡志忠的傳奇人生》。北京：中信出版社，2016。

蔡志忠：《漫畫道家思想》。北京：商務印書館，2009。

蔡志忠：《漫話蔡志忠——蔡志忠半生傳奇》。北京：三聯書店，1995。

蔡志忠：《蔡子說：蔡志忠的半生傳奇》。臺北：遠流出版社，1993。

蔡志忠：〈龍的傳人應瞭解自己的文化〉，《漫畫孟子》。北京：中信出版集團，2016。

英文參考書目

Eisner, Will, *Comics and Sequential Art: Principles and Practices from the Legendary Cartoonist*. Tamartc: Poorhouse Press, 1990.

Furniss, Maureen, *Art in Motion: Animation Aesthetics*. Bloomington: Indiana University Press, 2008.

McCloud, Scott, *Understanding Comics: the Invisible Art*. New York: Harper Perennial, 1994.

Zheng, Xiqing, "Cheers! Lonely Otakus: Bilbili, the Barrage Subtitles System and Fandom as Performance". October 15, 2017. http://henryjenkins.org/blog/2017/6/15/cheers-lonely-otakus-bilibili-the-barrage-subtitles-system-and-fandom-as-performance.

日文參考書目

Wikipedia. "ニコニコ動画". Accessed October 16, 2017. https://ja.wikipedia.org/wiki/%E3%83%8B%E3%82%B3%E3%83%8B%E3%82%B3%E5%8B%95%E7%94%BB#.E3.82.B3.E3.83.A1.E3.83.B3.E3.83.88.E6.A9.9F.E8.83.BD

2-3 文圖協奏曲——臺灣繪本作家賴馬繪本中的文圖結合模式論析

中文參考書目

Carol Lynch-Brown, Carl M. Tomlinson著，林文韻、施沛妤譯：《兒童文學：理論與應用》。臺北：心理出版有限公司，2009。

曹俊彥、曹泰容：《臺灣藝術經典大系‧插畫藝術卷：探索圖畫書藝術色彩森林》。臺北：文化總會，2006。

郝廣才：《好繪本如何好》。臺北：格林文化，2006。

簡紅蓮：〈兒童圖畫書節奏的結構要素探究〉，《出版廣角》，2013年第2期，頁61-63。

賴馬：《愛哭公主》。臺北：親子天下股份有限公司，2014。

賴馬：《猜一猜我是誰？》。臺北：親子天下股份有限公司，2016。

賴馬：《慌張先生》。臺北：親子天下股份有限公司，2016。

賴馬：《金太陽銀太陽》。臺北：親子天下股份有限公司，2018。

賴馬：《禮物》。新竹：和英文化，2011。

賴馬：《帕拉帕拉山的妖怪》。臺北：親子天下股份有限公司，2016。

賴馬：《生氣王子》。臺北：親子天下股份有限公司，2015。

賴馬：《我和我家附近的流浪狗》。臺北：信誼基金出版社，2018。

賴馬：《勇敢小火車：卡爾的特別任務》。臺北：親子天下股份有限公司，2016。

賴馬：《早起的一天》。臺北：親子天下股份有限公司，2016。

賴玉釵：〈審美視閾與文本唱和歷程及反應：以兒童賞析繪本之審美愉悅為例〉，《藝術學報》，
　　第88期（2011年），頁135-160。

林真美：《繪本之眼》。臺北：天下雜誌，2010。

培利‧諾德曼（Perry Nodelman）著，劉鳳芯、吳宜潔譯：《閱讀兒童文學的樂趣》。臺北：天衛文
　　化，2009。

培利‧諾德曼（Perry Nodelman）著，楊茂秀、黃孟嬌、嚴淑女、林玲遠、郭鍠莉譯：《話圖：兒童
　　圖畫書的敘事藝術》。臺東：財團法人兒童文化藝術基金會，2010。

邱各容：《臺灣兒童文學史》。臺北：五南圖書出版，2005。

松居直著，鄭明進譯：《幸福的種子》。臺北：臺灣英文雜誌社有限公司，2000。

王秀絹：《賴馬與陳致元自寫自畫圖書書之研究》。臺南：國立臺南大學碩士論文，2008。

吳淑玲：《繪本與幼兒心理輔導》。臺北：五南出版社，2001。

吳宜霈、宗大筠：〈進入賴馬的圖書書世界〉，《繪本棒棒堂》，第19期（2010年3月），頁16-31。

小學華文輔助讀物推薦書目（2014），新加坡教育部課程規劃與發展司華文組，2018年5月7日。
　　網址：https://www.moe.gov.sg/docs/default-source/document/resources/files/chinese-supplementary-
　　readers-primary.pdf。

徐岱：《小說敘事學》。北京：商務印書館，2014。

楊玉蓉：《一個小學三年級班級閱讀教學研究——以賴馬圖書書為例》。臺東：國立臺東大學兒童
　　文學研究所碩士論文，2008。

衣若芬：〈文圖學：學術升級新視界〉，《當代文壇》，2018年第4期，頁118-124。

朱沛緹：《臺灣兒童圖畫書風格分析：以賴馬自寫自畫的作品為例》。臺北：臺北市立教育大學碩
　　士論文，2007。

竺家寧：《詞彙之旅》。新北：正中書局，2009。

英文參考書目

Langer, Susanne K., *Philosophy in a New Key*. New York: New American Library, 1948.

Nodelmen, Perry, "Words Claimed: Picturebook Narratives and the Project of Children's Literature," in *New directions in Picturebook Research*, edited by T. Colomer, B. Kümmerling-Meibauer, & C. Silva-Díaz, 11-25. New York: Routledge, 2010.

Schwarcz, Joseph H., "The Textless Contemporary Picture," in *Ways of the Illustrator: Visual Communication in Children's Literature*, 65. Chicago: American Library Association, 1982.

2-4 港漫的全球在地化——甘小文漫畫文圖構築的香港文化

中文參考書目

范永聰：〈港漫中的廣東文化形象：民俗文化之傳承與現代詮釋——以《新著龍虎門》為例〉，文潔華編：《香港嘅廣東文化》，頁53。香港：商務印書館，2015。

石子順造著，謝民福譯：〈日本現代漫畫小論〉，《書評書目》，第75期（1979年9月），頁34。

蕭湘文：《漫畫研究：傳播觀點的檢視》。臺北：五南圖書，2002。

吳偉明：〈日本漫畫對香港漫畫界及流行文化的影響〉，氏著：《日本流行文化與香港》，頁173-174。香港：商務印書館，2015。

范永聰：《我們都是這樣看港漫長大的》。香港：非凡出版，2017。

〈太公愛不文 甘當痲甩神〉，《蘋果日報》，2015年11月11日，網址：https://hk.lifestyle.appledaily.com/lifestyle/special/daily/article/20151111/19367378。

〈妙筆畫出球星百態 甘小文否極泰來 「足球熱潮救咗我」〉，《蘋果日報》，2006年5月3日，網址：https://hk.news.appledaily.com/local/daily/article/20060503/5886304。

〈甘小文畫麵舖外牆 哨牙珍陪你喫車仔麵〉，GameOver網站。網址：http://gameover.com.hk/?p=321728。

衣若芬：〈「文圖學」與東亞文化：1920-30年代虎標永安堂藥品的報紙廣告〉，《臺大東亞文化研究》，第3期（2015年10月），頁162-163。

朱維理：〈社會治安、保護青少年與香港漫畫「不良讀物」的形象：兼論《小流氓》與《龍虎門》主題轉變之緣由〉，《文化研究＠嶺南》，第55期（2016年1月），頁1-43。

饒美蛟：〈香港工業發展的歷史軌跡〉，王賡武編：《香港史新編》上編，頁393-443。香港：三聯書店，2016。

黎明海：《功夫港漫口述歷史（1960-2014）》。香港：三聯書店，2015。

范永聰：〈「港漫」中的廣東文化形象：民俗文化之傳承與現代詮釋——以《新著龍虎門》為例〉，載文潔華編：《香港嘅廣東文化》，頁52-80。香港：商務印書館，2014。

麥勁生：〈黃飛鴻Icon的本土再造：以劉家良和徐克的電影為中心〉，載文潔華編：《香港嘅廣東文化》，頁81-99。香港：商務印書館，2014。

潘麒智：〈停泊在小巷的回憶——飛機欖伴我們走過的七十年代〉，《文化研究＠嶺南》，第19期（2010年7月），頁1-15。

徐斯筠：〈被社會邊緣化的群體──香港拾荒長者生存狀態研究〉，《香港人類學》，2012年第6期，
　　網址：http://www.cuhk.edu.hk/ant/hka/vol6/HKA_TSUI.pdf。
吳俊雄、馬傑偉、呂大樂：〈港式文化研究〉，朱耀偉編：《香港研究作為方法》，頁166-167。香
　　港：中華書局，2016。

英文參考書目

Heer, Jeet & Kent Worcester, *A Comics Studies Reader.* Jackson: University Press of Mississippi, 2009.

Mather, Jeffrey, "Hong Kong Comics: Reading the Local and Writing the City," *Wasfiri* 32: 3 (2017): 79-86.

Nora, Pierre, "Between Memory and History: Les Lieux de Mémoire," *Representations* 26 (1989): 7-24.

2-5 寵物、權力、消費：文圖學視角下寵物漫畫的隱喻──以漫畫《霸道總裁喵》為例

中文參考書目

湯姆·方德著繪，周高逸譯：《霸道總裁喵：金錢、權力、貓糧》。北京：北京聯合出版公司，
　　2017。

Scott McCloud著，張明譯：《製造漫畫：揭示卡通、漫畫和圖形小說敘事技巧的秘密》。北京：人
　　民郵電出版社，2010。

吳明：《萌：當代視覺文化中的柔性政治》，《文藝理論研究》，2015年第3期。頁61-68。

芭芭拉·漢娜著，迪安·L·弗蘭茨編，劉國彬譯：《貓、狗、馬》。北京：東方出版社，1998。

邁克·克朗：《文化地理學》。南京：南京大學出版社，2003。

英文參考書目

Dale, Joshua Paul, Joyce Goggin, Julia Leyda, Anthony P. McIntyre and Diane Negra, eds., *The Aesthetics and Affects of Cuteness*. London: Routledge, 2017.

Haraway, Donna, *The Companion Species Manifesto: Dogs, People, and Significant Otherness*. Cambridge: Prickly Paradigm Press, 2003.

Morreall, John, "Cuteness," in *British Journal of Aesthetics*, Vol. 31, no. 1 (January 1991): 39.

Tuan, Yi-Fu, *Dominance and Affection: The Making of Pets*. Yale University Press: New Haven and London, 1984.

國家圖書館出版品預行編目（CIP）資料

四方雲集：臺・港・中・新的繪本漫畫文圖學 / 衣若芬，莫忠明，孔令俐，
　朱維理，羅樂然作；衣若芬主編.-- 初版.-- 桃園市：國立中央大學出版
　中心；臺北市：遠流出版事業股份有限公司, 2021.05
　　面；　公分

　ISBN 978-986-5659-37-0（平裝）

　1.讀物研究　2.漫畫　3.繪本

011.9　　　　　　　　　　　　　　　　　　　　109021364

四方雲集
臺・港・中・新的繪本漫畫文圖學

主編——衣若芬

作者——衣若芬、莫忠明、孔令俐、朱維理、羅樂然

執行編輯——王怡靜

美術設計——陳春惠

出版單位——國立中央大學出版中心
　　　　　　桃園市中壢區中大路300號
　　　　　　遠流出版事業股份有限公司
　　　　　　台北市中山北路一段11號13樓

展售處／發行單位——遠流出版事業股份有限公司

地址——台北市中山北路一段11號13樓

電話——(02) 25710297　傳真——(02) 25710197

劃撥帳號——0189456-1

著作權顧問——蕭雄淋律師

2021年5月 初版一刷

售價——新台幣480元

如有缺頁或破損，請寄回更換

有著作權・侵害必究 Printed in Taiwan

ISBN 978-986-5659-37-0（平裝）

GPN 1011000501

遠流博識網 http://www.ylib.com　E-mail: ylib@ylib.com